河出文庫

サピエンス全史 下

文明の構造と人類の幸福

Y・N・ハラリ
柴田裕之 訳

kawade bunko

河出書房新社

サピエンス全史 下

目次

第12章 宗教という超人間的秩序 10
神々の台頭と人類の地位／偶像崇拝の恩恵／神は一つ／善と悪の戦い／自然の法則／人間の崇拝

第13章 歴史の必然と謎めいた選択 55
1 後知恵の誤謬《ごびゅう》／2 盲目のクレイオ

第4部 科学革命

第14章 無知の発見と近代科学の成立 70
無知な人／科学界の教義／知は力／進歩の理想／ギルガメシュ・プロジェクト／科学を気前良く援助する人々

第15章 科学と帝国の融合 117
なぜヨーロッパなのか？／征服の精神構造／空白のある地図／宇宙からの侵略／帝国が支援した近代科学

第16章　拡大するパイという資本主義のマジック……166
拡大するパイ／コロンブス、投資家を探す／資本の名の下に／自由市場というカルト／資本主義の地獄

第17章　産業の推進力……214
熱を運動に変換する／エネルギーの大洋／ベルトコンベヤー上の命／ショッピングの時代

第18章　国家と市場経済がもたらした世界平和……239
近代の時間／家族とコミュニティの崩壊／想像上のコミュニティ／変化し続ける近代社会／現代の平和／帝国の撤退／核による平和《パクス・アトミカ》

第19章　文明は人間を幸福にしたのか……282
幸福度を測る／化学から見た幸福／人生の意義／汝《なんじ》自身を知れ

第20章　超ホモ・サピエンスの時代へ……319
マウスとヒトの合成／ネアンデルタール人の復活／バイオニック生命体／別の生命／特異点《シンギュラリティ》／フランケンシュタインの予言

あとがき――神になった動物　350
文庫版　あとがき――AIと人類　352
謝辞　359
訳者あとがき　360
原註　378
図版出典　379
索引　396

〔上巻目次〕

歴史年表

第1部 認知革命

第1章 唯一生き延びた人類種
第2章 虚構が協力を可能にした
第3章 狩猟採集民の豊かな暮らし
第4章 史上最も危険な種

第2部 農業革命

第5章 農耕がもたらした繁栄と悲劇
第6章 神話による社会の拡大
第7章 書記体系の発明
第8章 想像上のヒエラルキーと差別

第3部 人類の統一

第9章 統一へ向かう世界
第10章 最強の征服者、貨幣
第11章 グローバル化を進める帝国のビジョン

原註
図版出典

サピエンス全史

下

——文明の構造と人類の幸福

第12章　宗教という超人間的秩序

　中央アジアのオアシスに造られた都市サマルカンドの中世の市場では、シリアの貿易商人たちが中国の上質な絹を撫《な》で、大草原地帯《ステップ》の獰猛《どうもう》な部族民たちがはるか西方から連れてこられたばかりの麦わら色の髪の奴隷たちを並べて見せ、小売商人たちが異国の文字や見慣れぬ王の横顔の刻まれたまばゆい金貨をポケットにしまう。当時、東西南北の交通の要衝の一つだったこの場所では、人類の統一は日々の現実だった。一二八一年に日本に侵入するためにフビライ・ハンの兵が結集したときにも、同じような状況が見られただろう。革や毛皮をまとったモンゴルの騎兵と竹製の笠《かさ》を被った中国人歩兵とが親しくつき合い、酔った朝鮮の外国人部隊が入れ墨をした南シナ海の船乗りに喧嘩《けんか》を吹きかけ、中央アジアの技術者がヨーロッパの冒険家のほら話に驚いて口をあんぐり開けて聴き入るのだが、その誰もがただ一人の皇帝の命令に従った。

　一方、メッカの聖なるカーバ神殿の周りでは、人類の統一は別の方法で進んでいた。

一三〇〇年に巡礼者としてメッカに行き、イスラム教の最も神聖なこの神殿の周りを回っていたら、メソポタミアからの一団に取り巻かれていたかもしれない。彼らは服を風になびかせ、恍惚《こうこつ》として目を輝かせ、神の九九の名を繰り返し唱えている。前方には、アジアのステップから来た、日焼けしたトルコ人の長老が、杖《つえ》にすがり、思慮深げに鬚《ひげ》を撫でながら、よろよろと歩いているのが見えるかもしれない。一方の側には、アフリカのマリの王国からやって来たイスラム教徒の一団が、真っ黒な肌に金《きん》の装身具を輝かせているかもしれない。チョウジやウコン、カルダモン、海塩の香りがするのは、インドあるいは、ことによるとさらに西の謎めいた香料の島々の同胞たちもいる証拠だ。

今日《こんにち》、宗教は差別や意見の相違、不統一の根源と見なされることが多い。だがじつは、貨幣や帝国と並んで、宗教もこれまでずっと、人類を統一する三つの要素の一つだったのだ。社会秩序とヒエラルキーはすべて想像上のものだから、みな脆弱《ぜいじゃく》であり、社会が大きくなればなるほど、さらに脆《もろ》くなる。宗教が担ってきたきわめて重要な歴史的役割は、こうした脆弱な構造に超人間的な正当性を与えることだ。宗教では、私たちの法は人間の気まぐれではなく、絶対的な至上の権威が定めたものだとされる。そのおかげで、根本的な法の少なくとも一部は、文句のつけようのないものとなり、結果として社会の安定が保証される。

したがって宗教は、超人間的な秩序の信奉に基づく、人間の規範と価値観の制度と定義できる。これには、二つの異なる基準がある。

1 宗教は、規範と価値観のシステムの総体であり、孤立した習慣あるいは信仰ではない。幸運を求めて縁起を担ぐのは宗教ではない。たとえ生まれ変わりを信じていても、特定の行動規範の正当性を認めていないかぎり、宗教にはならない。

2 その規範と価値観のシステムは、宗教と見なされるためには、人間の決定ではなく超人間的な法に基づいていると主張しなければならない。プロ・サッカーは宗教ではない。なぜなら、このスポーツには多くのルールや習慣があり、奇妙な儀式の数々を伴うことも多いとはいえ、サッカーそのものは人間自身が発明したことを誰もが承知しており、国際サッカー連盟はいつでもゴールを大きくしたり、オフサイドのルールをなくしたりできるからだ。

宗教は、広く行き渡った社会秩序や政治秩序を正当化する能力を持っているとはいえ、そのすべてがこの能力を発揮するわけではない。本質的に異なる人間集団が暮らす広大な領域を傘下に統一するためには、宗教はさらに二つの特性を備えていなくてはならない。第一に、いつでもどこでも正しい普遍的な超人間的秩序を信奉している必要がある。第二に、この信念をすべての人に広めることをあくまで求めなければならない。言い換えれば、宗教は普遍的であると同時に、宣教を行なうことも求められるのだ。

イスラム教や仏教のような、歴史上有数の宗教は、普遍的であり、宣教を行なっている。その結果、人々は、宗教はみなそういうものだと思う傾向にある。ところが、古代の宗教の大半は、局地的で排他的だった。信者は地元の神々や霊を信奉し、全人類を改宗させる意図は持っていなかった。私たちの知るかぎりでは、普遍的で、宣教を行なう宗教が現れ始めたのは、紀元前一〇〇〇年紀だ。そのような宗教の出現は、歴史上屈指の重要な革命であり、普遍的な帝国や普遍的な貨幣の出現とちょうど同じように、人類の統一に不可欠の貢献をした。

神々の台頭と人類の地位

アニミズムが最も有力な信念体系だったころ、人間の規範と価値観は、動植物や妖精、死者の霊といった他の無数の存在の見地や利害を考慮に入れざるをえなかった。たとえば、ガンジス川流域の狩猟採集民の生活集団は、特別大きなイチジクの木を切り倒すのを禁じる規則を確立したかもしれない。イチジクの木の精霊を怒らせて復讐《ふくしゅう》されないようにするためだ。インダス川流域に住む別の狩猟採集民の集団は、白い尾のキツネを狩るのを禁じたかもしれない。白い尾のキツネは、かつて貴重な黒曜石《こくようせき》の見つかる場所を賢い老女に明かしたことがあったからだ。

こうした宗教は、視野が非常に局地的で、特定の場所や気候、現象の独特の特徴を強調する傾向がある。たいていの狩猟採集民はせいぜい一〇〇〇平方キロメートル以内の範囲で一生を送った。ある川の特定の流域の居住者が生き延びるためには、その流域を統制している超人間的秩序を理解し、それに自分の行動を合わせる必要があった。だが、遠く離れた流域の居住者を説得して同じ規則に従わせようとしても無駄だった。インダス川の人々は、ガンジス川にわざわざ宣教師を派遣して、地元の人々を説得し、白い尾のキツネを狩らないようにさせたりはしなかった。

農業革命には宗教革命が伴っていたらしい。狩猟採集民は野生の動物を狩り、野生の植物を摘《つ》んだが、それらの動植物はホモ・サピエンスと対等の地位にあると見なすことができた。人間がヒツジを狩るからといって、ヒツジが人間に劣ることにはならなかった。トラが人間を狩るからといって、人間がトラに劣ることにならないのと、まったく同じだ。生き物は直接意思を通わせ、共有する生息環境を支配している規則について交渉した。それとは対照的に、農耕民は動植物を所有して操作しており、自分の所有物と交渉するような、自らの体面にかかわるようなことはほとんどできなかった。したがって、農業革命の最初の宗教的結果として、動植物は霊的な円卓を囲む対等のメンバーから資産に格下げされた。

だが、そのために大きな問題が生じた。農民は自分のヒツジを絶対的に支配したかったかもしれないが、自分の支配力には限りがあることを百も承知していた。ヒツジを囲いに閉じ込めたり、オスを去勢したり、特定のメスを選んで繁殖させたりできたが、メスを確実に身ごもらせ、健康な子ヒツジを産ませることも、致命的な流行病の発生を防ぐこともできなかった。それならば、どうやってヒツジを間違いなく繁殖させればいいのか？

神々の起源についての有力な説によれば、神々はこの問題の解決策を提供したから重要性を獲得したという。豊饒《ほうじょう》の女神や空の神、医術の神のような神々は、動植物が話す能力を失ったときに舞台の中央を占めた。神々の主な役割は、人間と口の利けない動植物との仲立ちをすることだった。古代の神話の多くは、じつは法的な契約で、動植物の支配権と引き換えに、神々への永遠の献身を約束するものだった。「創世記」の最初のほうの章はその最たる例だ。農業革命以降何千年にもわたって、宗教の礼拝方式は、人間がヒツジを生贄《いけにえ》にし、ブドウ酒とパンを神聖な神々に捧げることが主体で、それと引き換えに、神々は豊作と家畜の多産を約束した。

農業革命は当初、岩や泉、死者の霊、魔物《まもの》といったアニミズムの体系の他の成員の地位には、はるかに小さな影響しか及ぼさなかった。とはいえ、これらも徐々に地位を失い、新たな神々に取って代わられた。人々が数百平方キロメートルの限られた縄張りの中で一生を送っているかぎり、彼らの必要は地元の精霊たちに満たしてもらえた。だが、王国や交易ネットワークが拡大すると、人々は王国や交易圏全体に力と権威が及ぶ存在と接触する必要が出てきた。

こうした必要に応える試みが、多神教の宗教の出現につながった。これらの宗教は、世界は豊饒の女神や雨の神、軍神など、一団の強力な神々によって支配されていると考えた。人間はこれらの神々に訴えることができ、祈禱《きとう》や生贄を捧げれば、神々はありがたくも雨や勝利や健康をもたらしてくださりうるのだった。

多神教が出現しても、アニミズムは完全に消えてなくなりはしなかった。魔物や妖精、死者の霊、聖なる岩、聖なる泉、聖なる木は、多神教の宗教のほぼすべてにとって不可欠であり続けた。これらの精霊たちは偉大な神々と比べれば重要さで格段に劣ったが、多くの庶民の日常的な必要にとっては十分だった。王は都で肥えた雄ヒツジを何十頭も偉大な軍神のために生贄にして、未開人たちに勝利できるよう祈願したのに対して、農民は粗末な小屋でイチジクの木の妖精のためにロウソクを灯し、病気の息子を治してくれるように祈った。

だが、偉大な神々の台頭がもたらした最大の影響は、ヒツジや魔物ではなくホモ・サピエンスの地位に対してのものだった。アニミズムの信奉者たちは、人間は世界に暮らしている多くの生き物の一つにすぎないと考えていた。一方、多神教信者たちはしだいに、世界を神々と人間の関係の反映と見るようになった。私たちの祈りや生贄、罪、善行が生態系全体の運命を決めた。ひどい洪水では何十億ものアリやバッタ、カメ、レイヨウ、ゾウが地上から消し去られかねないが、それは数人の愚かなサピエンスが神々を怒らせたがためなのだ。こうして多神教信者は神々の地位を高めただけでなく、人類の地位をも高めた。従来のアニミズムの体系の成員のうち、人間ほど恵まれていない者たちは零落し、人類と神々の関係を軸とする一大ドラマの、エキストラあるいは物言わぬ舞台装置と化した。

偶像崇拝の恩恵

二〇〇〇年にわたって一神教による洗脳が続いたために、西洋人のほとんどが多神教のことを無知で子供じみた偶像崇拝と見なすようになった。だが、これは不当な固定観念だ。多神教の内なる論理を理解するためには、多くの神々に対する信仰を支えている中心的な考え方をつかむ必要がある。

多神教は、全宇宙を支配する単一の神的存在や法の存在に必ずしも異議を唱えるわけではない。それどころか、ほとんどの多神教に加えて、アニミズム信仰さえもが、さまざまな神や魔物、聖なる岩などすべての背後にある、そのような至高の神的存在を認めていた。古代ギリシアの多神教では、ゼウス、ヘラ、アポロンらは、全能で包括的な神的存在である運命の女神（モイラ、アナンケ）に支配されていた。北欧人の神々も運命に翻弄され、ラグナロク（神々の黄昏《たそがれ》）の激動の中で滅する定めだった。西アフリカのヨルバ族の多神教では、すべての神は至高の神オロドゥマレから生まれ、その支配下にとどまった。ヒンドゥー教の多神教では、アートマンという単一の原理が無数の神や霊、人類、生物と物質の世界を支配している。アートマンはすべての人やあらゆる現象ばかりか全宇宙の永遠の本質あるいは魂だ。

多神教の根本的な見識（それによって多神教は一神教と区別される）は、世界を支配する至高の神的存在は関心や偏見を欠いており、したがって、人間のありきたりの欲望や不安や心配には無頓着であるというものだ。この神的存在に、戦争での勝利や健康、雨を願っても意味がない。なぜなら、その包括的な視点に立てば、特定の王国が勝とうが負けようが、特定の都市が栄えようが衰えようが、特定の人が健康を取り戻そうが死のうが、関係ないからだ。古代ギリシア人はわざわざ運命の神に生贄を捧げたりしなかったし、ヒンドゥー教徒はアートマンのために神殿を建てたりしなかった。

宇宙の至高の神的存在に近づく唯一の理由は、あらゆる欲望を捨て、善きものとともに悪しきものも受け容れるためということになるだろう。敗北や貧困、病気、死さえ受け容れるのだ。たとえばヒンドゥー教のサドゥあるいはサンニャーシ（行者《ぎょうじゃ》）は、アートマンと一体化し、悟りを得るために人生を捧げる。彼らはこの根本的原理の視点から世界を眺め、その永遠の視点に立てば日常的な欲望や恐れはすべて無意味で儚《はかな》い現象であることに気づこうとする。

だが、ヒンドゥー教徒のほとんどは行者ではない。彼らは日常的な関心事にどっぷり浸かっており、そこではアートマンはろくに役に立たない。そうした問題で助けてもらうために、ヒンドゥー教徒は限られた力を持つ神々に近づく。ガネーシャやラクシュミー、サラスヴァティーといった神は、力が包括的ではなく限られているからこそ、関心を持ち、依怙《えこ》贔屓《ひいき》をする。したがって、人間は戦争に勝ったり病気から回復したりするために、力の限られたこれらの神的存在と取引し、彼らの助けを借りることができる。必然的に、これらの小さな神的存在は数が多くなる。至高の原理の包括的な力をいったん分割し始めたら、複数の神を持つようになることは避けられないからだ。したがって、多神になるわけだ。

多神教の見識は広範に及ぶ宗教的寛容性を促す。多神教信者は、一方では至高の、完全に利害を超えた神的存在を、もう一方では依怙贔屓をする、力の限られた多数の神的存在を信じているので、ある神の信奉者が他の神々の存在や効力を受け容れるのはわけもない。多神教は本来、度量が広く、「異端者」や「異教徒」を迫害することはめったにない。

多神教信者は、巨大な帝国を征服したときにさえ、被支配民を改宗させようとはしなかった。エジプト人も、ローマ人も、アステカ族も、異郷に宣教師を送って、オシリスやユピテル、ウィツィロポチトリ（アステカ族の主神）の礼拝を広めようとはしなかったし、その目的で軍を派遣することは断じてなかった。帝国中の被支配民は、帝国の神々や儀式を尊重するよう求められた。それらの神々や儀式が帝国を守り、正当化していたからだ。とはいえ、被支配民は自分たちの地元の神々や儀式を捨てることは要求されなかった。アステカ帝国では、被支配民はウィツィロポチトリのために神殿を建てることを強いられたが、そうした神殿は地元の神々の神殿に取って代わる形ではなく、それと並ぶ形で建設された。多くの場合、帝国のエリート層自身が被支配民の神々や儀式を採用した。古代ローマ人はアジアの女神キュベレやエジプトの女神イシスを自らの万神殿に加えた。

ローマ人が許容するのを長い間拒《こば》んだ唯一の神は、一神教で福音を説くキリスト教徒の神だった。ローマ帝国はキリスト教徒たちに彼らの信仰や儀式をやめるように要求はしなかったが、帝国の守護神たちや皇帝の神性を尊重することを求めた。これは政治的忠誠心の表明と見なされた。キリスト教徒たちがこれを猛然と拒否した上、ありとあらゆる妥協の試みを退けると、ローマ人は彼らを政治的に危険な派閥と捉え、迫害した。ただしその迫害さえ、本気のものとは言い難かった。キリストが十字架に架けられてから皇帝コンスタンティヌスがキリスト教に改宗するまでの三〇〇年間に、多神教徒のローマ皇帝がキリスト教徒の全般的な迫害を行なったのはわずか四回だった。地方の管理者や総督は独自に、反キリスト教の暴力をいくらか煽《あお》った。それでも、こうした迫害の犠牲者を合計したところで、この三世紀間に多神教のローマ人が殺害したキリスト教徒は数千人止まりだった。[1] これとは対照的に、その後の一五〇〇年間に、キリスト教徒は愛と思いやりを説くこの宗教のわずかに異なる解釈を守るために、同じキリスト教徒を何百万人も殺害した。

一六世紀と一七世紀にヨーロッパ中で猛威を振るったカトリック信徒とプロテスタント（新教徒）との宗教戦争は、とりわけ悪名が高い。それに加わった者は全員、キリストの神性や、愛と思いやりを説くキリストの福音を受け容れていた。ところが、この愛の性質をめぐって、彼らは意見が対立した。プロテスタントは、神聖な愛は限りなく偉大なので、神は人間としてこの世に現れ、白らがひどい苦しみを与えられ、十字架に架けられることを許し、それによって、原罪を贖《あがな》い、神への信仰を告白した者全員に天国の扉を開け放ったと信じていた。カトリック信徒は、信心は不可欠ではあるものの、それだけでは十分ではないと主張した。天国に入るためには、信者は教会の儀式に参加し、善行をなさなければならないというのだ。プロテスタントはこれを受け容れることを拒み、このような報いの概念は神の偉大さと愛を見くびるものだと論じた。天国に入れるかどうかは自らの善行にかかっていると考える者は誰であれ、自分の重要性を誇張しており、十字架に架けられたキリストの苦しみと人類への神の愛は不十分だと言っているのに等しいというわけだ。

こうした神学上の言い争いは凄《すさ》まじい暴力に発展し、一六世紀と一七世紀には、カトリック信徒とプロテスタントが殺し合い、何十万という死者を出した。一五七二年八月二三日、善行を重視するフランスのカトリック信徒が、人類への神の愛を強調するフランスのプロテスタントの諸コミュニティを襲った。聖《サン》バルテルミの大虐殺と呼ばれるこの襲撃で、二四時間足らずの間に五〇〇〇～一万のプロテスタントが殺害された。フランスからこの知らせを受け取ったローマの教皇は、喜びのあまり、お祝いの礼拝を執り行ない、画家のジョルジョ・ヴァザーリに命じて、ヴァチカン宮殿の一室を大虐殺のフレスコ画で飾らせた（この部屋は、現在、観光客は立ち入り禁止になっている）(2)。その二四時間に同胞キリスト教徒に殺されたキリスト教徒の数は、多神教のローマ帝国がその全存続期間に殺したキリスト教徒の数を上回った。

神は一つ

やがて多神教の信者の一部は、自分の守護神をおおいに気に入ったので、多神教の基本的な考え方からしだいに離れていった。彼らは自分の神が唯一の神で、その神こそがじつは宇宙の至高の神的存在であると信じ始めた。とはいえ彼らは同時に、その神は関心を持ち、依怙贔屓《えこひいき》をすると考え続け、その神とは取引ができると信じていた。こうして一神教が生まれ、その信者たちは、病気から回復したり、くじで当たったり、戦争で勝ったりできるよう、宇宙の至高の神的存在に嘆願した。

知られているもののうちで最初の一神教は、紀元前一三五〇年にエジプトで出現した。この年、ファラオのアクエンアテン（アメンホテプ四世）が、エジプトの万神のなかでも小さな神の一人、アテンは、じつは宇宙を支配する至高の神的存在であると宣言したのだ。アクエンアテンはアテン崇拝を国教として制度化し、他の神々の崇拝をすべて阻止しようとした。だが、彼の宗教革命はうまくいかなかった。彼の死後、アテン崇拝は廃《すた》れ、昔ながらの万神が復活した。

多神教はあちこちで他の一神教を生み続けたが、どれも瑣末《さまつ》なものにとどまった。自らの普遍的なメッセージを消化できなかったのが大きな原因だ。たとえばユダヤ教は、宇宙の至高の神的存在は関心を持ち、依怙贔屓をすると主張したものの、その存在の最大の関心事はユダヤという小さな国民とイスラエルという辺鄙《へんぴ》な地にあるのだった。ユダヤ教は他の国民に提供するものはほとんどなく、その存在期間のほぼ全般を通して、宣教を行なう宗教ではなかった。この段階は、「局地的一神教」の段階と呼ぶことができる。

大躍進はキリスト教とともに起こった。この信仰は、ナザレのイエスが待望の救世主《メシア》であるとユダヤ人を説得しようとしたユダヤ教の小さな宗派が始めた。だが、この宗派の初期指導者の一人であるタルススのパウロは、こう考えた。もし宇宙の至高の神的存在が関心を持ち、依怙贔屓をするなら、そしてもし、その神が人類の救済のためにわざわざ人間としてこの世に生まれ、十字架の上で亡くなったのだとしたら、それはユダヤ人だけではなく、あらゆる人の耳に入れるべきことだ、と。したがって、イエスについての喜ばしい言葉（福音）を、世界中に広めることが必要となった。

パウロの主張は大きな実を結んだ。キリスト教徒は全人類に向けた、広範な宣教活動を組織し始めた。歴史上屈指の不思議な展開によって、このユダヤ教の小さな宗派は、強大なローマ帝国を支配することとなった。

キリスト教の成功は、七世紀にアラビア半島に出現した別の一神教、すなわちイスラム教のお手本となった。キリスト教と同じでイスラム教も、世界の片隅で小さな宗派として始まったが、キリスト教の場合よりもさらに不思議で素早い、意外な展開によって、アラビアの砂漠を抜け出て、大西洋からインドにまで広がる巨大な帝国を征服した。それ以降、一神教の考え方は世界史の中で主要な役割を演じてきた。

これまで一神教信者たちは、多神教信者よりもはるかに熱狂的で宣教に熱心な傾向にあった。他の信仰の正当性を認める宗教は、以下のどちらかを示唆する。すなわち、自分たちの神が宇宙の至高の神的存在ではないか、あるいは唯一絶対の神から普遍の真理の一部だけを授けられたかのどちらかだ。一神教信者はたいてい、自分は唯一絶対の神の全メッセージを有すると信じているので、他の宗教はすべて偽りと見なさざるをえなかった。過去二〇〇〇年にわたって、一神教信者は、暴力によってあらゆる競争相手を排除することで、自らの立場を繰り返し強めようとしてきた。

それが功を奏した。一世紀初頭には、世界には一神教信者はほとんどいなかった。だが、西暦五〇〇年ごろには、世界でも有数の帝国であるローマ帝国はキリスト教国家になっており、宣教師たちはヨーロッパの他の地域やアジア、アフリカへせっせとキリスト教を広めていた。一〇〇〇年紀が終わるころには、ヨーロッパや西アジア、北アフリカの人のほとんどは一神教信者で、大西洋からヒマラヤ山脈までの範囲に収まる帝国はみな自国が、単一の偉大な絶対神によって定められたものとしていた。一六世紀初期には、一神教は東アジアとアフリカ南部を除くアフロ・ユーラシア大陸の大半を支配下に収め、長い触手を南アフリカや南北アメリカ、オセアニアへと伸ばし始めていた。今日、東アジア以外の人々は、何かしらの一神教を信奉しており、グローバルな政治秩序は一神教の土台の上に築かれている。

とはいえ、多神教の中でアニミズムが生き延び続けたのとちょうど同じように、多神教も一神教の中で生き続けた。だが宇宙の至高の神的存在は関心を持ち、依怙贔屓をすると、ある人がいったん信じたら、理屈の上では、限られた力しか持たない神的存在を崇拝する理由はなくなるはずではないのか？　大統領の執務室に入っていけるときに、下級官僚に近づこうなどと思う人がいるだろうか？　実際、一神教の神学は至高の唯一絶対神以外の神の存在はいっさい否定し、そうした神を崇拝する人々にはみな、地獄の業火《ごうか》を見舞う傾向にある。

だが、神学の理論と歴史の現実との間には、つねに隙間が存在してきた。ほとんどの人が、一神教の考え方を完全には消化し切れずにきた。彼らは世界を「私たち」と「彼ら」に区分し、宇宙の至高の神的存在は、自分たちの日常の必要とはあまりに遠く異質のものと見なし続けた。一神教は神々を表玄関から派手なファンファーレとともに追い出したが、脇の窓から再び中へ招き入れた。たとえばキリスト教は、聖人たちが居並ぶ独自の万神殿を築き上げた。こうした聖人たちのカルトは、多神教の神々のカルトと大差なかった。

神ユピテルがローマを守護し、ウィツィロポチトリがアステカ帝国を守ったのとち

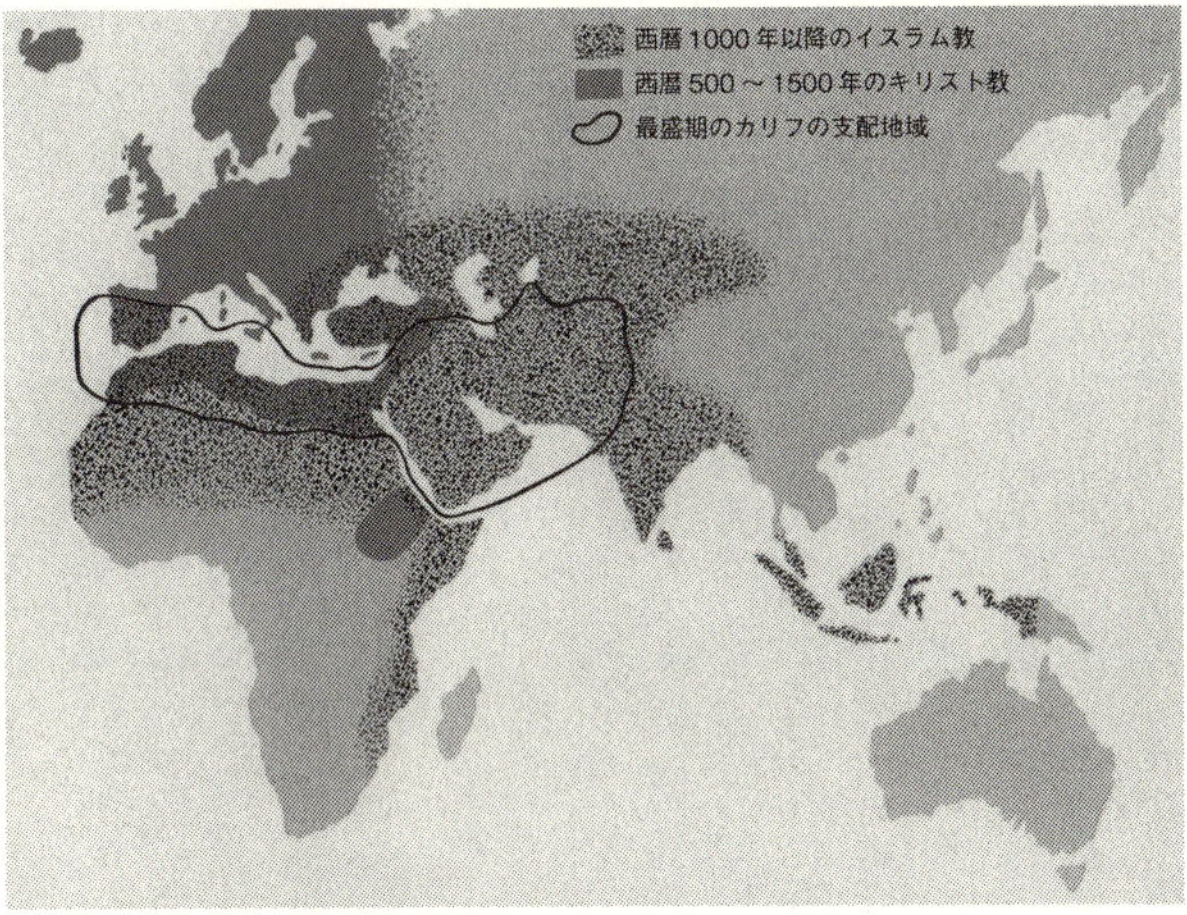

地図5　キリスト教とイスラム教の伝播。

ょうど同じように、キリスト教の王国はどれも、困難を克服したり戦争に勝ったりするのを助けてくれる独自の守護聖人を持っていた。イングランドは聖ジョージ、スコットランドは聖アンデレ、ハンガリーは聖イシュトヴァーンに守られ、フランスには聖マルティヌスがいた。都市や町、職業、果ては病気にまで固有の聖人がいた。ミラノには聖アンブロシウスがおり、ヴェネツィアは聖マルコが見守っていた。煙突掃除人たちは聖フロリアヌスが保護し、困った収税吏には聖マタイが手を差し伸べた。頭痛のときには聖アガティウスに祈らなければならないが、歯痛のときには、聖アポロニアに祈ったほうがずっと効き目があった。

キリスト教の聖者は古い多神教の神々に似ているだけではなかった。彼らはまったく同じ神々が姿を変えている場合も多かった。たとえば、キリスト教伝来前、ケルト族のアイルランドの主たる女神はブリードだった。アイルランドがキリスト教化されると、ブリードも洗礼を受け、聖ブリギッドとなり、今日に至るまで、カトリックのアイルランドでは聖人のうちで最も敬われている。

善と悪の戦い

多神教は一神教だけではなく、二元論の宗教も生んだ。二元論の宗教は、善と悪という、二つの対立する力の存在を認めている。一神教と違い、二元論では、悪の力は独立した力であり、善き神に創造されたものでも、善き神に従属するものでもないと信じられている。二元論では、全宇宙はこれら二つの力の戦場で、世界で起こることはすべてその争いの一部だと説明される。

二元論が非常に魅力的な世界観なのは、人類の思想にとって根本的な関心事の一つである、有名な「悪の問題」に、それが短くて単純な答えを出せるからだ。「世界にはなぜ悪があるのか？　なぜ苦しみがあるのか？　なぜ善い人に悪いことが起こるのか?」一神教信者は、世界にこれほどの苦しみが起こるのを全知全能の、完璧に善い神が許す理由を説明するのに四苦八苦する。よく知られている説明には、神はそうすることで人間に自由意思を持たせているのだ、というものがある。もし悪というものがなければ、人間は善と悪を選べないから、自由意思もありえないというわけだ。だが、これは直観で得られる答えではなく、ただちに新たな疑問が多数湧いてくる。自由意思があれば、人間は悪を選ぶことができる。事実、多くの人間が悪を選び、標準的な一神教の説明によれば、その選択は必ず神による罰を招く。特定の人が自分の自由意思を使って悪を選び、その結果、地獄で永遠の責め苦によって罰せられるのを神があらかじめ知っているのなら、神はなぜその人を造り出したのか? 神学者たちはこの手の疑問に答えるために、無数の本を書いてきた。そうした答えに納得する人もいれば、納得しない人もいる。一神教信者が「悪の問題」を処理するのに苦労していることは否定できない。

二元論者にとって、悪を説明するのはたやすい。善い人にさえ悪いことが起こるのは、善き神が独力で世界を支配しているわけではないからだ。神とは別個の悪の力が世界には野放しになっている。その悪の力が悪さをするのだ。

ただし、二元論にも弱点はある。「悪の問題」は解決できても、「秩序の問題」にはたじろいでしまうのだ。もし世界が単一の神によって造られたのなら、世界がこれほど秩序ある場所で、万物が同じ諸法則に従うのは、それが原因に違いない。だが、もし善と悪がこの世界の支配権をめぐって争っているのなら、これら宇宙の究極の力どうしの戦いを支配する諸法則は、誰が執行しているのか？　対抗する二つの国家が戦えるのは、両国が同じ物理法則に従っているからだ。パキスタンから発射されたミサイルがインドの標的に命中しうるのは、重力が両国で同じように働いているからだ。善と悪が戦うときには、両者はどんな共通の法則に従っているのか？　そして、それらの法則は誰が定めたのか？

このように、一神教は秩序を説明できるが、悪に当惑してしまう。二元論は悪を説明できるが、秩序に悩んでしまう。この謎を論理的に解決する方法が一つだけある。全宇宙を創造した単一の全能の絶対神がいて、その神は悪である、と主張するのだ。だが、そんな信念を抱く気になった人は、史上一人もいない。

二元論の宗教は、一〇〇〇年以上にわたって隆盛を極めた。紀元前一五〇〇年から紀元前一〇〇〇年までのある時点で、ゾロアスター（ツァラトゥストラ）という名の預言者が、中央アジアのどこかで盛んに活動していた。彼の教義は幾世代も伝わっていくうちに、とうとう最も重要な二元論の宗教、ゾロアスター教となった。ゾロアスター教徒はこの世界を、善き神のアフラ・マズダと悪しき神のアングラ・マイニュという宇宙の究極の力どうしの戦いと見なした。人類は、この戦いで善き神を助けなければならなかった。ゾロアスター教は、アケメネス朝ペルシア帝国（紀元前五五〇〜紀元前三三〇年）の重要な宗教であり、後にササン朝ペルシア帝国（二二四〜六五一年）の国教となった。それ以降は、中東と中央アジアのほぼすべての宗教に大きな影響を及ぼした。また、グノーシス主義やマニ教のような、他の数々の二元論の宗教にも刺激を与えた。

三世紀と四世紀には、マニ教の教義は中国から北アフリカに至るまで広まり、一時はキリスト教を凌《しの》いでローマ帝国を支配するかに見えた。だが、マニ教徒はローマの魂をキリスト教徒に奪われ、ゾロアスター教のササン朝ペルシア帝国は一神教のイスラム教徒に制圧され、二元論の波は弱まった。今日ではインドと中東で二元論のコミュニティがほんの一握り残っているだけだ。

それでも、上げ潮の一神教は二元論を完全に消し去ったわけではない。一神教のユダヤ教やキリスト教、イスラム教は、二元論の信仰や慣行をたっぷり吸収した。じつは私たちが「一神論」と呼ぶものの最も基本的な概念の一部は、二元論を起源とし、その精神を受け継いでいる。無数のキリスト教徒やイスラム教徒、ユダヤ教徒が強力な悪の力（キリスト教徒が悪魔やサタンと呼ぶ類のもの）の存在を信じている。そうした力は、独自に振る舞い、善き神と戦い、神の許しなしに猛威を振るう。

一神教信者はそのような二元論の信念（ちなみに、旧約聖書にはそうした二元論の信念はどこにも見つからない）をどうして信奉できるのだろう？　論理的には、それは不可能だ。人は、単一の全能の絶対神を信じるか、ともに全能ではない二つの相反する力を信じるかのどちらかのはずだ。それでも、人類には矛盾しているものを信じる素晴らしい才能がある。だから、厖大《ぼうだい》な数の敬虔《けいけん》なキリスト教徒やイスラム教徒、ユダヤ教徒が、全能の絶対神と、それとは独立した悪魔の存在を同時に信じていたとしても、驚いてはならない。無数のキリスト教徒やイスラム教徒、ユダヤ教徒は、善き神が悪魔との戦いで私たちの助けを必要としているとさえ想像している。それが動機となって、イスラム教やキリスト教の聖戦を求める呼びかけがなされたりするのだ。

二元論のカギを握る概念のうちには、肉体と魂、あるいは物質と精神との間の厳然たる区別がある（これはグノーシス主義とマニ教で著しい）。グノーシス派とマニ教徒は、善き神が精神や魂を造り、一方、物質や肉体は悪しき神が造ると主張する。この見方によれば、人間は善き魂と悪しき肉体の戦場の役割を果たすという。一神教の視点に立つと、これは馬鹿げている。なぜ肉体と魂を、あるいは物質と精神をそれほど明確に区別するのか？　そして、なぜ肉体と物質は邪悪だと主張するのか？　何と言おうと、すべては同じ善き神によって造られたのだ。だが、一神教信者は否応なく二元論の二分法に心を奪われてしまった。それは、二分法が悪の問題に取り組むのに役立ったからにほかならない。だから、善悪の対立は、やがてキリスト教とイスラム教の思想の土台となった。天国（善き神の領域）と地獄（悪しき神の領域）の信仰も、二元論に端を発する。そのような信仰は、旧約聖書には微塵《みじん》も見られないし、そもそも旧約聖書は、人々の魂が肉体の死後も生き続けるなどとは、けっして主張していない。

じつのところ一神教は、歴史上の展開を見ると、一神教や二元論、多神教、アニミズムの遺産が、単一の神聖な傘下で入り乱れている万華鏡のようなものだ。平均的なキリスト教徒は一神教の絶対神を信じているが、二元論的な悪魔や、多神教的な聖人たち、アニミズム的な死者の霊も信じている。このように異なるばかりか矛盾さえする考え方を同時に公然と是認し、さまざまな起源の儀式や慣行を組み合わせることを、宗教学者たちは混合主義と呼んでいる。じつは、混合主義こそが、唯一の偉大な世界的宗教なのかもしれない。

自然の法則

これまで論じてきた宗教はみな、重要な特徴を一つ共有している。どれも、神あるいはそれ以外の超自然的存在に対する信仰に焦点を当てているのだ。西洋人はおもに一神教や多神教の教義に馴染《なじ》んでいるので、これは明白に思えるだろう。だが実際には、世界の宗教史は煎《せん》じ詰めると神々の歴史にはならない。紀元前一〇〇〇年紀には、まったく新しい種類の宗教がアフロ・ユーラシア大陸中に広まり始めた。インドのジャイナ教や仏教、中国の道教や儒教、地中海沿岸のストア主義やキニク主義、エピクロス主義は、神への無関心を特徴としていた。

これらの教義は、世界を支配している超人的秩序は神の意思や気まぐれではなく自然法則の産物であるとする。自然法則を重んじるこれらの宗教のうちには、依然として神の存在を支持するものもあったが、その神々は人間や動植物同様、自然の諸法則に支配されていた。ゾウやヤマアラシと同じで、神々は生態系の中にニッチを持っていたが、やはりゾウと同じで自然の法則を変えることはできなかった。最たる例が、自然法則を信奉する古代宗教のうちで最も重要な仏教で、仏教は今なお、主要な宗教の一つであり続けている。

仏教の中心的存在は神ではなくゴータマ・シッダールタという人間だ。仏教の伝承によると、ゴータマは紀元前五〇〇年ごろの、ヒマラヤの小王国の王子だったという。若いころこの王子は自分の周りの至る所で見られる苦しみに深く心を悩ませた。彼は老若男女がみな、戦争や飢饉《ききん》のような折々の災難ばかりではなく、不安や落胆、欲求不満といった、すべて人間の境遇とは切り離しようのなさそうなものにも苦しんでい

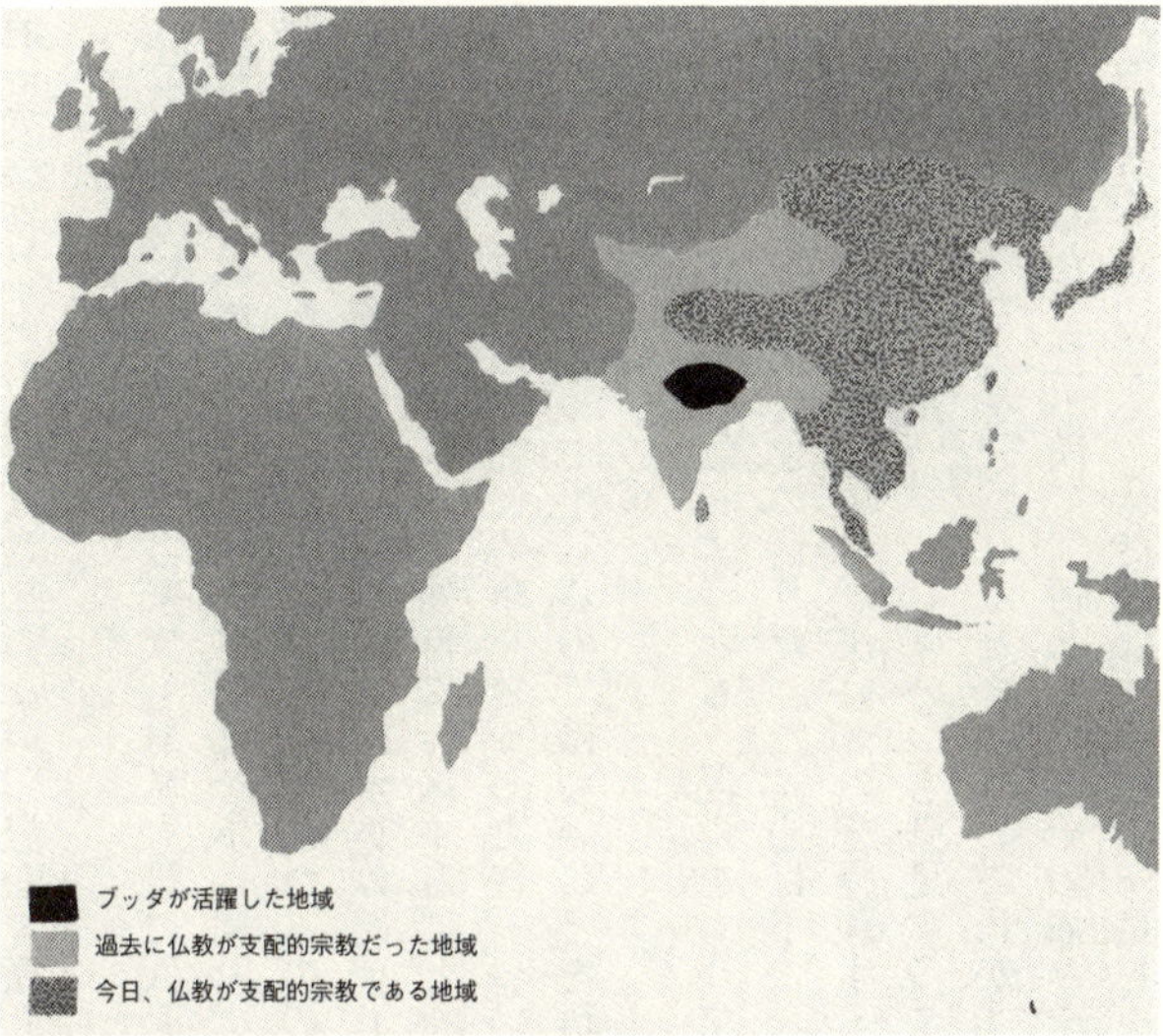

地図6　仏教の伝播。

るのを目にした。人々は富や権力を追い求め、知識や財産を獲得し、息子や娘をもうけ、家や御殿を建てる。それなのに、何を成し遂げようと、けっして満足しない。貧しい暮らしを送る者は富を夢見る。巨万の富を持っている者はその倍を欲しがる。倍が手に入れば一〇倍を欲しがる。金持ちで高名な人でさえ、満足していることは珍しい。彼らもたえず不安や心配につきまとわれ、挙句の果てに病気や老齢、死によってそれに終止符を打つ。人が蓄え、積み上げたものはすべて、煙のように消えてなくなる。人生は意味のない、愚かで激しい生存競争だ。だが、どうすればそこから抜け出せるのか？

　ゴータマは二九歳のとき家族も財産も後に残して、夜中に王宮を抜け出した。住む場所もない放浪者としてインド北部を歩き回り、苦しみから逃れる方法を探した。修行所をいくつも訪ね、聖者の教えを乞うたものの、完全には解脱《げだつ》できなかった。つねに何かしら不満が残るのだった。だが彼は絶望しなかった。完全な解脱の方法を見つけるまで、苦しみについて独自に吟味することを決心した。そして、人間の苦悩の本質や原因、救済の探究に六年を費やした後、ついに、苦しみは不運や社会的不正義、神の気まぐれによって生じるのではないことを悟った。苦しみは本人の心の振る舞いの様式から生じるのだった。

　心はたとえ何を経験しようとも、渇愛《かつあい》をもってそれに応じ、渇愛はつねに不満を伴うというのがゴータマの悟りだった。心は不快なものを経験すると、その不快なものを取り除くことを渇愛する。快いものを経験すると、その快さが持続し、強まることを渇愛する。したがって、心はいつも満足することを知らず、落ち着かない。痛みのような不快なものを経験したときには、これが非常に明白になる。痛みが続いているかぎり、私たちは不満で、何としてもその痛みをなくそうとする。だが、快いものを経験したときにさえ、私たちはけっして満足しない。その快さが消えはしないかと恐れたり、あるいは快さが増すことを望んだりする。人々は愛する人を見つけることについて何年も夢見るが、見つけたときに満足することは稀《まれ》だ。相手が離れていきはしないかと不安になる人もいれば、たいしたことのない相手でよしとしてしまったと感じ、もっと良い人を見つけられたのではないかと悔やむ人もいる。周知のとおり、不安を感じながら悔やんでいる人さえいる。

偉大な神々は雨を降らせてくれるし、社会的機関は正義や医療を提供してくれるし、幸運な偶然で大金持ちになる人もいるが、そのどれにも、私たちの基本的な精神パターンを変えることはできない。そのため、どれほど偉い王であっても不安を抱え、たえず悲しみや苦悩から逃げ回り、より大きな喜びを永遠に追い求めて生きる定めにある。

ゴータマはこの悪循環から脱する方法があることを発見した。心が何か快いもの、あるいは不快なものを経験したときに、物事をただあるがままに理解すれば、もはや苦しみはなくなる。人は悲しみを経験しても、悲しみが去ることを渇愛しなければ、悲しさは感じ続けるものの、それによって苦しむことはない。じつは、悲しさの中には豊かさもありうる。喜びを経験しても、その喜びが長続きして強まることを渇愛しなければ、心の平穏を失うことなく喜びを感じ続ける。

だが心に、渇愛することなく物事をあるがままに受け容れさせるにはどうしたらいいのか？　どうすれば悲しみを悲しみとして、喜びを喜びとして、痛みを痛みとして受け容れられるのか？　ゴータマは、渇愛することなく現実をあるがままに受け容れられるように心を鍛錬する、一連の瞑想《めいそう》術を開発した。この修行で心を鍛え、「私は何を経験していたいか？」ではなく「私は今何を経験しているか？」にもっぱら注意を向けさせる。このような心の状態を達成するのは難しいが、不可能ではない。

ゴータマはこの瞑想術の基礎を、人々が実際の経験に集中し、渇愛や空想に陥るのを避けやすくなるように意図された一揃《そろ》いの倫理的規則に置いた。彼は弟子たちに、殺生《せっしょう》や邪淫《じゃいん》、窃盗を避けるように教えた。そうした行為は必ず（権力や官能的快楽や富への）渇愛の火を搔《か》き立てるからだ。渇愛の火を完全に消してしまえば、それに代わって完全な満足と平穏の状態が訪れる。それが「涅槃《ねはん》」として知られるものだ（この言葉の文字どおりの意味は、「消火」だ）。涅槃の境地に達した人々は、あらゆる苦しみからすっかり解放される。彼らは空想や迷いとは無縁で、この上ない明瞭さをもって現実を経験する。依然として不快感や痛みを経験することはほぼ確実だが、そうした経験のせいで苦悩に陥ることはない。渇愛しない人は苦しみようがないのだ。

仏教の伝承によると、ゴータマ自身は涅槃の境地に達し、苦しみから完全に解放されたという。その後、彼は「仏陀《ブッダ》」と呼ばれるようになった。ブッダとは、「悟りを開いた人」を意味する。ブッダは誰もが苦しみから解放されるように、自分の発見を他の人々に説くのに残りの人生を捧げた。彼は自分の教えをたった一つの法則に要約した。苦しみは渇愛から生まれるので、苦しみから完全に解放される唯一の道は、渇愛から完全に解放されることで、渇愛から解放される唯一の道は、心を鍛えて現実をあるがままに経験することである、というのがその法則だ。

「ダルマ」として知られるこの法則を、仏教徒は普遍的な自然の法則と見なしている。「苦しみは渇愛から生じる」というこの法則は、現代物理学ではEがつねにmc^2と等しいのとまったく同じで、つねにどこでも正しい。仏教徒とは、この法則を信じ、それを自らの全活動の支えとしている人々だ。一方、神への信仰は、彼らにとってそれほど重要ではない。一神教の第一原理は、「神は存在する。神は私に何を欲するのか？」だ。それに対して、仏教の第一原理は、「苦しみは存在する。それからどう逃れるか？」だ。

仏教は神々の存在を否定しない（神々は、雨や勝利をもたらすことのできる強力な存在と説明されている）が、苦しみは渇愛から生じるという法則には何の影響力も持たない。もし、ある人の心があらゆる渇愛と無縁であれば、どんな神もその人を苦悩に陥れることはできない。逆に、ある人の心にいったん渇愛が生じたら、宇宙の神々が全員揃っても、その人を苦しみから救うことはできない。

とはいえ、一神教と非常によく似て、仏教のような近代以前の自然法則の宗教は、神々の崇拝を完全に捨て去ることはついになかった。仏教は、経済的繁栄や政治的権力のような途中の地点ではなく、苦しみからの完全な解放という究極の目的地を目指すように人々を促した。だが、仏教徒の九九パーセントは涅槃《ねはん》の境地に達しなかったし、いつか来世でそこに達しようと望んでも、現世の生活のほとんどを平凡な目標の達成に捧げた。そこで彼らは、インドではヒンドゥー教の神々、チベットではボン教の神々、日本では神道の神々というふうに、多様な神を崇拝し続けた。

そのうえ、時がたつうちに、いくつかの仏教の宗派は、さまざまな仏や菩薩《ぼさつ》を生み出した。これらは、苦しみからの完全な解脱を達成する能力を持つ人間や、人間以外の存在なのだが、依然として苦悩の環に取りこめられている無数の存在を救うために、憐《あわれ》みからその解脱を慎んでいるのだ。多くの仏教徒は、神々を崇拝する代わりに、悟りを開いたこれらの仏や菩薩を崇拝するようになり、涅槃に入るだけではなく俗世の問題を処理するのも助けてくれるよう祈り始めた。そのため東アジア各地で、祈りや色鮮やかな花、芳しいお香《こう》、米やお菓子の供え物と引き換えに、雨を降らしたり、疫病を抑えたり、果ては血なまぐさい戦争に勝ったりするために時間を費やす仏や菩薩が多く見られる。

人間の崇拝

過去三〇〇年間は、宗教がしだいに重要性を失っていく、世俗主義の高まりの時代として描かれることが多い。もし、有神論の宗教のことを言っているのなら、それはおおむね正しい。だが、自然法則の宗教も考慮に入れれば、近代は強烈な宗教的熱情や前例のない宣教活動、史上最も残虐な戦争の時代ということになる。近代には、自由主義や共産主義、資本主義、国民主義、ナチズムといった、自然法則の新宗教が多数台頭してきた。これらの主義は宗教と呼ばれることを好まず、自らをイデオロギーと称する。だが、これはただの言葉の綾《あや》にすぎない。もし宗教が、超人間的な秩序の信奉に基づく人間の規範や価値観の体系であるとすれば、ソヴィエト連邦の共産主義は、イスラム教と比べて何ら遜色のない宗教だった。

イスラム教はもちろん共産主義とは違う。イスラム教は、世界を支配している超人間的な秩序を、万能の造物主である神の命令と見なすのに対して、ソ連の共産主義は、神の存在を信じていなかったからだ。だが、仏教も神々を軽視するが、たいてい宗教に分類される。仏教徒と同様、共産主義者も、人間の行動を導くべきものとして、自然の不変の法則という超人間的秩序を信じている。仏教徒はその自然の法則がゴータマ・シッダールタによって発見されたと信じているのに対して、共産主義者はその法則がカール・マルクスやフリードリヒ・エンゲルス、ウラジーミル・イリイチ・レーニンによって発見されたと信じていた。両者の類似性はこれにとどまらない。共産主義にも他の宗教と同じで、プロレタリアートの必然的勝利で間もなく階級闘争の歴史は幕を閉じると予言するマルクスの『資本論』のような、聖典や預言の書がある。共産主義にも、五月一日や一〇月革命の記念日のような祝祭日があった。マルクス理論に精通した神学者がいたし、ソ連軍のどの部隊にも、コミッサールと呼ばれる従軍牧師がいて、将兵の敬虔さに目を光らせていた。共産主義にも殉教者や聖戦、トロツキズムのような異端説もあった。ソ連の共産主義は、狂信的で宣教を行なう宗教だった。敬虔な共産主義者は、キリスト教徒や仏教徒にはなれず、自分の命を犠牲にしても、マルクスとレーニンの福音を広めるのが当然と思われていた。

このような論法を非常に不快に感じる読者もいるかもしれない。もし、共産主義を宗教ではなくイデオロギーと呼ぶほうがしっくりくるなら、そう呼び続けてもらっていっこうにかまわない。どちらにしても同じことだ。私たちは信念を、神を中心とする宗教と、自然法則に基づくという、神不在のイデオロギーに区分することができる。だがそうすると、一貫性を保つためには、少なくとも仏教や道教、ストア主義のいくつかの宗派を宗教ではなくイデオロギーに分類せざるをえなくなる。逆に、神への信仰が現代の多くのイデオロギー内部に根強く残っており、自由主義を筆頭に、そうし

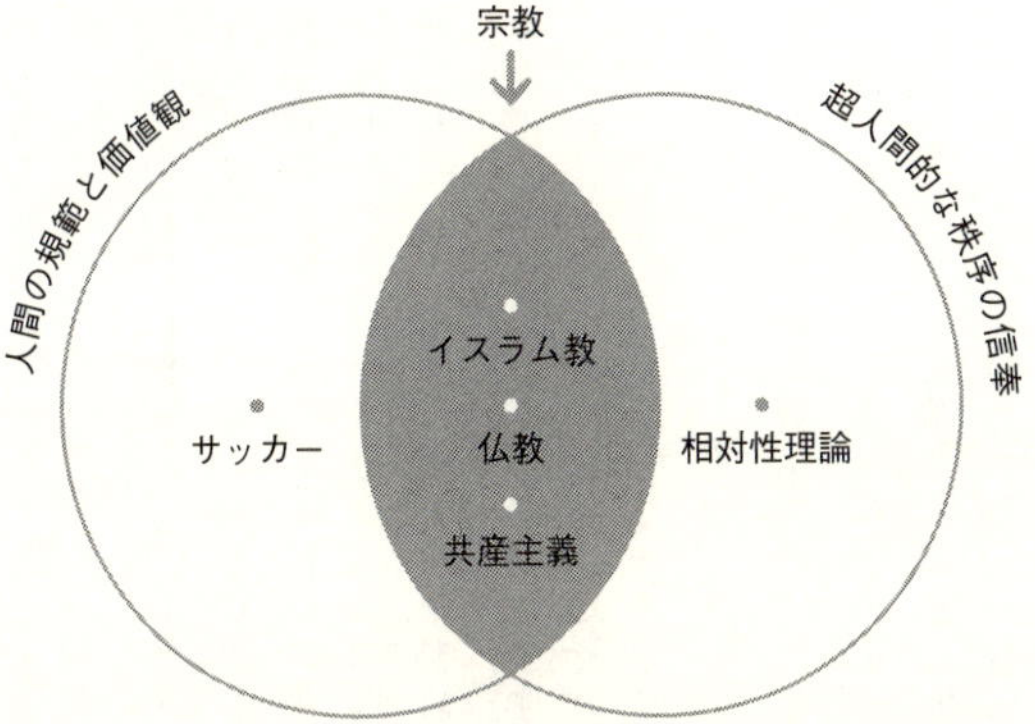

宗教とは、超人間的な秩序の信奉に基づく人間の規範や価値観の体系のことをいう。相対性理論は宗教ではない。なぜなら（少なくともこれまでのところ）、それに基づく人間の規範や価値観はないからだ。サッカーも宗教ではない。ルールが超人間的な命令を反映していると主張する人はいないからだ。一方、仏教と共産主義はともに宗教だ。両者は超人間的な秩序の信奉に基づく人間の規範と価値観の体系だからだ。（「超人間的」と「超自然的」という言葉の違いに注意してほしい。仏教の自然の法則とマルクス主義の歴史の法則は、人間が定めた法ではないから、超人間的だ。だが、どちらも超自然的ではない）。

たイデオロギーのいくつかは、考え方の多くをこの信仰から引き出してきたことにも留意するべきだ。

ここで自然法則に関する近代の信念をすべて取り上げ、その歴史を調べることは不可能だろう。そうした信念の間には明確な境界がないからなおさらだ。それらは一神教や民間に普及している仏教に劣らず混合主義的だ。仏教徒がヒンドゥー教の神々を崇拝することができたり、一神教信者が悪魔の存在を信じることができたりしたのと同じように、今日の典型的なアメリカ人は国民主義者である(歴史の中で果たすべき特別な役割を持ったアメリカ国民の存在を信じている)と同時に、資本主義者でもあり(自由競争と私利の追求こそが、繁栄する社会を築く最善の方法であると信じている)、さらに自由主義者でもある(人間は奪うことのできない特定の権利を持っていると信じている)。国民主義については第18章で論じる。近代の宗教のうちで最大の成功を収めている資本主義には第16章をまる一章充て、その主要な信念と儀式について詳しく述べる。本章の残りのページでは、人間の自由を神聖なものとして擁護する自由主義について論じることにする。

有神論では、神々があらゆる意味と権威の究極の源泉であると信じられており、国民主義では、私たちに意味と権威を与えてくれるのは国民だと考えられている。それに対して自由主義では、個々の人間に信頼が置かれる。自然は人間にしごく特別な感情を与え、それらの感情が全世界に意味を与えており、自然はまた、人間に自由意志も授け、それがあらゆる権威の究極の源泉となるべきである、とされている。したがって、個人は何であれ正しいと感じられることをする自由を持っていてしかるべきだ、と自由主義は主張する――ただし、他者の自由や感情を害さないかぎりにおいて、だが。

これはかなり抽象的でややこしい話のように聞こえるから、いくつか例を挙げ、自由主義とは実際には何を意味するかを示すことにしよう。政治について考えてほしい。政治においては市民の感情と自由選択以上の権威はない、と自由主義では信じられている。中世ヨーロッパでは王たちが神の恩寵《おんちょう》によって支配していたのに対して、現代の民主政体では、政府を組織するときには、神にも、この地上で神の代理を務めると称する人々にも、選択権はない。代わりに、市民の一人ひとりが意見を求められる。そして、人々の意思の実現を妨げることができるような、より高次の権威はない。有権者がいちばんよく知っている。選挙で選ばれた政府でさえ、自らを有権者の上に置くことはできない。政府は有権者に対して責任を負い続け、彼らの基本的な自由を侵害してはならない。

これに似た態度が、自由主義の倫理観も支配している。特定の行為の道徳性を評価する必要があるときには、自由主義では、神や聖典はもとより、政府にさえ耳を傾ける必要がないことになっている。代わりに、私たちは人間の感情を詳しく調べる必要がある。人間の感情こそが至上の道徳的権威なのだ。自由主義者にとって、道徳性は神や聖典や国法への服従ではない。むしろ、自由主義の道徳性は、苦しみからの解放を意味する。たとえば、自由主義者が殺人を犯さないのは、古い書物あるいは新しい法律が殺人を禁じているからではなく、殺人が途方もない苦しみを与えるからだ。もし人々が、たんに「神がそう言った」からとか、「国家が禁じている」からといった理由で殺人を避けていたら、自由主義者はひどい不安や危険を感じる。思いやりではなく服従を動機とする人々は、異端者や魔女、不義密通を犯した者、「国家の敵」を殺すように、神や政府に命じられていると信じるようになると、恐ろしい罪を犯しかねないからだ。

逆に、もしある行為が誰にも苦しみをもたらさないのなら、どんな神や政府が何と言おうと、自由主義者はそれを犯罪とは思わない。なぜなら、神と聖書がそれを禁じていたからだ。だが、ろしい罪だと考えられていた。なぜなら、神と聖書がそれを禁じていたからだ。だが、自由主義者は次のように指摘する。二人の男性あるいは二人の女性が愛し合っているときには、それは誰も害さないので、それを犯罪と考える理由はない、と。暴力や憎悪や残虐な行為に反対する道徳的な理由はたっぷりあるが、愛に反対する理由など、ありうるだろうか？　したがって、今日の自由民主主義社会では、同性愛は完全に合法で、受け容れられている。愛のような人間の感情は、大昔から伝わる聖典よりも高次の権威の源泉だと考えられているからだ。

要するに、自由主義の道徳性のモットーは、「もしそれで気持ちが良いのなら、そうすればいい！」だ。何かが気持ち良く感じられ、それが他の誰をも害さないのなら、それは良いことなのだ。もちろん、誰かの気分を良くすることが、別の誰かに嫌な思いをさせてしまうような状況では、自由主義の倫理観は窮地に陥る。貧しい人を助けるために、豊かな人に重税を課すのは倫理に適うのか？　貧しい人は気持ちが良いかもしれないが、豊かな人はおそらくそうは感じないだろう。残忍な独裁者を権力の座から引きずり下ろすためになら、破壊的な戦争を仕掛けるのは道徳に適うのか？　その戦争で、長期的には大勢の人を悲惨な状態から救い出せるかもしれないが、多くの苦しみと死ももたらされるかもしれない。あるいは、移民はどうだろう？　多数の外国人難民が自国に入ってくるのを許すべきだろうか？　彼らは、国民から仕事やサービスを奪いかねないのだから。

自由主義は、このようなジレンマに対しては手軽な答えを提供しないが、議論の仕方は教えてくれる。自由主義によれば、道徳にかかわる議論はすべて、神の意思や聖典の戒律の観点からではなく、人間の感情と人間の自由の観点からなされるべきである、ということになる。自由主義社会では、たとえば同性愛者のパレードに反対する宗教の狂信者さえもが、「神は同性愛を禁じている」ではなく「私の感情が傷つけられる」と主張するようになった。

　自由主義は、経済にもおおいにかかわってくる。経済の領域では、自由主義は自由市場の原理を擁護する。「有権者がいちばんよく知っている」と自由主義の政治が言い、「もしそれで気持ちが良いのなら、そうすればいい！」と自由主義の倫理が断言する一方、自由主義の経済は、「顧客はつねに正しい」、顧客の欲望よりも高次の経済的権威はない、と主張する。自由市場の原理によると、成功する企業もあれば倒産する企業もあるのは、顧客がクレジットカードを使って企業に投票するから、ということになる。企業は、顧客が望むサービスや製品を提供すれば成功する。顧客の願いを無視すれば失敗する。

　中世ヨーロッパでは、物事はまったく異なる形で進んだ。ギルドが生産過程を管理しており、個々の職人や顧客の独創性や好みが入り込む余地はほとんどなかった。家具職人のギルドは、適切な椅子とはどういうものかを決めた。パン職人のギルドは、良いパンを規定した。職匠歌人《マイスタージンガー》のギルドは、どの歌が第一級でどの歌が駄作かを判断した。一方、君主や市議会が給料や物価を統制しており、定められた量の品物を交渉不可能の値段で人々に無理やり買わせることもあった。だが、自由主義の自由市場では、そうしたギルドや議会や君主はすべて、新しい至高の権威である、顧客の自由意志に取って代わられてしまった。

たとえば、ある大企業か政府が、完璧な自動車を生産することに決めたとしよう。さまざまな分野の専門家から成る委員会を設置し、一流の技術者やデザイナーを雇い、傑出した物理学者や経済学者を集め、数人の社会学者や心理学者たちにさえ相談する。さらに、念には念を入れ、ノーベル賞受賞者一人か二人、アカデミー賞を受賞した俳優一人、世界的に有名な芸術家数人にも意見を聞く。五年に及ぶ研究開発の後、完璧な自動車を発表する。何百万台も生産し、世界中の販売店に送り届ける。ところが、誰一人その自動車を買わない。これは、顧客がミスを犯しており、何が自分のためになるかわかっていないということなのか？　違う。自由市場では、顧客はつねに正しい。もし顧客がその自動車を欲しがらないのなら、その自動車が良くないのだ。大学教授や聖職者やイスラム法学者が全員揃って、これは素晴らしい自動車だと、ありとあらゆる教壇や説教壇から声高に言ったとしても、もし顧客が拒絶すれば、それは悪い自動車だ。自由主義の自由市場では、顧客に向かって、あなたの感情は間違っていると言い、彼らの意思に反して特定の自動車を買うように強いる権威を持っている人は一人もいない。

政治と倫理と経済について言えることは、美学にも当てはまる。中世ヨーロッパでは、芸術は客観的な基準に支配されていた。美の基準は、人間の感情を反映するべきものではなかった。むしろ、人間の美的感覚は、超人間的とされるものの指図に従うことを求められた。画家や詩人、作曲家、建築家の手は、学問と芸術を司《つかさど》る女神や、天使、聖霊によって動かされていると、人々は信じていたのだ。

自由主義は、そのような見方を完全に退けた。そしてその代わりに、芸術的創造と美的価値の唯一の源泉は人間の感情だと信じている。現代の芸術家は、神々や、学問と芸術を司る女神たちと接触しようとはせず、自分自身や自分の感情を知ろうとする。自由主義者は、芸術を評価する段になると、客観的な基準には頼らない。そうした基準の代わりに、私たちはまたしても自分の主観的な気持ちを頼る。自由主義は、政治では「有権者がいちばんよく知っている」と教え、経済では「顧客はつねに正しい」と説くのとまったく同じで、美学では「美は見る人の目の中にある」という原理を掲げる。

一九一七年にマルセル・デュシャンがありきたりの大量生産の男性用小便器を手に入れ、「泉」と名づけ、サインし、それが芸術作品であると宣言して展覧会に出品した。これは、芸術史上の画期的出来事と考えられている。世界中の無数の教室では、芸術を学ぶ新入生がデュシャンの「泉」の画像を見せられ、どう思うかと教師に問われ、大騒ぎになる。「これは芸術だ！」「いや、違う！」「いや、芸術だとも！」「とんでもない！」という具合に、教師はしばらく学生たちに言いたいことを好きなように言わせてから、「あなたは芸術とはいったい何だと思いますか？」そして私たちは、何かが芸術作品かどうかを、どうやって決めればいいのでしょう？」と問いかけ、議論の的を絞る。さらに数分間やりとりさせておいてから、教師はクラスを正しい方向に導く。「人々が芸術だと思うものなら、何でも芸術なのであり、美とは見る人の目の中にあるのです」。もし、小便器が美しい芸術作品だと人々が思うのなら、それは芸術作品なのだ。私たちの感情が間違っているなどと決めつけることができるような、より高次の権威など、どこに存在するというのか？

最後に、自由主義が台頭したせいで、教育制度にも大変革が起こった。中世ヨーロッパでは、あらゆる意味と権威の源泉は外部にあり、したがって教育は、服従を教え込み、聖典を暗記し、古くからの慣習を学ぶことに重点を置いていた。教師は生徒に質問を投げかけたが、生徒の個人的な意見は求めなかった。その代わり、生徒は、聖書やアリストテレスや聖トマス・アクィナスがその質問にどう答えたかを、思い出さなければならなかった。

それに対して現代の自由主義の教育では、生徒に自分で考えることを教えるべきだとされている。聖書やアリストテレスや聖トマス・アクィナスが芸術や政治や経済についてどう考えていたかを知るのもいいが、意味と権威の至高の源泉は私たち自身の中にあるので、こうした事柄について自分がどう考えているかを知ることのほうが、はるかに重要なのだ。幼稚園であれ、小学校であれ、大学であれ、そこの教師に何を教えようとしているか尋ねてみるといい。「そうですね、子供／生徒／学生たちには歴史／美術／量子力学も教えますけれど、何にもまして教えようとするのは、自分で考えることです」と、その教師は答えるだろう。いつもうまくいくとはかぎらないが、それこそ、自由主義の教育が成し遂げようとしていることだ。

　今日、西洋の政治的な談話では、「自由主義の《リベラル》」という言葉は、「保守主義の」という言葉と対置され、ずっと狭い、党派色の濃い意味で使われることがある。たとえばアメリカでは、自由主義者は民主党に投票し、同性婚や銃規制や妊娠中絶といった特定の目的の達成を支持する人だと見なされている。だが実際には、今や保守派の大半も、広い意味での自由主義の世界観を信奉している。とくにアメリカでは、共和党員も民主党員も激烈な口論をときおりやめにして、自由選挙や自由市場や人権のような根本原則には誰もが同意することを思い出すべきだ。

　あなたも自問してみるといい。人々は、やみくもに王に従うのではなく、自ら政権を選ぶ自由を持つべきだと、あなたは思うだろうか？　人々は、生まれでカーストが決まるのではなく、自ら職業を選ぶ自由を持つべきだろうか？　人々は、誰であろうと親が選んだ相手と結婚するのではなく、自ら配偶者を選ぶ自由を持つべきか？

人々は、国家に押しつけられた教義に従うことを強制される代わりに、自ら宗教を選ぶ自由を持つべきなのか？　これらの質問にすべて「イエス」と答え、人々はそのような自由を享受するべきだと考えているのなら、おめでとう。あなたは自由主義者だ！

過去数世紀の間に、自由主義はおびただしい転向者を勝ち取り、政治、倫理、経済、芸術、教育に関して、私たちの理解の仕方を一変させた。ところが、三〇〇〇年紀の始まりである今、自由主義の将来は不明だ。

自由主義のさまざまな信条と、生命科学の最新の成果との間には、巨大な溝が口を開けつつあり、私たちには間もなくそれを無視できなくなるだろう。私たちの自由主義の制度は、誰もが神聖な感情と選択の自由を持っているという信念に基づいており、そこではその神聖な感情と自由選択が世界に意味を与え、あらゆる権威の源泉となってしかるべきだとされている。だが、生命科学はこの信念に疑問を投げかけている。私たちの感情が何に由来し、私たちの選択が実際にはどのようになされるのかを研究する科学者たちは、私たちが何を感じ、何をするかは、何らかの神秘的な自由意思ではなくホルモンや遺伝子やシナプスで決まると主張する――チンパンジーやオオカミやアリの行動を決めるのと同じ力で決まる、と。私たちの司法制度と政治制度は、そのような不都合な発見を、たいてい隠しておこうとする。だが率直に言って、生物学科と法学科や政治学科とを隔てる壁を、私たちはあとどれほど維持することができるだろう？

第13章 歴史の必然と謎めいた選択

交易と帝国と普遍的宗教のおかげで、すべての大陸の事実上すべてのサピエンスは最終的に、今日《こんにち》私たちが暮らすグローバルな世界に到達した。ただし、この拡大と統一の過程は一本道ではなかったし、中断がなかったわけでもない。とはいえ全体像を眺めると、多数の小さな文化から少数の大きな文化へ、ついには単一のグローバルな社会へというこの変遷はおそらく、人類史のダイナミクスの必然的結果だったのだろう。

だが、グローバルな社会の出現が必然的だというのは、その最終産物が、今私たちが手にしたような特定の種類のグローバルな社会でなくてはならなかったということではない。他の結果もたしかに想像できる。今日、なぜデンマーク語ではなく英語がこれほど行き渡っているのか？　なぜキリスト教徒は二〇億、イスラム教徒は一二億二五〇〇万もいるのに、ゾロアスター教徒はわずか一五万しかおらず、マニ教徒はまったくいないのか？　もし一万年前に戻って何度も一からやり直したら、毎回必ず一神教が台頭し、二元論が衰退するのを目にすることになるのだろうか？

そのような実験はできないから、本当にどうなるかは知りようがない。だが、歴史の持つ二つのきわめて重大な特徴を考察すれば、多少の手掛かりは得られる。

1　後知恵の誤謬《ごびゅう》

歴史はどの時点をとっても、分岐点になっている。過去から現在へは一本だけ歴史のたどってきた道があるが、そこからは無数の道が枝分かれし、未来へと続いている。それらの道のうちには、幅が広く、滑らかで、はっきりしており、したがって進みやすいものもあるが、歴史（あるいは歴史を作る人々）はときに、予想外の方向に折れることもある。

四世紀初頭、ローマ帝国の眼前にはじつにさまざまな宗教的選択肢があった。従来の多様性に富んだ多神教を貫くこともできた。だが、皇帝のコンスタンティヌスは、内戦続きだった厄介な過去一世紀を振り返り、明確な教義を持った単一の宗教があれば、種々雑多な民族が暮らす自分の帝国を統一しやすくなると考えたようだ。当時多くのカルトがあったから、そのどれを選んで国教としてもよかった。マニ教、ミトラ教、イシスあるいはキュベレのカルト、ゾロアスター教、ユダヤ教、さらには仏教さえも選択肢に入っていた。それにもかかわらず、コンスタンティヌスはなぜイエスを選んだのか？　キリスト教神学のどこかに個人的に惹《ひ》かれたのか、あるいはことによると、この信仰には自分の目的に利用しやすいと思える一面があったのか？　彼には宗教体験があったのか、それとも、キリスト教は急速に信者を獲得しており、その流れに便乗するのが最善だと意見する人が側近にいたのか？　歴史学者はあれこれ推測することができるが、確実なことは何も言えない。彼らはキリスト教がどのようにローマ帝国を席巻《せっけん》したかは詳述できても、なぜこの特定の可能性が現実のものとなったかは説明できない。

「どのように」を詳述することと「なぜ」を説明することの違いは何だろう？　「どのように」を詳述するというのは、ある時点から別の時点へとつながっていく一連の特定の出来事を言葉で再現することだ。一方、「なぜ」を説明するというのは、他のあらゆる可能性ではなく、その一連の特定の出来事を生じさせた因果関係を見つけることだ。

キリスト教の台頭のような出来事の決定論的説明を現に提供する学者もいる。彼らは人類史を生物学的な力や生態学的な力、あるいは経済的な力の働きに還元しようと試みる。そして、ローマが支配していた地中海地方の地勢や遺伝的特徴、あるいは経済の何らかの要因のせいで、一神教の台頭が避けられなかったと主張する。だがほとんどの歴史学者は、そのような決定論的な説には懐疑的な傾向にある。それが、歴史という学問の特徴の一つだ。特定の歴史上の時期について知れば知るほど、物事が別の形ではなくある特定の形で起こった理由を説明するのが難しくなるのだ。特定の時期について皮相的な知識しか持たない人は、最終的に実現した可能性だけに焦点を絞ることが多い。彼らは立証も反証もできない物語を提示し、なぜその結果が必然的だったかを後知恵で説明しようとする。だが、その時期についてもっと知識のある人は、選ばれなかったさまざまな選択肢のことをはるかによく承知している。

じつは、その時期を最もよく知っている人々、すなわち当時生きていた人々が最も無知だ。コンスタンティヌスの時代の平均的なローマ人にとって、未来は霧の中だった。後から振り返って必然に思えることも、当時はおよそ明確ではなかったというのが歴史の鉄則だ。今日でもそれは変わらない。私たちは世界的な経済危機を脱したのか、それとも、最悪の事態はまだこの後にやって来るのか？　中国はこのまま成長を続け、世界一の超大国になるのか？　アメリカは覇権を失うのか？　一神教の原理主義の高まりは未来の波なのか、それとも局地的な渦《うず》にすぎず、長期的重要性などほとんどないのか？　私たちの行き着く先は生態学的大惨事なのか、それともテクノロジーの楽園なのか？　こうした疑問のどれについても、説得力のある議論ができるだろうが、確実なところは知りようがない。数十年後、人々は今を振り返って、これらすべての疑問に対する答えは明白だったと考えるだろう。

その時代の人にとって、とうていありえそうもないと思える可能性がしばしば現実となることは、どうしても強調しておかなければならない。西暦三〇六年にコンスタンティヌスが帝位に就いたとき、キリスト教は少数の者しか理解していない東方の一宗派にすぎなかった。当時、それが間もなくローマの国教になるなどと言ったら、大笑いされ、部屋から追い出されただろう。今日、二〇五〇年にはクリシュナ教がアメリカの国教になっているだろうと言うのと同じことだ。一九一三年一〇月、ボリシェヴィキはロシアの小さな急進的派閥だった。思慮分別のある人なら、彼らがわずか四年のうちにロシアを支配下に置くなどとは、けっして予測しなかっただろう。西暦六〇〇年に、砂漠に暮らすアラビア人の一集団が、大西洋からインドまでの広大な領域をほどなく征服するなどという考えは、それに輪をかけて荒唐無稽だった。実際、ビザンティン帝国の軍隊が最初の猛攻を退けていたなら、イスラム教はおそらく、一握りの情報通しか知らない無名のカルトのままになっていただろう。その場合には、メッカに住む中年の商人に対する啓示に基づいた信仰が普及しなかった理由を、学者たちはいとも簡単に説明できるはずだ。

もちろん、何でも可能というわけではない。地理的な力や生物学的な力、経済的な力によって課される制約がある。だが、そうした制約があっても、意外な展開が起こる余地はたっぷり残されており、それらの展開は、どんな決定論的な法則にも縛られているようには見えない。

この結論に落胆する人は多い。彼らは歴史が決定論的であることを望んでいるからだ。決定論が魅力的なのは、それに従えば、私たちの世界や信念は歴史の自然で必然的な産物であることになるからだ。私たちが国民国家で生きていて、経済を資本主義の原理に沿って構成し、熱心に人権を信奉するのは、自然で必然的だというわけだ。歴史が決定論的ではないことを認めれば、今日ほとんどの人が国民主義や資本主義、人権を信奉するのはただの偶然だと認めることになる。

歴史は決定論では説明できないし、混沌としているから予想できない。あまりに多くの力が働いており、その相互作用はあまりに複雑なので、それらの力の強さや相互作用の仕方がほんのわずかに変化しても、結果に大きな違いが出る。そればかりか、歴史はいわゆる「二次」のカオス系なのだ。カオス系には二種類ある。一次のカオス系は、それについての予想に反応しない。たとえば天気は、一次のカオス系だ。天気は無数の要因に左右されはするものの、私たちはそのうちのしだいに多くを考慮に入れるコンピューターモデルを構築し、ますます正確な予報を行なえる。

二次のカオス系は、それについての予想に反応するので、正確に予想することはけっしてできない。たとえば、市場は二次のカオス系だ。翌日の石油価格を一〇〇パーセントの精度で予想するコンピュータープログラムを開発したらどうなるだろう？　石油価格はたちまちその予想に反応するので、その結果、予想は外れる。現在の石油価格が一バレル当たり九〇ドルで、絶対確実なコンピュータープログラムが、明日は一〇〇ドルになると予想したら、商人たちはあわてて石油を買い、予想される価格上昇で儲《もう》けようとする。すると、石油価格は明日ではなく今日、一〇〇ドルに値上がりする。すると、明日はどうなるのか？　誰にもわからない。

政治も二次のカオス系だ。一九八九年の革命を予想しそこなったとしてソ連研究家を非難し、二〇一一年のアラブの春の革命を予知しなかったとして中東の専門家を酷評する人は多い。だが、これは公正を欠く。革命はそもそも予想不可能に決まっているのだ。予想可能な革命はけっして勃発しない。

それはなぜか？　想像してほしい。今が二〇一〇年で、どこかの天才政治学者がコンピューターの天才と手を組み、革命予想装置として売り出せる、絶対確実なアルゴリズムを開発して魅力的なインターフェイスに組み込んだとしよう。二人はそれをエジプトのホスニ・ムバラク大統領に売り込み、気前の良い手付金と引き換えに、自分たちの予想によれば、一年以内にエジプトで確実に革命が起こるだろうと伝える。ムバラクはそれを受けてどうするか？　十中八九、ただちに減税を実施し、何十億ドルにも相当する補助金を国民に配るとともに、万一に備えて秘密警察を増強するだろう。この予防策が功を奏する。一年が過ぎ、なんと、革命は起こらなかった。ムバラクは手付金の返却を求める。「お前たちのアルゴリズムには何の価値もない！」と例の二人組を怒鳴りつける。「あんな大金をくれてやらなければ、もう一つ宮殿を建てられただろうに！」「そうはいっても、革命が起こらなかったのは、私たちが予想したからですよ」と二人組は弁解する。「起こらないことを予想する予言者か？」とムバラクは言いながら、衛兵に合図して二人を捕まえさせる。「そんなアルゴリズムなら、カイロの市場でただ同然で一ダースも買えただろうよ」

それでは私たちはなぜ歴史を研究するのか？　物理学や経済学とは違い、歴史は正確な予想をするための手段ではない。歴史を研究するのは、未来を知るためではなく、視野を拡げ、現在の私たちの状況は自然なものでも必然的なものでもなく、したがって私たちの前には、想像しているよりもずっと多くの可能性があることを理解するためなのだ。たとえば、ヨーロッパ人がどのようにアフリカ人を支配するに至ったかを研究すれば、人種的なヒエラルキーは自然なものでも必然的なものでもなく、世の中は違う形で構成しうると、気づくことができる。

2　盲目のクレイオ〔訳註　クレイオはギリシア神話で歴史を司る女神〕

私たちには歴史が行なう選択は説明できないが、そうした選択について、一つ重要なことが言える。それは、歴史の選択は人間の利益のためになされるわけではない、ということだ。歴史が歩を進めるにつれて、人類の境遇が必然的に改善されるという証拠はまったくない。人間に有益な文化は何があっても成功して広まり、それほど有益でない文化は消えるという証拠もない。キリスト教のほうがマニ教よりも優れた選択肢だったとか、アラブ帝国のほうがササン朝ペルシア帝国よりも有益だったという証拠もない。

歴史が人類の利益のために作用しているという証拠がないのは、そのような利益を計測する客観的尺度がないからだ。何が良いかという定義は文化によって異なるし、良さを比べる客観的な物差しもない。もちろん、勝者はいつも自分の定義が正しいと信じる。だが、なぜ勝者を信じなければならないのか？　キリスト教徒は、マニ教に対するキリスト教の勝利は人類に有益だったと信じているが、もし私たちがキリスト教の世界観を受け容れていなければ、キリスト教徒に同意するべき理由はない。イスラム教徒は、ササン朝ペルシア帝国がイスラム教の手に落ちたのは、人類にとって有益だったと信じている。だが、こうした利益が明白なのは、イスラム教の世界観を受け容れている場合だけだ。キリスト教もイスラム教も忘れられたり敗れたりしていたら、私たち全員がもっと良い暮らしをしていた可能性も十分ある。

文化は一種の精神的感染症あるいは寄生体で、人間は図らずもその宿主《しゅくしゅ》になっていると見る学者がしだいに増えている。ウイルスのような有機的寄生体は、宿主の体内で生きる。それらは増殖し、一人の宿主から別の宿主へと拡がり、宿主に頼って生き、宿主を弱らせ、ときには殺しさえする。宿主が寄生体を新たな宿主に受け継がせられるだけ長く生きさえすれば、宿主がどうなろうと寄生体の知ったことではない。それとそっくりな形で、文化的な概念も人間の心の中に生きている。そうした概念は増殖して一人の宿主から別の宿主へと拡がり、ときおり宿主を弱らせ、殺すことさえある。雲の上のキリスト教徒の天国という信念や、この地上における共産主義の楽園という信念をはじめ、文化的な概念は、人間を強制して、その概念を広めるのに人生を捧げさせることができる——たとえ命を代償に差し出さなければならない場合にさえ。人間は死ぬが、概念は広まる。このように考えれば、文化は他者につけ込むために一部の人が企てた陰謀（マルクス主義者たちはそのように文化を捉える傾向がある）ではなくなる。むしろ、文化は精神的な寄生体で、偶然現れ、それから感染した人全員を利用する。

この考え方は、ミーム学と呼ばれることがある。それは、生物の進化が「遺伝子」

と呼ばれる有機的情報単位の複製に基づいているのとちょうど同じように、文化の進化も「ミーム」と呼ばれる文化的情報単位の複製に基づいているという前提に立つ(1)。成功するのは、宿主である人間にとっての代償と便益に関係なく、自らのミームを繁殖させるのに非常に長《た》けた文化だ。

人文科学の学者の大半は、ミーム学を、文化的過程を幼稚な生物学的類推で説明しようとする素人臭い試みと見て蔑《さげす》んでいる。だが、その学者たちの多くが、ミーム学の双子の兄弟であるポストモダニズムに固執している。ポストモダニズムの思想家たちは、文化の基本構成要素としてミームではなく対話について語る。とはいえ彼らも、文化は人類の便宜になど無頓着に自らを広めると考えている。たとえば、ポストモダニズムの思想家は、国民主義は一九世紀と二〇世紀に世界中に広まって戦争や迫害、憎悪、組織的大量虐殺を引き起こした致命的疫病というふうに説明する。ある国の人々がそれに感染した途端、周辺国の人々もこのウイルスに感染する可能性が高まった。国民主義のウイルスは、人間に有益なものとして出現したが、有益だったのは主にウイルス自体にとってだった。

同じような議論が、ゲーム理論の下、社会科学でもよくなされる。ゲーム理論は、多人数が参加する系で、全プレイヤーを害する見方や行動のパターンがどのように根づいて拡がるかを説明する。軍備拡張競争が好例だ。軍備拡張競争のせいで、軍事力の均衡に実質的な変化がないまま、参加者全員が破産することが多い。パキスタンが高性能の飛行機を購入すると、インドもそれに倣《なら》う。インドが核爆弾を開発すると、パキスタンもそれに続く。パキスタンが海軍を増強すると、インドも同様の増強を行なう。けっきょく、最後まで力の均衡は以前とほとんど同じままだが、その間に教育や医療に投資できたはずの何十億ドルものお金が、武器に使われる。それにもかかわらず、軍備拡張競争の力には逆らい難い。「軍備拡張競争」は、ウイルスのように一つの国から別の国へと拡がる行動パターンで、全員を害するが、生存と繁殖という進化の基準に照らせば、自らには有益だ（留意してほしいが、遺伝子同様、軍備拡張競争に自覚はない。それは生き延びて繁殖することを意識的に求めはしない。それが広まるのは、強烈な力の働きの、意図されていない結果だ）。

ゲーム理論だろうが、ポストモダニズムだろうが、ミーム学だろうが、何と呼ぼうと、歴史のダイナミクスは人類の境遇を向上させることに向けられてはいない。歴史の中で輝かしい成功を収めた文化がどれもホモ・サピエンスにとって最善のものだったと考える根拠はない。進化と同じで、歴史は個々の生き物の幸福には無頓着だ。そして個々の人間のほうもたいてい、あまりに無知で弱いため、歴史の流れに影響を与えて自分に有利になるようにすることはできない。

歴史は何らかの謎めいた理由から選択を行なって、まずこちら、次にこちらというふうにさまざまな道筋をたどり、一つの時点から次の時点へと進んでいく。西暦一五〇〇年ごろ、歴史はそれまでで最も重大な選択を行ない、人類の運命だけではなく、おそらく地上のあらゆる生命の運命をも変えることになった。私たちはそれを科学革命と呼ぶ。それはヨーロッパ西部の、アフロ・ユーラシア大陸西端の、それまで歴史上重要な役割を果たしたことのなかった大きな半島で始まった。なぜ科学革命が中国やインドではなく、よりによってそのような場所で始まったのか？　なぜその二世紀前や三世紀後ではなく、二〇〇〇年紀の半ばに始まったのか？　私たちにはわからない。学者たちは何十もの説を提唱してきたが、そのどれを取ってもあまり説得力がない。

歴史が持つ選択肢の幅は非常に広く、可能性の多くはけっして実現することがない。歴史が科学革命を迂回《うかい》して何世代も続くという可能性も想像可能なのだ――キリスト教も、ローマ帝国も、金貨もない歴史を想像するのが可能なのとちょうど同じように。

第4部 科学革命

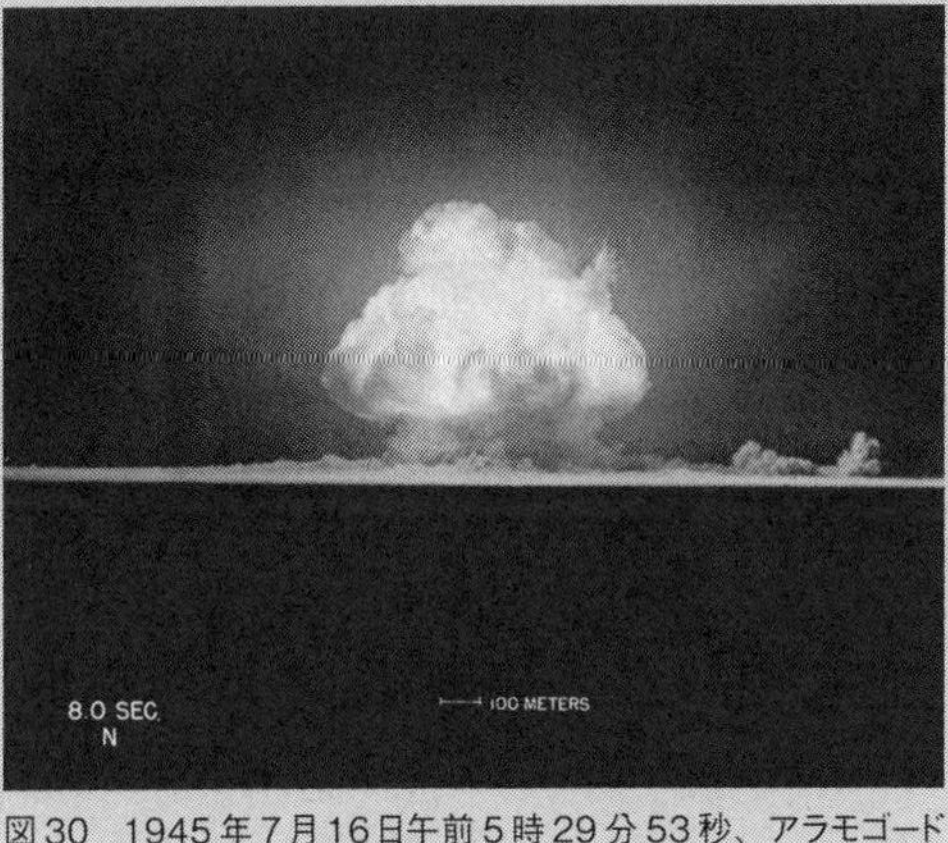

図30　1945年7月16日午前5時29分53秒、アラモゴードにて。世界初の原子爆弾が爆発してから8秒後。原子物理学者のロバート・オッペンハイマーは、この爆発を目にして、ヒンドゥー教の聖典「バガヴァッド・ギーター」から次の一説を引用した。「今や我は死神、世界の破壊者となれり」。

第14章　無知の発見と近代科学の成立

仮にスペインの農民が西暦一〇〇〇年に眠りに落ち、五〇〇年後、コロンブスの率いる船員たちがニーニャ号とピンタ号とサンタ・マリア号に騒々しく乗り込む音で目覚めたとしたら、その世界は非常に馴染《なじ》み深いものに見えたはずだ。技術や作法、政治的境界には多くの変化があったとはいえ、この中世版リップ・ヴァン・ウィンクル〔訳註　ワシントン・アーヴィングの同名の小説の主人公で、二〇年間眠り続けた後、目覚めて、世の中の変わりように驚く〕は、すんなり溶け込めただろう。だが、もしコロンブスの船員の一人が同じような眠りに落ち、二一世紀のｉＰｈｏｎｅの着信音で目覚めたとしたら、そこは理解し難いほど奇妙な世界に思えるだろう。「ここは天国か？」と彼は自問するかもしれない。「それとも、ひょっとしたら――地獄か？」

過去五〇〇年間に、人間の力は前例のない驚くべき発展を見せた。一五〇〇年には、全世界にホモ・サピエンスはおよそ五億人いた。今日《こんにち》、その数は七〇億に達する(1)〔訳

註　これをはじめ、本書で示される情報の多くは、著者が原書とその英訳を刊行する以前に入手したものであり、現状とは必ずしも一致していない〕。一五〇〇年に人類によって生み出された財とサービスの総価値は、今日のお金に換算して、二五〇〇億ドルと推定される。(2) 今日、人類が一年間に生み出す価値は、六〇兆ドルに近い。(3) 一五〇〇年には人類は一日当たりおよそ一三兆カロリーのエネルギーを消費していた。今日、私たちは一日当たり一五〇〇兆カロリーを消費している (4)（これらの数字を見直してほしい。私たちの人口は一四倍、生産量は二四〇倍、エネルギー消費量は一一五倍に増えたのだ）。

現代の戦艦が一隻、コロンブスの時代にタイムスリップしたとしよう。その戦艦は、ほんの数秒のうちにニーニャ号とピンタ号とサンタ・マリア号を木《こ》っ端微塵《ぱみじん》にし、それから当時のすべての大国の軍艦を撃沈できるだろう。自分はかすり傷一つ負わずに。また、現代の貨物船が五隻あれば、世界の全商船隊の積み荷を積載できただろう。(5) 現代のコンピューターが一台あれば、中世の図書館という図書館の写本や巻物に記された文字と数字のすべてを楽々保存でき、記憶容量にはなお余裕が残っただろう。今日の大きな銀行ならばどこであれ、近代以前の世界中の王国を合わせた以上のお金を持っている。(6)

一五〇〇年には、人口が一〇万以上の都市はほとんどなかった。たいていの建物は泥や木、藁《わら》でできており、三階建ての建物が超高層ビルだった。街路は轍《わだち》の並ぶ泥道で、夏は埃《ほこり》っぽく、冬はぬかるみ、歩行者や馬、ヤギ、ニワトリ、少数の荷車でいっぱいだった。都会の騒音のもとは、主に人間と動物の声で、金槌《かなづち》や鋸《のこぎり》の音がときどきそれに加わった。日が暮れると町は黒一色となり、暗闇の中でロウソクや松明《たいまつ》がぽつんぽつんと揺らめいていた。そんな都市の住民が、現代の東京やニューヨーク、あるいはムンバイを目にしたら、なんと思うだろう?

一六世紀になるまでは、地球を一周した人間は一人もいなかった。だが、一五二二年、マゼランの遠征艦隊が七万二〇〇〇キロメートルの旅を終えてスペインに帰り着いたとき、歴史が変わった。この旅には三年かかり、マゼランを含め、ほぼ全員が命を落とした。一八七三年、ジュール・ヴェルヌは、裕福なイギリスの冒険家フィリアス・フォッグが八〇日間で世界を一周しうるかもしれないと想像できた。今日では、中間層ほどの収入のある人なら誰もが、わずか四八時間で安全かつ手軽に地球を一周できる。

一五〇〇年には人類は地表に閉じ込められていた。塔を建てたり、山に登ったりすることはできたが、空は鳥や天使や神々の領域だった。一九六九年七月二〇日、人類は月に降り立った。これは歴史的偉業であるばかりでなく、進化上の偉業、さらには宇宙の偉業でさえあった。それ以前の四〇億年という進化の歴史で、地球の大気圏すら脱しえた生き物はなかった。まして、月面に足跡(あるいは触手の跡)を残した者など皆無だった。

歴史の大半を通じて、人類は地上の生き物のおよそ九九・九九パーセント、すなわち微生物について何も知らなかった。それは、微生物が私たちに無関係だったからではない。私たちの一人ひとりが何十億という単細胞生物を体内や体表に抱えており、それもたんにただ乗りさせているわけではない。彼らは私たちの最高の友であり、また最も致命的な敵でもある。私たちが食べた物を消化し、消化管を掃除してくれる微生物もいれば、病気や感染症を引き起こすものもいる。それにもかかわらず、人間の目が初めて微生物を捉えたのは、ようやく一六七四年になってからだった。この年、アントニ・ファン・レーウェンフックが手製の顕微鏡を覗《のぞ》き、水滴の中に、ごく小さな生き物たちが動き回る世界をまるごと一つ発見して肝《きも》を潰《つぶ》した。その後の三〇〇年間に、人類は厖大《ぼうだい》な数の微小な種《しゅ》を知るようになった。微生物が引き起こすとりわけ危険な致命的感染症のほとんどを、なんとか克服するとともに、微生物を利用して医学や産業に役立ててきた。今日、私たちは細菌に手を加えて医薬品を生み出したり、生物燃料《バイオ》を製造したり、寄生体を殺したりする。

だが、過去五〇〇年間で最も瞠目《どうもく》すべき決定的瞬間は、一九四五年七月一六日午前五時二九分四五秒に訪れた。まさにその瞬間に、アメリカの科学者たちがニューメキシコ州アラモゴードで世界初の原子爆弾を爆発させたのだ。それ以降、人類は歴史の行方を変えるだけではなく、それに終止符を打つことさえできるようになった。

アラモゴードや月へと続く歴史的過程は、科学革命として知られている。この革命の間に、人類は科学研究に資源を投入することで、途方もない力の数々を新たに獲得した。これが革命であるのには理由がある。西暦一五〇〇年ごろまでは、世界中の人類は、医学や軍事、経済の分野で新たな力を獲得する能力が自らにあるとは思えなかったのだ。政府や裕福な後援者が教育や学問に資金を割り当てはしたものの、その目的は一般に、新たな能力の獲得ではなく、既存の能力の維持だった。近代以前の典型的な支配者は、自分の支配を正当化して社会秩序を維持してもらうことを願って、聖職者や哲学者、詩人にお金を与えた。そして、彼らが新しい医薬品を発見したり、新しい武器を発明したり、経済成長を促したりすることは期待していなかった。

だが過去五〇〇年間に、人類は科学研究に投資することで自らの能力を高められると、しだいに信じるようになった。これは根拠のないただの思い込みではなく、経験的に繰り返し立証された事実だった。そうした証拠が増えるほど、裕福な人々や政府がますます多くの資源を喜んで科学に投入した。そのような投資がなかったら、私たちはけっして月面を歩いたり、微生物に手を加えたり、原子を分裂させたりできなかっただろう。たとえばアメリカ政府はこの数十年間に、何十億ドルもの資金を原子物理学に割り当ててきた。この分野の研究から得られた知識のおかげで、原子力発電所の建設が可能になり、安価な電力がアメリカの諸産業に供給され、諸産業がアメリカ政府に税金を払い、政府はその税金の一部を使って、原子物理学のさらなる研究に出資する。

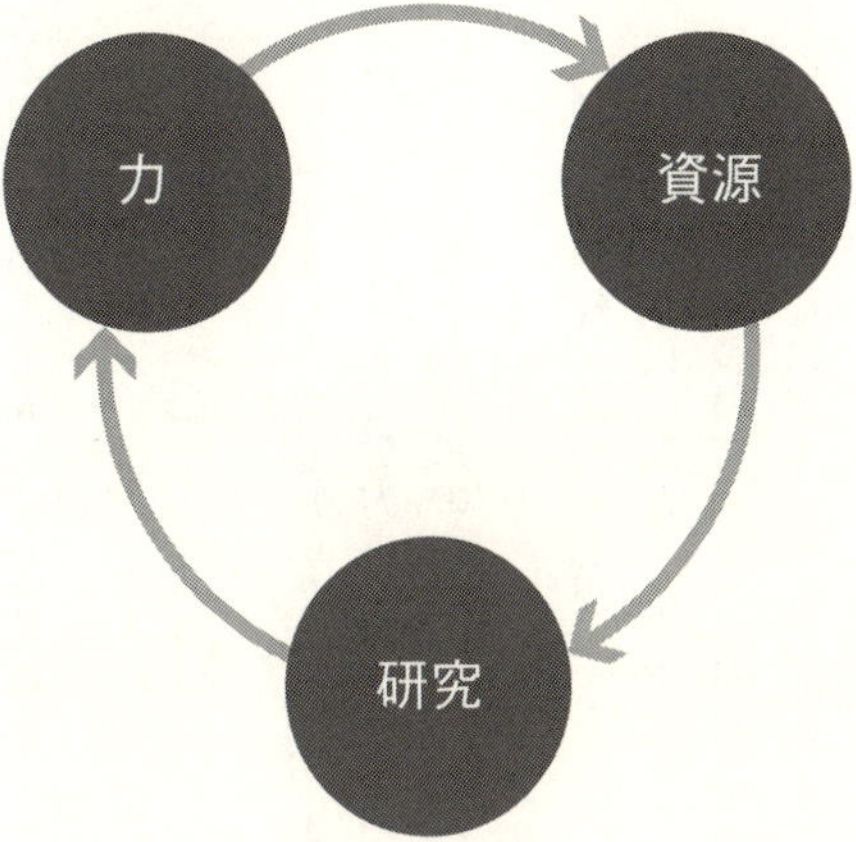

科学革命のフィードバック・ループ。科学が進歩するには、研究だけでは十分ではない。進歩は、科学と政治と経済の相互支援に依存している。政治と経済の機関が資源を提供する。それなしでは科学研究はほぼ不可能だ。援助のお返しとして、科学研究は新しい力を提供する。その用途の一つが、新しい資源の獲得で、得られた資源の一部が、またしても研究に投資される。

近世の人間はなぜ、研究を通して新しい力を獲得する自らの能力をしだいに信じるようになったのか？　何が科学と政治と経済の絆を作り出したのか？　その答えの一部を提供するために、本章では近代科学の性質に注目する。続く二章では、科学とヨーロッパの諸帝国と資本主義の経済との同盟関係の形成について考察する。

無知な人

人類は少なくとも認知革命以降は、森羅万象を理解しようとしてきた。私たちの祖先は、厖大な時間と労力を注ぎ込んで、自然界を支配する諸法則を発見しようとした。だが、近代科学は従来の知識の伝統のいっさいと三つの重大な形で異なる。

a **進んで無知を認める意思。**近代科学は「私たちは知らない」という意味の「ignoramus」というラテン語の戒めに基づいている。近代科学は、私たちがすべてを知っているわけではないという前提に立つ。それに輪をかけて重要なのだが、私たちが知っていると思っている事柄も、さらに知識を獲得するうちに、誤りであると判明する場合がありうることも、受け容れている。いかなる概念も、考えも、説も、神聖不可侵ではなく、異議を差し挟む余地がある。

b **観察と数学の中心性。**

近代科学は無知を認めた上で、新しい知識の獲得を目指す。この目的を達するために、近代科学は観察結果を収集し、それから数学的ツールを用いてそれらの観察結果を結びつけ、包括的な説にまとめ上げる。

c

新しい力の獲得。

近代科学は、説を生み出すだけでは満足しない。近代科学はそれらの説を使い、新しい力の獲得、とくに新しいテクノロジーの開発を目指す。

科学革命はこれまで、知識の革命ではなかった。何よりも、無知の革命だった。科学革命の発端は、人類は自らにとって最も重要な疑問の数々の答えを知らないという、重大な発見だった。

イスラム教やキリスト教、仏教、儒教といった近代以前の知識の伝統は、この世界について知るのが重要である事柄はすでに全部知られていると主張した。偉大な神々、あるいは単一の万能の絶対神、はたまた過去の賢者たちが、すべてを網羅する知恵を持っており、それを聖典や口承の形で私たちに明かしてくれるというのだ。凡人はこうした古代の文書や伝承をよく調べ、それを適切に理解することで、知識を得た。聖書やクルアーン（コーラン）、ヴェーダ〔訳註　ヒンドゥー教最古の聖典〕から森羅万象の決定的に重要な秘密が抜け落ちており、それが血の通う肉体を持つ生き物、つまり人間に今後発見されるかもしれないなどということは考えられなかった。

古代の知識の伝統は、二種類の無知しか認めていない。第一に、個人が何か重要な事柄を知らない場合。その場合、必要な知識を得るためには、誰かもっと賢い人に尋ねさえすればよかった。まだ誰も知らないことを発見する必要はなかった。たとえば、一三世紀のヨークシャーのある村で、農民が人類の起源を知りたければ、彼は当然キリスト教の伝統に決定的な答えが見つかると考えた。だから、地元の聖職者に尋ねさえすれば済んだ。

第二に、伝統全体が重要でない事柄について無知な場合。当然ながら、偉大な神々や過去の賢人たちがわざわざ私たちに伝えないことは、何であれ重要ではない。先ほどのヨークシャーの農民が、クモはどうやって巣を張るのかを知りたければ、聖職者に尋ねても無駄だった。この疑問に対する答えは、キリスト教の聖典のどれにも見つからないからだ。だからといって、キリスト教に欠陥があるわけではなかった。それは、クモがどうやって巣を張るかを理解するのは重要ではないということだ。つまるところ、神はクモがどうやるかは完璧に知っていた。これが人間の繁栄と救済にとって必要な、重要極まりない情報だったなら、神は聖書に広範に及ぶ説明を含めていただろう。

キリスト教は人々がクモを研究することを禁じてはいない。だが、クモの研究者は(中世のヨーロッパにそのような人が仮にいたとしたらだが)、自分が社会の中でじつに瑣末《さまつ》な役割を果たしているにすぎず、キリスト教の永遠の真理にとって自分の発見が無関係であることを受け容れざるをえなかった。クモやチョウやガラパゴスのフィンチについて学者が何を発見しようと、その知識は瑣末なものにすぎず、社会や政治や経済の根本的真理とはまったく関係がないのだ。

ただし実際には、物事はそこまで単純ではなかった。どの時代にも、たとえどれほど敬虔《けいけん》で保守的な時代にも、自分たちの伝統全体が無知である重要な事柄が存在すると主張する人はいた。だが、そのような人々は、たいてい無視されたり迫害されたりした。あるいは、新たな伝統を創設し、自分たちこそ、知るべきことをすべて知っていると主張し始めた。たとえば、預言者ムハンマドは、神の真理を知らずに生きているとして同胞のアラビア人たちを非難することでイスラム教の創始者としての道を歩み始めた。だがそのムハンマド自身もたちまち、自分はすべての真理を知っていると主張しだし、信奉者たちは彼のことを「最後の預言者」と呼び始めた。それ以降、ムハンマドに与えられたもの以上の啓示は不要になった。

近代科学は、最も重要な疑問に関して集団的無知を公に認めるという点で、無類の知識の伝統だ。ダーウィンは自分が「最後の生物学者」で、生命の謎をすべてすっきりと解決したなどとは、けっして主張しなかった。広範な科学研究を何世紀も重ねてきたにもかかわらず、生物学者は脳がどのようにして意識を生み出すかを依然として説明できないことを認めている。物理学者は何が原因でビッグバンが起こったかや、量子力学と一般相対性理論の折り合いをどうつけたらよいかがわからないことを認めている。

その他の場合にも、競合する科学の説が、たえず現れる新たな証拠に基づいて猛然と議論されている。その最たる例が、どのように経済を運営するのが最善かをめぐる議論だ。個々の経済学者は自分の方法が最善だと主張するかもしれないが、正統派の学説とされるものも、金融危機や株式バブルが起こるたびに変わるし、経済学の結論はまだ出ていないというのが一般的な受け止められ方だ。

さらに、特定の説が、入手可能な証拠によって一貫して支持されているので、他の説がとうの昔に放棄されてしまっているという場合もある。そうした説は正しいものとして受け容れられるが、万一それと矛盾する新たな証拠が出現したら、やはりその説も改訂したり放棄したりしなければならなくなるということに、誰もが同意している。プレートテクトニクスや進化の理論がその好例だ。

進んで無知を認める意思があるため、近代科学は従来の知識の伝統のどれよりもダイナミックで、柔軟で、探究的になった。そのおかげで、世界の仕組みを理解したり新しいテクノロジーを発明したりする私たちの能力が大幅に増大した。だがそのせいで私たちは、祖先のほとんどが対処せずに済んだ深刻な問題に直面している。私たちはすべてを知ってはいないし、今持っている知識でさえ仮のものでしかないという、現在の私たちの仮定は、厖大な数の見ず知らずの人どうしが効果的に協力することを可能にしている共有の神話にさえも及ぶ。これらの神話の多くが疑わしいことを示す証拠が出てきたら、私たちはどうやって社会のまとまりを保てるのか？　私たちのコミュニティや国や国際的制度はどうやって機能できるのか？

社会政治的な秩序を安定させるための近代の試みはすべてこれまで、以下の二つの非科学的方法に頼るしかなかった。

a　科学的な説を一つ選び、科学の一般的な慣行に反して、それが最終的かつ絶対的な真理であると宣言する。これはナチスと共産主義者が使った方法だ（ナチスは、自らの人種政策は生物学的事実の必然的帰結だと主張し、共産主義者は、マルクスとレーニンは反駁《はんばく》の余地のまったくない経済の絶対的真理を見抜いたと主張した）。

b　そこから科学を締め出し、非科学的な絶対的真理に即して生きる。これはこれまで自由主義の人間至上主義がとってきた戦略で、この主義は、人間には特有の価値と権利があるという独断的信念に基づいて構築されている。その信念は、ホモ・サピエンスについての科学研究の成果とは、呆《あき》れるほど共通点が少ない。

だが、これに驚いてはいけない。科学自体さえもが、研究を正当化し、必要な資金を調達するためには、宗教的な信念やイデオロギー上の信念に頼らざるをえないのだから。

とはいえ、近代の文化は以前のどの文化よりも、無知を進んで受け容れる程度がはるかに大きい。近代の社会秩序がまとまりを保てるのは、一つには、テクノロジーと科学研究の方法とに対する、ほとんど宗教的なまでの信奉が普及しているからだ。この信奉は、絶対的な真理に対する信奉に、ある程度まで取って代わってしまった。

科学界の教義

近代科学には教義はない。それでも、共通の核となる研究の方法はある。そうした方法はみな、経験的観察結果（少なくとも私たちの五感の一つで観察できるもの）を収集し、数学的ツールの助けを借りてそれをまとめることに基づいている。

歴史を通じて、人々は経験的観察結果を収集してきたが、これらの観察結果の重要性はたいてい限られていた。必要な答えはすべてすでに持っているのに、新しい観察結果を得るために、なぜ貴重な資源を無駄にするのか、というわけだ。だが近代の人々は、いくつかの非常に重要な疑問の答えを知らないことを認めるようになると、完全に新しい知識を探す必要を感じた。その結果、近代の支配的な研究方法は、古い知識を当然不十分だと見なす。古い伝統を研究する代わりに、今や重点は新しい観察や実験に置かれている。現在の観察結果が過去の伝統と衝突したときには、観察結果が優先される。もちろん、はるか彼方の銀河のスペクトルを分析している物理学者や、青銅器時代の都市の遺物を分析している考古学者、資本主義の出現を研究している政治学者は、伝統をなおざりにしたりしない。彼らは過去の賢人たちが言ったことや書いたことの研究から始める。だが、物理学者や考古学者、政治学者を志望する人は大学の一年目から、彼らの使命はアインシュタインやハインリヒ・シュリーマン、マックス・ヴェーバーが得た知識を凌駕《りょうが》することにあると教えられる。

とはいえ、ただの観察結果は知識とは違う。森羅万象を理解するためには、観察結果をまとめて包括的な説にする必要がある。従来の伝統はたいてい、自らの説を物語の形で組み立てた。一方、近代科学は数学を使う。

聖書やクルアーン、ヴェーダ、儒教の権威ある書物には、方程式やグラフ、計算はほとんど出てこない。伝統的な神話や聖典が一般法則を規定するときには、数学的形式ではなく物語《ナラティブ》の形式で提示した。たとえばマニ教の根本原理では、世界は善と悪の戦場であるというふうに断言されている。悪の力が物質を生み出す一方、善の力が精神を生み出した。人間はこれら二つの力に引き裂かれているが、悪ではなく善を選ばなければならない。だが、マニ教の始祖である預言者のマニは、これら二つの力のそれぞれの強さを定量化することで人間の選択を予想するのに使える、数学的公式を提供しようとはしなかった。彼は、「人間に働く力は当人の精神の加速度を当人の身体の質量で割った値に等しい」などという計算は、ついぞしなかった。

だが、それこそ科学者たちが成し遂げようとしていることにほかならない。一六八七年にアイザック・ニュートンは、近代史上おそらく最も重要な書籍である『自然哲学の数学的諸原理』（邦訳『プリンシピア――自然哲学の数学的原理』中野猿人訳、講談社、一九七七年、他）を刊行した。ニュートンはこの中で、運動と変化の一般理論を提示した。ニュートンの説が素晴らしいのは、木から落ちるリンゴから流星まで、宇宙のあらゆる物体の動きを、以下の三つのごく単純な数学的法則を使って説明し、予想できる点にある。

$$1\quad \sum \vec{F} = 0$$

$$2\quad \sum \vec{F} = m\vec{a}$$

$$3\quad \vec{F}_{1,2} = -\vec{F}_{2,1}$$

それ以後、砲弾や惑星の動きを理解し、予想したい人は誰でも、その物体の質量、運動の方向と加速度、それに働いている力を測定するだけでよくなった。これらの数値をニュートンの方程式に代入すれば、その物体の将来の位置が予想できた。まるで魔法のようだった。一九世紀の終わりごろになってようやく、科学者たちはニュートンの法則にうまく当てはまらない観察結果にいくつか遭遇し、それが物理学における次の革命、すなわち相対性理論と量子力学へとつながった。

ニュートンは自然という書物が数学という言語で書かれていることを示した。一部の章（たとえば物理学）は、明快な方程式に煎《せん》じ詰められる。だが、生物学や経済学、心理学をニュートンのもののようなすっきりした方程式に還元しようとした学者たちは、これらの分野には一定の複雑性が伴うため、そのような目標は達成が覚束《おぼつか》ないことを発見した。とはいえこれは、彼らが数学を捨てたということではない。過去二〇〇年間に、現実の持つ複雑な側面に対処するために、新しい数学の部門が発展した。すなわち、統計学だ。

一七四四年に、アレクサンダー・ウェブスターとロバート・ウォーレスという二人のスコットランドの長老派教会の牧師が、亡くなった牧師の妻や子供に年金を支給する生命保険基金を設立することにした。二人は長老派教会の聖職者たちに、各自が収入のごく一部をこの基金に拠出し、基金がそのお金を投資することを提案した。ある牧師が亡くなると妻は基金の利益の配当を受け取る。そうすれば、死ぬまで生活に困らない。だが、牧師たちがどれだけの額を拠出すれば、基金が義務を果たし続けられるかを見極めるためには、ウェブスターとウォーレスは毎年亡くなる牧師の数や、後に残される妻と子供の数、妻がその後生きる年数を予想する必要があった。

この二人の牧師がしな﹅か﹅っ﹅た﹅ことに注目してほしい。彼らは答えを啓示してくれるように神に祈らなかった。聖書や古代の神学者の作品の中に答えを探すこともなかった。抽象的な哲学の議論も始めなかった。二人はスコットランド人らしく、実際的なタイプだった。そこで彼らはエディンバラ大学の数学教授コリン・マクローリンを雇った。そして三人で、人が死ぬ年齢についてのデータを集め、それを使って、一年に亡くなるであろう牧師の数を計算した。

彼らの作業は、そのころ統計学と確率の分野で起こったばかりのいくつかの飛躍的発展に基づいていた。その一つが、ヤコブ・ベルヌーイによる「大数《たいすう》の法則」の発見だ。ベルヌーイは、特定の人の死のような、単一の事象を正確に予想するのは難しくても、多くの類似の事象の平均的結果を高い精度で予想するのは可能であるという原理を体系化した。つまり、マクローリンはウェブスターとウォーレスが翌年亡くなるかどうかを数学を使って予想することはできないが、十分な量のデータがあれば、スコットランドの長老派教会の牧師が翌年何人ほぼ確実に亡くなるかを二人に教えることができた。幸い、彼らはおあつらえ向きのデータを利用できた。五〇年前にエドモンド・ハリーが発行した保険数理表がとりわけ役に立った。ハリーはドイツの都市ブレスラウ〔訳註　現在ではポーランドの都市ヴロツワフ〕で手に入れた、一二三八件の誕生と一一七四件の死亡の記録を分析した。ハリーの表を見ると、たとえばどの年であれ、二〇歳の人が亡くなる可能性は一〇〇分の一であるのに対して、五〇歳の人が亡くなる可能性は三九分の一であることがわかる。

こうした数字を処理し、ウェブスターとウォーレスは、どの時点でもスコットランドの長老派教会の牧師は平均で九三〇人おり、毎年平均で二七人が亡くなり、そのうちの一八人が妻を後に残すと結論した。妻を残さなかった牧師のうちの五人が孤児を残し、妻を残した牧師のうち二人は、以前の結婚でもうけた、まだ一六歳に達していない子供も残す。彼らは妻たちの死や再婚（いずれの場合にも年金の支払いが終わる）までに何年が過ぎるかも計算した。こうして得られた数値のおかげで、ウェブスターとウォーレスは、二人の基金に加入した牧師たちが、家族を養うためにいくら支払うべきかを決めることができた。牧師は毎年二ポンド一二シリング二ペンス払えば、亡くなった後、妻が年に最低でも一〇ポンド（当時としては相当な金額）を確実に受け取れるようにできた。もしそれでは不足と考えれば、年に最高で六ポンド一一シリング三ペンスまで払うことができ、その場合、妻には毎年二五ポンドという、さらに高額な年金が保証された。

彼らの計算によれば、「スコットランド教会の牧師の妻と遺児への支払いのための基金」は一七六五年までに総額五万八三四八ポンドの資金を調達できるはずだった。そして、その計算は驚くほど正確だった。その年が来たとき、基金の資金は五万八三四七ポンドで、予想よりわずか一ポンド少ないだけだったのだ！　これはハバククやエレミヤ、聖ヨハネらの預言さえ凌《しの》ぐ。今日、「スコットランドの寡婦《スコティッシュ・ウィドウズ》」と略称されるウェブスターとウォーレスの基金は、世界でも最大規模の年金・保険会社だ。一〇〇〇億ポンドの資産価値を誇る同社は、スコットランドの寡婦だけではなく、同社の保険に加入する気のある人なら誰とでも契約する。(7)

二人のスコットランド人牧師が使ったような確率計算は、年金事業や保険事業の拠《よ》り所である保険数理学ばかりでなく、人口統計学（これまた、ロバート・マルサスというイングランド国教会の牧師によって創始された）の基盤にもなった。そして人口統計学自体は、チャールズ・ダーウィン（彼はもう少しでイングランド国教会の牧師になるところだった）が進化論を築き上げるときの土台となった。特定の条件の組み合わせの下でどのような種類の生き物が進化するかを予想する方程式はないが、遺伝学者は確率計算を使って、特定の個体群の中で特定の突然変異が広まる可能性を求める。同じような確率モデルは、経済学や社会学、心理学、政治学、その他の社会科学や自然科学にとって重要になった。物理学さえも最終的には、量子力学の確率の雲を使ってニュートンの古典力学の方程式を補足した。

教育の歴史を見るだけで、この過程のおかげで私たちがどれほど進歩したかがわかる。歴史の大半を通じて、数学は教養ある人々さえ稀《まれ》にしか真剣に研究しない、ごく少数の人の分野だった。中世のヨーロッパでは、論理学と文法学と修辞学が教育の核心を形成していたのに対して、数学の指導は、単純な計算と幾何の範囲にとどまるのが常だった。統計学を学ぶ人などいなかった。あらゆる学問のうち、並ぶ者のない王者は神学だった。

今日、修辞学を学ぶ学生はほとんどいない。論理学の教育は哲学科に、神学の教育は神学校に限られている。逆に、ますます多くの学生が数学を学ぶよう動機づけられ（あるいは強制され）ている。そこには、精密科学へと向かう、抗《あらが》い難い潮流が見られる（「精密」とは、数学的ツールの使用を意味する）。人間の言語の研究（言語学）や人間の心の研究（心理学）といった、伝統的に人文科学に含まれていた研究分野でさえ、しだいに数学に頼り、自らを精密科学として提示しようとしている。統計学の講座は今では物理学と生物学だけではなく、心理学や社会学、経済学、政治学でも基本的な必修科目になっている。

私自身の大学の心理学科の講義要覧では、カリキュラムで履修が義務づけられている最初の講座は「心理学研究における統計学と方法論入門」だ。心理学専攻の二年生は「心理学研究における統計的方法」を取らなければならない。人間の心を理解し、心の病を治すためには、まず統計学を学ばなければならないと言われたら、孔子もブッダもイエスもムハンマドも、さぞかしとまどったことだろう。

知は力

たいていの人が近代科学を消化するのに苦労するのは、そこで使われる数学的言語が、私たちの頭では捉えにくく、その所見が常識に反することが多いからだ。世界に暮らす七〇億の人のうち、量子力学や細胞生物学、マクロ経済学を本当に理解している人がどれだけいるだろう？　それでも科学がこれほどの声望をほしいままにしているのは、それが私たちに新しい力を与えてくれるからだ。大統領や将軍たちは、原子物理学は理解していないかもしれないが、核爆弾に何ができるかはよく知っている。

一六二〇年にフランシス・ベーコンは『ノヴム・オルガヌム——新機関』（桂寿一訳、岩波文庫、一九七八年、他）と題する科学の声明書を刊行した。その中で彼は、「知は力なり」と主張した。「知識」の真価は、それが正しいかどうかではなく、私たちに力を与えてくれるかどうかで決まる。科学者は普通、どんな理論も一〇〇パーセント正しいことはないと考えている。したがって、正しいかどうかは知識の真価を問う基準としてははなはだ不適切だ。真の価値は有用性にある。新しいことを可能にしてくれる理論こそが知識なのだ。

何世紀もの間に、科学は私たちに数多くの新しいツールを提供してきた。死亡率や経済成長を予想するのに使われるもののような、知的作業を助けるツールもある。それ以上に重要なのが、テクノロジーのツールだ。科学とテクノロジーの間に結ばれた絆は非常に強固なので、今日の人は両者を混同することが多い。私たちは科学研究がなければ新しいテクノロジーを開発するのは不可能で、新しいテクノロジーとして結実しない研究にはほとんど意味がないと思うことが多い。

じつは、科学とテクノロジーの関係は、ごく最近の現象だ。西暦一五〇〇年以前は、科学とテクノロジーはまったく別の領域だった。一七世紀初期にベーコンが両者を結びつけたとき、それは革命的な発想だった。一七世紀と一八世紀にこの関係は強まったが、両者がようやく結ばれたのは一九世紀になってからだった。一八〇〇年にさえ、強力な軍隊を望む支配者の大半や、事業を成功させたい経営者の大半は、物理学や生物学、経済学の研究にわざわざお金を出そうとはしなかった。

私はなにも、例外がまったくなかったと言っているわけではない。優れた歴史学者なら、どんなものにも先例を見つけられるだろう。だが、さらに優れた歴史学者なら、そうした先例が全体像を曇らせる珍しい例であるときには、そうとわかる。一般的に、近代以前の支配者や事業者のほとんどは、新しいテクノロジーを開発するために森羅万象の性質についての研究に資金を出すことはなかったし、ほとんどの思想家は、自らの所見をテクノロジーを利用した装置に変えようとはしなかった。支配者は、既存の秩序を強化する目的で伝統的な知識を広めるのが使命の教育機関に出資した。

現にあちらこちらで人々は新しいテクノロジーを開発したが、それは通常、学者が体系的な科学研究を行なうのではなく、無学な職人が試行錯誤を繰り返すことで生み出したものだった。荷車の製造業者は、来る年も来る年も同じ材料を使って同じ荷車を組み立てた。年間収益の一部を取っておいて、新しい荷車のモデルを研究開発するのに回すことはなかった。荷車のデザインはときおり向上したが、それはたいてい、大学には足を踏み入れたことがなく、字さえ読めない地元の職人の創意工夫のおかげだった。

これは民間部門ばかりでなく公的部門にも当てはまった。現代国家が、エネルギーから健康、ゴミ処理まで、国家政策のほぼすべての領域で科学者の助言を仰いで解決策を提供してもらうのに対して、古代の王国はめったにそうしなかった。当時と今の違いが最も顕著なのが兵器の開発・製造だ。一九六一年、退任間近のドワイト・アイゼンハワー大統領は、しだいに増していく軍産複合体の力について警告を発したが、その体制の一部である科学を抜かしてしまった。彼は、軍事・産業・科学複合体について、アメリカの注意を促すべきだったのだ。なぜなら、今日の戦争は科学の所産だからだ。世界各国の軍隊は、人類の科学研究とテクノロジー開発のかなり大きな部分を創始し、それに資金を注ぎ込み、その方向性を決める。

第一次大戦がいつ果てるとも知れない塹壕《ざんごう》戦の泥沼に陥ったとき、両陣営は科学者たちの援助を仰ぎ、膠着《こうちゃく》状態を打ち破って自国を救おうとした。科学者たちはその呼びかけに応え、戦闘機や毒ガス、戦車、潜水艦、際限なく性能を上げる機関銃や大砲、小銃、爆弾など、新しい驚異の新兵器が各地の研究所から絶え間なく送り出された。

科学は第二次大戦ではさらに大きな役割を担った。一九四四年末には、ドイツは形勢が悪くなっており、敗北は必至だった。一年前、ドイツの同盟国イタリアの国民がムッソリーニを倒し、連合国に降伏していた。だがドイツは、イギリス、アメリカ、ソヴィエト連邦の軍が包囲の輪を縮めつつあるにもかかわらず、戦い続けた。ドイツの兵士と民間人が万事休すではないと思っていたのは、一つには、ドイツの科学者たちがV2ロケットやジェット機のような、いわゆる奇跡の兵器で形勢を逆転させる寸前だと信じていたからだ。

　ドイツ人がロケットとジェット機に取り組んでいる間に、アメリカはマンハッタン計画を成功させ、原子爆弾を開発した。原子爆弾の準備ができた一九四五年八月初めに、ドイツはすでに降伏していたが、日本は戦争を続行していた。アメリカ軍は、日本への本土侵攻の態勢が整っていた。日本人はあくまで侵攻に抵抗し、死ぬまで戦うことを誓った。それが口先だけの脅しではないと信じる理由には事欠かなかった。アメリカの将軍たちはハリー・S・トルーマン大統領に、日本に侵攻すれば一〇〇万のアメリカ軍兵士の命が奪われ、戦争は一九四六年まで長引くだろうと告げた。トルーマンは新しい爆弾を使うことを決めた。それから二週間のうちに二発の原子爆弾を落とされた日本は、無条件降伏し、戦争は終わった。

　だが、科学は攻撃兵器だけにかかわるわけではない。防衛にも大きな役割を果たしている。今日、多くのアメリカ人が、テロリズムの解決策は政治ではなくテクノロジ

第14章　無知の発見と近代科学の成立

図31　発射準備が整ったドイツのV2ロケット。このロケットは連合軍を打ち負かすことはなかったが、戦争の最終盤まで、テクノロジーによる奇跡をドイツ人に期待させ続けた。

ーによるものだと信じている。ナノテクノロジー産業にさらに何百万ドルも与えれば、アメリカは生物工学を利用して造ったスパイ・ハエをアフガニスタンの洞窟やイエメンの砦、北アフリカの野営地のすべてに送り込めると信じているのだ。もしそうできれば、ウサマ・ビンラディンの後継者たちは、CIAのスパイ・ハエの目をかいくぐって、コーヒー一杯淹れられないだろう。ラングレーのCIA本部に、この重要な情報はただちに報告されてしまうだろうから。また、脳の研究にさらに何百ドルも割り当てれば、どの空港

にも超高性能の機能的磁気共鳴画像法（ｆＭＲＩ）スキャナーを設置し、人々の脳内に怒りや憎悪に満ちた考えが浮かんだ瞬間にそれを捉えられるというのだ。はたして、そこまでうまくいくのか？　それは誰にもわからない。生体工学で改造したハエや思考を読み取るスキャナーを開発するのは賢明なことなのか？　必ずしもそうとは言えない。いずれにしても、あなたがこの文章を読んでいる間にも、アメリカの国防総省は何百万ドルもの資金をナノテクノロジーと脳の研究所に回して、先述のものをはじめとするさまざまなアイデアに取り組ませている。

戦車から原子爆弾やスパイ・ハエに至るまで、多種多様な軍事テクノロジーにこのように執着するのは、意外にも最近の現象だ。一九世紀までは、軍事面での革命の大多数は、テクノロジー上ではなく組織上の変化の産物だった。二つの異なる文化が初めて遭遇したときには、テクノロジーの格差が重要な役割を果たしたこともある。だが、そのような場合にさえ、意図的にそのような格差を生み出したり拡げたりしようと考える者はほとんどいなかった。たいていの帝国は、テクノロジーの持つ魔法のような力のおかげで台頭したわけではなく、その支配者たちは、テクノロジーを向上させることについてろくに考えなかった。アラビア人は敵に優る弓や剣のおかげでササン朝ペルシア帝国を打ち破ったわけではないし、セルジューク族もビザンティン帝国の国民より技術の面で優位に立っていたわけではなく、モンゴル人も何か創意工夫に富んだ新兵器の助けで中国を征服したわけではない。それどころか、これら三つの場合のすべてで、敗れた側のほうが優れた軍事技術と民間技術を享受していたのだ。

ローマ軍はとくに素晴らしい例を提供してくれる。ローマ軍は当時の最高の軍隊だったが、技術に関して言えば、ローマはカルタゴやマケドニア、セレウコス帝国よりも優れてはいなかった。ローマ軍の優位は、その効率的な組織や、鉄の規律、大規模な予備兵力のおかげだった。ローマ軍は研究開発部門を創設することはけっしてなかったし、兵器は何世紀にもわたってほぼ同じままだった。紀元前二世紀にカルタゴを倒し、ヌマンティア人を打ち破った将軍スキピオ・アエミリアヌスの軍団が、五〇〇年後のコンスタンティヌス帝の時代に突然現れたとしても、スキピオにはコンスタンティヌスを打ち負かす可能性が十分あった。今度は、今から数世紀前の将軍、たとえばナポレオンが軍を率いて現代の機甲旅団に立ち向かったらどうなるか、想像してほしい。ナポレオンは卓越した戦術家で、彼の将兵は歴戦の勇士たちだが、その技能も現代兵器には太刀打ちできない。

古代ローマと同じことが古代中国にも当てはまる。ほとんどの将軍と哲学者が、新しい兵器の開発は自らの義務だとは思っていなかった。中国史で最も重要な軍事的発明は、火薬だ。もっとも、私たちの知るかぎりでは、火薬は不老不死の霊薬を探していた道教の錬金術師によって偶然発明された。火薬がその後どのように使われたかを見ると、なおさら物事がはっきりしてくる。その道教の錬金術師のおかげで中国は世界の支配者になっただろうと考えてもおかしくない。ところが実際には、中国人はこの新しい化合物を主に爆竹に使った。宋《そう》帝国がモンゴル人の侵略によって崩壊するときにも、中世版マンハッタン計画を実施して最終兵器を発明し、帝国を救おうとする皇帝はいなかった。火薬の発明から約六〇〇年たった一五世紀になってようやく、アフロ・ユーラシア大陸の戦場で大砲が決め手となった。火薬の恐ろしい潜在能力が軍事目的に使われるまでに、なぜこれほど長い時間がかかったのか？　それは火薬が出現した時代には、王や学者、商人は、新しい軍事技術によって救われるとも、金持ちになれるとも思っていなかったからだ。

状況は一五世紀と一六世紀に変わり始めたが、ほとんどの支配者が新兵器の研究と開発に資金提供することに興味を示すまでには、さらに二〇〇年が過ぎた。そのため、戦争の結果には、テクノロジーよりも兵站《へいたん》学と戦略がはるかに大きな影響力を振るい続けた。一八〇五年にアウステルリッツでオーストリアとロシアの連合軍を打ち破ったナポレオンの軍隊は、ルイ一六世の軍隊が使っていたものとほぼ同じ兵器で武装していた。ナポレオン自身はもともと砲兵士官だったが、科学者や発明家が空を飛ぶ機械や潜水艦、ロケットの開発のために資金を出すよう説得しようとしても、新しい兵器にはほとんど関心を示さなかった。

科学と産業と軍事のテクノロジーがようやく結びついたのは、資本主義と産業革命が到来してからだった。だが、いったんこの関係が確立されると、それはたちまち世界を一変させた。

進歩の理想

科学革命以前は、人類の文化のほとんどは進歩というものを信じていなかった。人々は、黄金時代は過去にあり、世界は仮に衰退していないまでも停滞していると考えていた。長年積み重ねてきた叡智《えいち》を厳しく固守すれば、古き良き時代を取り戻せるかもしれず、人間の創意工夫は日常生活のあちこちの面を向上させられるかもしれない。だが、人類の実際的な知識を使って、この世の根本的な諸問題を克服するのは不可能だと思われていた。知るべきことをすべて知っていたムハンマドやイエス、ブッダ、孔子さえもが飢饉《ききん》や疫病、貧困、戦争をこの世からなくせなかったのだから、私たちにそんなことがどうしてできるだろう？

多くの信仰では、いつの日か救世主が現れて戦争や飢饉にすべて終止符を打ち、死さえなくすと信じられていた。だが、人類が新しい知識を発見したり新しい道具を発明したりしてそれを成し遂げられるという考えは、滑稽《こっけい》というだけでは済まされず、不遜《ふそん》でさえあった。バベルの塔の話やイカロスの話、ゴーレムの話、その他無数の神話は、人間の限界を超えようとする試みは必ず失望と惨事につながることを人々に教えていた。

近代の文化は、まだ知られていない重要な事柄が多数あることを認めた。そして、そのような無知の自認が、科学の発見は私たちに新しい力を与えうるという考え方と結びついた。すると、真の進歩はけっきょく可能なのではないかと人々は思い始めた。解決不可能のはずの問題を科学が一つまた一つと解決し始めると、人類は新しい知識を獲得して応用することでどんな問題もすべて克服できると、多くの人が確信を持ちだした。貧困や病気、戦争、飢饉、老齢、死そのものさえもが、人類の避けようのない運命ではなくなった。それらはみな、私たちの無知の産物にすぎないのだった。

有名な例が雷だ。多くの文化では、稲妻は罪人を罰するために使われる、怒れる神の鉄槌《てっつい》だと信じられていた。一八世紀半ば、ベンジャミン・フランクリンは科学史でもとりわけ有名な実験を行なった。雷雨のときに凧《たこ》を揚げ、稲妻はただの電流にすぎないという仮説を試したのだ。フランクリンは、このときの経験的観察結果と、電気エネルギーの特性についての知識を組み合わせ、避雷針を発明して神々の武装を解除することができた。

貧困も恰好の例となる。多くの文化では、貧困はこの不完全な世界の避けようのな

図32　神々の武装を解除するベンジャミン・フランクリン。

い一側面であると見られてきた。新約聖書によれば、ある女性が、十字架に架けられる少し前のキリストに、三〇〇デナリオンもの価値のある貴重な香油を注いだという。イエスの弟子たちはそれほど多くのお金を貧しい人に与えずに無駄にしたと、その女性を叱ったが、イエスはこう言ってかばった。「貧しい人々はいつもあなたがたと一緒にいるから、したいときに良いことをしてやれる。しかし、わたしはいつも一緒にいるわけではない」（「マルコによる福音書」第14章7節）（日本聖書協会『聖書』新共同訳より）。今日、キリスト教徒も含めて、貧者の永続に関してイエスに賛成する人はますます減っている。貧困は人間の介入によって解決できる技術上の問題であると、しだいに見られるようになっているのだ。農学や経済学、医学、社会学の分野での最新の成果に基づく政策で、貧困を排除できるというのが、今や常識だ。

そして実際、世界の多くの地域が、最悪の形態の貧困からすでに解放されている。歴史を通して、社会は二種類の貧困に苦しんできた。一つは社会的貧困で、他者には得られる機会を一部の人が享受できない状態だ。もう一つは生物学的貧困で、食べ物や住む場所がないために人々の生命そのものが脅《おびや》かされる状態だ。社会的貧困は今後もずっと根絶できないかもしれないが、世界の多くの国では、生物学的貧困は過去のものとなっている。

最近まで、ほとんどの人が生物学的貧困線ぎりぎりの生活を送っていた。この線を下回ると、摂取カロリーが不足して、人はいくらもしないうちに生命を維持できなくなる。ごく些細《ささい》な誤算や不運によって、人は簡単にこの線を割り込み、飢餓に陥ることがあった。自然災害や人災でしばしば一国全体がどん底に落ち込み、厖大な数の死者が出た。今日、世界の人々のほとんどが、セイフティネットの上で暮らしている。各自が保険や、国家が費用を負担する社会保障制度、地元や国際的なNGO（非政府機関）の数々によって、災いから守られている。一地方全体が災難に見舞われたときには、たいていは世界的な救援活動が功を奏し、最悪の事態は避けられる。人々はさまざまな不名誉や屈辱、貧困関連の病気に相変わらず苦しんでいるが、大半の国では餓死する人はいない。それどころか、多くの社会では飢えよりも肥満で亡くなる危険のある人のほうが多いほどだ。

ギルガメシュ・プロジェクト

表向きは解決不可能とされる人類のあらゆる問題のうちでも、最も困難で興味深く、重要であり続けているものがある。ほかならぬ死の問題だ。近代後期以前は、ほとんどの宗教とイデオロギーは、死が私たちにとって免れられない運命であるのは当然だと考えていた。そのうえ、多くの信仰は死を、生命の意味の主要な源泉に変えていた。死のない世界では、イスラム教やキリスト教、古代エジプトの宗教がどうなるか想像してほしい。これらの宗教の教義は人々に、死を克服してこの地上で永遠に生きようとするのではなく、死を受け容れ、死後の生に望みを託すよう教えた。賢者たちは死を逃れようとすることではなく、死に意味を与えることに励んだ。

それが私たちに伝わっている最古の神話、すなわち古代シュメールのギルガメシュ神話のテーマだ。その主人公は、戦《いくさ》にかけては無敵という、世界で最も強力で有能な、ウルクの王ギルガメシュだ。ある日、ギルガメシュの親友エンキドゥが亡くなる。ギルガメシュは亡骸《なきがら》の傍《かたわ》らに座り、何日も見守るうちに、友の鼻の穴から蛆虫《うじむし》が一匹こぼれ落ちるのを目にする。その途端、ギルガメシュはひどい恐れに囚《とら》われ、自分は絶対に死ぬまいと決意する。なんとかして、死を打ち負かす方法を見つけるのだ、と。そこでギルガメシュは世界の果てまで旅し、ライオンを殺し、サソリ人間たちと戦い、黄泉《よみ》の国へと足を踏み入れる。そこで彼は石の巨人たちを打ち砕き、死者の渡る川の渡し守《もり》ウルシャナビの助けで、原初の大洪水の最後の生き残りであるウトナピシュティムを見つける。それでもギルガメシュは、この探求の目的を果たせなかった。そして、相変わらず死すべき運命を背負ったまま空しく故郷に戻るが、一つだけ新しい知恵がついていた。神々が人間を造ったとき、避けようのない人間の宿命として死を定めたのであり、人間はその宿命の下で生きていかなくてはならないことを、ギルガメシュは学んだのだった。

向上を信奉する人々は、この敗北主義の態度を共有していない。科学者にとって、死は避けようのない宿命ではなく、たんなる技術上の問題だ。人間が死ぬのは神々がそう定めたからではなく、心臓発作や癌《がん》、感染症など、さまざまな「技術上の不具合」のせいだ。そして、どんな技術上の問題にも、技術的な解決策がある。心臓の鼓動が不規則になったら、ペースメーカーで刺激したり、新しい心臓と取り換えたりできる。癌が猛威を振るったら、医薬品や放射線療法で退治できる。細菌が増殖したら、抗生物質で抑え込める。たしかに今はまだ、技術上の問題をすべて解決することはできない。だが、私たちは一生懸命取り組んでいる。きわめて優秀な人々は、死に意味を与えようとして時間を浪費しているわけではない。そうではなく、彼らは病気や加齢を引き起こす生理学的仕組みやホルモンの仕組み、遺伝の仕組みの研究に余念がない。彼らは私たちの寿命を延ばし、いつの日か死神すら打ち負かすような新しい医薬品や画期的な治療法、人工臓器を開発している。

最近まであなたは、科学者が、あるいは他の誰であれ、そこまで率直な物言いをするのを耳にしたことはなかっただろう。「死を打ち負かす？　なんと馬鹿らしい！　私たちはただ、癌や結核やアルツハイマー病を治そうとしているだけです」と彼らは言い張った。人々が死の問題を避けていたのは、この目標はとうてい達成できそうになかったからだ。過度な期待を生み出してもしかたないというわけだ。ところが今、私たちは正直に語れるところまできている。科学革命の最も重要なプロジェクトは、人類に永遠の命を与える、というものだ。死を打ち倒すのがはるかに遠い目標に見えるとしても、ほんの数世紀前には考えられなかったことを私たちはすでにいくつか達成している。一一九九年、獅子心王《ししs しんおう》リチャード一世は左肩に矢を受けた。今日なら軽傷を負ったと言うだろう。だが、一一九九年には、抗生物質も効果的な殺菌消毒法もなかったので、この軽い傷が化膿《かのう》して壊疽《えそ》が起こった。一二世紀のヨーロッパで、壊疽の拡大を防ぐ唯一の方法は、傷ついた腕あるいは足を切り落とすことだったが、感染したのが肩だったため、その手は使えなかった。壊疽は獅子心王の全身に拡がっていき、誰も王を助けられなかった。彼は二週間後、激痛に苦しみながら亡くなった。

一九世紀になってさえ、どれほど優秀な医師も、感染を防ぎ、組織の腐敗を止める方法を依然として知らなかった。野戦病院では壊疽を恐れて、軽い傷を負っただけの兵士の手足を軍医が切り落とすのは日常茶飯事だった。こうした切断手術や他の医療処置（抜歯など）はすべて、麻酔なしに行なわれた。最初の麻酔薬（クロロホルムあるいはモルヒネ）がようやく西洋医学で日常的に使われだしたのは、一九世紀半ばになってからだった。クロロホルムの登場前は、傷ついた手足を医師が鋸《のこぎり》で切断する間、その負傷兵を仲間の兵士が四人がかりで押さえつけていなければならなかった。一八一五年のワーテルローの戦いの翌朝、野戦病院の脇には、切り落とされた手足の山がいくつも見られた。当時、軍に入隊した大工や肉屋は、しばしば医療部隊に配属された。ナイフや鋸の使い方を知っていれば、たいてい手術で困らなかったからだ。

ワーテルローの戦いから二世紀が過ぎた今、状況は一変した。飲み薬や注射、高度な手術のおかげで私たちは、かつては免れようのない死の宣告を突きつけてきた無数の病気や負傷でも、命が助かるようになった。また、日常的な痛みや軽い病気の数々からも守られている。近代以前の人は、そうしたものも人生の一部として淡々と受け容れざるをえなかった。平均寿命は、四〇歳をはるかに下回る年齢から、全世界では約六七歳、先進国では約八〇歳まで大幅に伸びた(8)。

死が最大の敗北を喫したのが、小児死亡率の分野だ。二〇世紀まで、農耕社会の子供の四分の一から三分の一が成人前に亡くなった。そのほとんどがジフテリアや麻疹《ましん》、天然痘のような疾患で命を落とした。一七世紀のイングランドでは、新生児一〇〇〇人のうち一五〇人が最初の一年で死亡し、すべての子供の三分の一が一五歳になる前に死んだ(9)。今日、最初の一年で亡くなるイングランドの赤ん坊は一〇〇〇人中わずか五人で、一五歳になる前に死亡する子供も一〇〇〇人に七人しかいない(10)。

こうした死亡率が与えた影響の全体像を把握するには、統計は脇に置いておいて、エピソードをいくつか語るほうがいいだろう。一つの好例として挙げられるのが、イングランド王エドワード一世（一二三九～一三〇七年）と王妃エリナー（一二四一～一二九〇年）だ。二人の子供たちは中世ヨーロッパで望みうるうちで最高の条件の下、最高の養育環境で育てられた。彼らは宮殿で暮らし、好きなだけ食べ物を食べ、暖かい服もたっぷりあり、暖炉の薪《たきぎ》には事欠かず、当時とすればこの上なくきれいな水が飲め、大勢の召使いや腕利きの医師たちに囲まれていた。記録によると、王妃エリナーは一二五五～一二八四年に一六人の子供を産んだという。

1 一二五五年、娘（名前は不明）、誕生時に死亡。
2 娘、キャサリン、一歳あるいは三歳で死亡。
3 娘、ジョーン、六か月で死亡。
4 息子、ジョン、五歳で死亡。
5 息子、ヘンリー、六歳で死亡。
6 娘、エリナー、二九歳で死亡。
7 娘（名前は不明）、五か月で死亡。
8 娘、ジョーン、三五歳で死亡。
9 息子、アルフォンソ、一〇歳で死亡。
10 娘、マーガレット、五八歳で死亡。
11 娘、ベレンガリア、二歳で死亡。
12 娘（名前は不明）、誕生後間もなく死亡。
13 娘、メアリー、五三歳で死亡。
14 息子（名前は不明）、誕生後間もなく死亡。
15 娘、エリザベス、三四歳で死亡。
16 息子、エドワード。

息子のうちで初めて子供時代の危険な年月を生き延びた末子のエドワードは、父親が亡くなると王位を継承してイングランド王エドワード二世となった。言い換えれば、エリナーは、夫に男性の世継ぎを提供するという、イングランド王妃として最も根本的な使命を成し遂げるのに、一六回もの試みを重ねなければならなかったのだ。このエドワード二世の母親は、並外れた忍耐力と不屈の精神の持ち主だったに違いない。だが、エドワード二世が妃に選んだフランスのイザベラは違った。彼女は夫が四三歳のときに、彼を殺させている[11]。

私たちの知るかぎり、エリナーとエドワード一世は健康な夫婦で、子供たちに致命的な遺伝病を伝えることはなかった。それでも、一六人の娘と息子のうち六二パーセントに当たる一〇人が子供時代に亡くなった。一一歳以上になるまで生きたのはわずか六人で、全体の一八パーセントに当たる三人だけが四〇歳を超えた。これらの出産に加えて、エリナーは流産に終わった妊娠を何度もした可能性が高い。エドワード一世とエリナーは、平均すると三年に一人の割合で一〇人の子供を次々に失ったのだ。今日の親に、そのような喪失を想像するのはほとんど不可能だろう。

不死を探求するギルガメシュ・プロジェクトは、完了までどれだけの時間がかかるのか？　一〇〇年？　五〇〇年？　一〇〇〇年？　私たちが一九〇〇年には人体についてどれほど無知だったか、そして、わずか一世紀の間にどれほど多くの知識を獲得したかを考えると、楽観してもよさそうだ。遺伝子工学者は最近、線虫のカエノラブディティス・エレガンスの平均寿命を倍に延ばすことに成功した。[12] ホモ・サピエンスについても同じことができるだろうか？　ナノテクノロジーの専門家たちは、生物工学を利用して造った、何百万ものナノロボットから成る免疫系を開発している。そうしたロボットを私たちの体内に住まわせ、血管の詰まりを解消したり、ウイルスや細菌と戦ったり、癌細胞を除去したり、果ては加齢の過程を逆転させたりしようというのだ。[13] 真剣な学者のなかには、人間の一部が二〇五〇年までに「非死《アモータル》」（「不死《イモータル》」ではない。なぜなら依然として事故で死にうるからだ。「非死」とは、致命的な外傷がないかぎり、無限に寿命を延ばせることを意味する）になると言う人も少数ながらいる。

ギルガメシュ・プロジェクトが成功しようとしまいと、歴史的見地に立てば、近代後期のほとんどの宗教とイデオロギーがすでに死と死後の生を計算に入れなくなっているのは非常に興味深い。一八世紀まで、宗教は死とその後を、生命の意味にとって重要であると考えていた。だが一八世紀に入ると、宗教と、自由主義や社会主義、フェミニズムのようなイデオロギーは、死後の生への関心をすべて失った。共産主義者が死んだら、その後いったいどうなるのか？　資本主義者はどうなるのか？　フェミニストはどうなるのか？　マルクスやアダム・スミス、シモーヌ・ド・ボーヴォワールの著述にその答えを探しても意味がない。近代のイデオロギーで、依然として死に重要な役割を与えているのは、国民主義だけだ。国民主義は、詩的な瞬間や切羽詰まった瞬間には、国民のために死ぬ者は誰であれ、その集合的記憶の中に永遠に生き続けると約束する。とはいえその約束はあまりに曖昧《あいまい》なため、国民主義者の大半も解釈に窮している。

科学を気前良く援助する人々

私たちは技術の時代に生きている。私たちのあらゆる問題の答えは科学とテクノロジーが握っていると確信している人も多い。科学者と技術者に任せておきさえすれば、彼らがこの地上に天国を生み出してくれるというのだ。だが、科学は他の人間の活動を超えた優れた倫理的あるいは精神的次元で行なわれる営みではない。私たちの文化の他のあらゆる部分と同様、科学も経済的、政治的、宗教的関心によって形作られている。

科学には非常にお金がかかる。人間の免疫系を理解しようとしている生物学者は、研究室、試験管、薬品、電子顕微鏡はもとより、研究室の助手や電気技術者、配管工、清掃係まで必要とする。金融市場をモデル化しようとしている経済学者は、コンピューターを買い、巨大なデータベースを構築し、複雑なデータ処理プログラムを開発しなければならない。太古の狩猟採集民の行動を理解したい考古学者は、遠い土地へ出かけ、古代の遺跡を発掘し、化石化した骨や人工遺物の年代を推定しなくてはいけない。そのどれにもお金がかかる。

過去五〇〇年間、近代科学は政府や企業、財団、個人献金者が科学研究に莫大な金額を注ぎ込んでくれたおかげで、驚異的な成果を挙げてきた。その莫大なお金のほうが、天体の配置を描き出し、地球の地図を作り、動物界の目録を作る上で、ガリレオ・ガリレイやクリストファー・コロンブス、チャールズ・ダーウィンよりも大きな貢献をした。もしこれらの天才が生まれていなかったとしても、きっと誰か別の人が同じ偉業を達成していただろう。だが、適切な資金提供がなければ、どれだけ優れた知性を持っている人でも、それを埋め合わせることはできなかったはずだ。たとえば、もしダーウィンが生まれていなかったら、今日私たちはアルフレッド・ラッセル・ウォーレスを進化論の考案者としていただろう。彼はダーウィンのわずか数年後、独自に自然選択による進化の概念を思いついた人物だ。だが、ヨーロッパの列強が世界各地での地理学的、動物学的、植物学的研究に出資していなかったら、ダーウィンもウォーレスも進化論を打ち立てるのに必要な経験的データを入手できなかっただろう。彼らはやってみようとさえ思わなかった可能性が高い。

なぜ莫大なお金が政府や企業の金庫から研究室や大学へと流れ始めたのか？　学究の世界には、純粋科学を信奉する世間知らずの人が多くいる。彼らは、自分の想像力を掻《か》き立てる研究プロジェクトなら何にでも政府や企業が利他主義に則《のっと》ってお金を与えてくれると信じている。だが、これは科学への資金提供の実態からかけ離れている。

ほとんどの科学研究は、それが何らかの政治的、経済的、あるいは宗教的目標を達成するのに役立つと誰かが考えているからこそ、資金を提供してもらえる。たとえば一六世紀には、王や銀行家は世界の地理的探検を支援するために、厖大な資源を投じたが、児童心理学の研究にはまったくお金を出さなかった。それは、王や銀行家が、新たな地理的知識の発見が、新たな土地を征服して貿易帝国を打ち立てるのを可能にすると思ったからであり、児童心理の理解には何の利益も見込めなかったからだ。

一九四〇年代にアメリカとソ連の政府は水中考古学ではなく原子物理学に途方もない資源を投入した。水中考古学は戦争に勝利する役には立ちそうもないのに対して、原子物理学を研究すれば核兵器の開発が可能になるだろうと考えたからだ。科学者自身はお金の流れを支配している政治的、経済的、宗教的関心をいつも自覚しているわけではないし、実際、多くの科学者が純粋な知的好奇心から行動している。とはいえ、科学者が科学研究の優先順位を決めることはめったにない。

たとえ私たちが、政治的、経済的、あるいは宗教的関心の影響を受けない純粋科学に資金提供することを望んでも、おそらく実行は不可能だろう。何と言おうと、私たちの資源は限られている。連邦議会議員に、基礎研究目的でアメリカ国立科学財団にさらに一〇〇万ドルを割り振ってくれるよう依頼したとしたら、その議員はそのお金を、自分の選挙区での教師の研修や、経営難に陥っている工場が必要とする税制上の優遇措置に使ったほうがよくはないかと、しごく妥当な質問をするだろう。限られた資源を投入するときには、「何がもっと重要か?」とか「何が良いか?」といった疑問に答えなくてはならない。そして、それらは科学的な疑問ではない。科学はこの世に何があるかや、物事がどのような仕組みになっているかや、未来に何が起こるかもしれないかを説明できる。だが当然ながら、科学には、未来に何が起こるべきかを知る資格はない。宗教とイデオロギーだけが、そのような疑問に答えようとする。

次のようなジレンマを考えてほしい。同じ学科に所属し、同等の専門技能を持った二人の生物学者が、それぞれの抱えている現在の研究プロジェクトのために、一〇〇万ドルの補助金の支給を申請したとしよう。スラグホーン教授は、雌牛の乳腺に感染して乳量を一割減らす病気を研究したがっている。一方、スプラウト教授は、雌牛は子牛から引き離されたときに精神的苦痛を味わうかどうかを研究したがっている。提供できるお金が限られており、両方の研究プロジェクトに資金を出すことができないとしたら、どちらにお金を回すべきか?

この質問に対する科学的な答えはない。政治的、経済的、宗教的な答えがあるだけだ。今日の世界では、スラグホーン教授のほうが補助金を獲得する可能性が高い。それは、乳腺の病気のほうが牛の精神活動よりも科学的に興味深いからではなく、その研究の恩恵に浴する立場にある酪農業界のほうが、動物の権利保護の圧力団体よりも政治的影響力や経済的影響力が強いからだ。

牛が神聖視される厳密なヒンドゥー教社会、あるいは動物の権利保護に熱心な社会では、ひょっとするとスプラウト教授のほうが有利かもしれない。だが、牛の気持ちよりも牛乳の経済的潜在価値と市民の健康を重んじる社会に住んでいるかぎり、スプラウト教授は、その社会の前提に訴える研究企画書を書くのが得策だろう。たとえば、「気が滅入ると乳量が減る。乳牛の精神世界を理解すれば、牛たちの気分を改善する精神治療薬を開発でき、それによって乳量を最大一割増加させられるかもしれない。牛の精神治療薬の世界市場は、年間二億五〇〇〇万ドル規模になると見込まれる」というように。

科学は自らの優先順位を設定できない。また、自らが発見した物事をどうするかも決められない。たとえば、純粋に科学的な視点に立てば、遺伝学の分野で深まる知識をどうすべきかは不明だ。この知識を使って癌を治したり、遺伝子操作した超人の人種を生み出したり、特大の乳房を持った乳牛を造り出したりするべきなのか？　自由主義の政府や共産主義の政府、ナチスの政府、資本主義の企業は、まったく同じ科学的発見をまったく異なる目的に使うであろうことは明らかで、そのうちのどれを選ぶべきかについては、科学的な根拠はない。

つまり、科学研究は宗教やイデオロギーと提携した場合にのみ盛んになることができる。イデオロギーは研究の費用を正当化する。それと引き換えに、イデオロギーは科学研究の優先順位に影響を及ぼし、発見された物事をどうするか決める。したがって、人類が他の数ある目的地ではなくアラモゴードと月に到達した経緯を理解するためには、物理学者や生物学者、社会学者の業績を調べるだけでは足りない。物理学や生物学、社会学を形作り、特定の方向に進ませ、別の方向を無視させたイデオロギーと政治と経済の力も、考慮に入れなくてはならないのだ。

とくに注意を向けるべき力が二つある。帝国主義と資本主義だ。科学と帝国と資本の間のフィードバック・ループは、過去五〇〇年にわたって歴史を動かす最大のエンジンだったと言ってよかろう。今後の章では、その働きを分析していく。まず、科学と帝国という二つのタービンがどのようにしてしっかり結びついたかに注目し、続いて、両者が資本主義の資金ポンプにどのようにつながれたかを見てみることにする。

第15章 科学と帝国の融合

太陽は地球からどれだけ離れているのか？　近代前期の多くの天文学者、とりわけ、コペルニクスが地球ではなく太陽が宇宙の中心に位置していると主張した後の天文学者たちの興味をそそったのがこの問題だ。数多くの天文学者や数学者がその距離を計算しようとしたが、方法はまちまちで、大幅に異なる結果が出た。一八世紀半ばになってやっと、信頼できる計測方法が示された。何年かに一度、太陽と地球を結ぶ線上を金星が通過する。金星によるこの日面《にちめん》通過に要する時間は地球上のどの地点から観測するかによって違う。観測者の観測する角度が微妙に異なるからだ。もし同じ日面通過の観測を異なる大陸から行なえば、あとは単純な三角法を使うだけで、太陽から地球までの正確な距離が計算できる。

天文学者たちは、次とその次の金星の日面通過は一七六一年と一七六九年に起こると予想した。そこで、できるだけ多くの遠隔地点からその日面通過を観測するために、ヨーロッパから世界各地に遠征隊が出向いた。一七六一年にはシベリア、北アメリカ、マダガスカル、南アフリカで科学者が日面通過を観測した。一七六九年の通過の時期が近づくと、ヨーロッパの科学界は努力に努力を重ね、はるかカナダ北部や、当時はまだ荒野だったカリフォルニアにまで科学者を送り出した。「自然についての知識を改善するためのロンドン王立協会」は、それではまだ不十分だと判断した。最も正確な結果を得るには太平洋の南西部まで天文学者を派遣することが必要だった。

王立協会は優秀な天文学者チャールズ・グリーンをタヒチ島へ派遣することにし、労力もお金も惜しみなく注ぎ込んだ。とはいえ、それほど高価な遠征に費用を出すのだから、たった一度の天文観測しか行なわないのは、どう見ても賢明とは言えなかった。そこでグリーンには、植物学者ジョゼフ・バンクスとダニエル・ソランダーが率いる、いくつかの学問分野の科学者八人から成るチームが同行した。そのチームには科学者たちが必ずや出合うはずの、新しい土地や動植物や人々の絵を描く画家も含まれていた。バンクスと王立協会が購入できるうちで最も進んだ科学機器を積み込んだ遠征隊は、経験豊富な船乗りであるばかりか、地理や民族誌にも通じたジェイムズ・クック船長が指揮した。

遠征隊は一七六八年にイングランドを出発すると、一七六九年にタヒチ島で金星の日面通過を観測し、太平洋の島をいくつか踏査し、オーストラリアとニュージーランドを訪れ、一七七一年に帰国した。一行は天文学、地理学、気象学、植物学、動物学、人類学の厖大《ぼうだい》な量のデータを持ち帰った。それらのデータは多くの学問分野に多大な貢献をし、南太平洋についての驚くべき話の数々はヨーロッパ人の想像力を搔《か》き立て、以後の各世代の博物学者や天文学者においに刺激を与えた。

クックの遠征の恩恵を被《こうむ》った分野の一つが医学だった。当時、遠距離航海に出かける船では、半数以上の乗組員が航海中に亡くなることが知られていた。強敵は怒れる先住民でもなければ、敵国の軍艦でもないし、ホームシックでもなかった。それは壊《かい》血《けつ》病という不可思議な病気だった。この病気にかかると、倦怠《けんたい》感に襲われ、気分が落ち込み、歯茎などの軟部組織から出血した。病気が進行すると、歯が抜け落ち、傷口が開き、発熱し、黄疸《おうだん》が起こり、手足が利かなくなる。一六世紀から一八世紀にかけて約二〇〇万の船員が壊血病で亡くなったと推定される。原因はわからず、どんな療法を試してみても船員は次から次へと亡くなり続けた。転機は一七四七年に訪れた。その年、イギリスの医師ジェイムズ・リンドが壊血病にかかった船員に対して対照条件を設定した実験を行なった。彼は船員たちをいくつかのグループに分け、それぞれのグループに異なる治療を施した。実験グループの一つには、柑橘《かんきつ》類を食べるように指示した。壊血病の一般的な民間療法だった。このグループの患者はあっという間に回復した。柑橘類に含まれていて、船員の身体に欠けていたのが何かは、リンドにはわからなかったが、今ならそれがビタミンCであることは誰もが知っている。当時の典型的な船乗りの食事には、この不可欠な栄養素を豊富に含む食べ物が著しく欠乏していた。長い航海で船員が普段口にしたのはビスケットとビーフ・ジャーキーで、果物や野菜を食べることはほとんどなかった。

イギリス海軍はリンドの実験に納得しなかったが、ジェイムズ・クックは違った。彼はリンドの手法の正しさを証明することにした。そこで、船に多量のザワークラウトを積み、寄港して上陸したときはいつでも、新鮮な果物と野菜をたっぷり食べるよう船員に命じた。クックは船員を一人として壊血病で失わなかった。その後数十年間で、世界中のすべての海軍がクックの航海用食事法を取り入れ、数え切れないほど多くの船員や乗客の命が救われた(1)。

だがクックの遠征は、穏やかならぬ結果ももたらした。クックは地理に詳しく経験に富む航海士であるだけではなく、海軍士官でもあった。遠征費用の大部分を王立協会が支払ったが、船そのものはイギリス海軍が提供した。海軍はまた八五人の十分に武装した水兵と海兵を同行させ、船には大砲、マスケット銃、火薬、その他の兵器類を備えた。遠征によって集められた情報の多く、とくに天文学、地理学、気象学、人類学に関するデータは、政治や軍事にとって明らかに価値があった。壊血病の効果的な治療法の発見は、イギリスが世界の海を支配し、地球の裏側にまで軍隊を派遣する力を持つことにおおいに貢献した。クックはオーストラリアをはじめ、「発見した」島々や陸地の多くをイギリス領とし、南西太平洋でのイギリスによる占領の基礎を築いた。それがオーストラリア、タスマニア、ニュージーランドの征服や新たな植民地への何百万ものヨーロッパ人の入植、先住民の文化の根絶や先住民の大多数の殺戮の出発点となった(2)。

クックの遠征に続く一〇〇年間で、オーストラリアとニュージーランドの最も肥沃《ひよく》な土地がヨーロッパからの入植者によって先住民から奪われた。先住民の人口は最大で九割も減少し、生き残った人々も苛酷な人種的迫害にさらされた。オーストラリアのアボリジニにとって、そして、それほどまでではないにせよニュージーランドのマオリ人にとっても、クックの遠征は大惨事の始まりで、彼らは今もなおそれから完全には立ち直れずにいる。

タスマニアの先住民たちにはさらに悲惨な運命が待っていた。一万年間孤立して見事に生き延びてきた彼らは、クックの到着から一世紀のうちに、ほぼ皆殺しにされてしまった。ヨーロッパの入植者たちは最初、先住民を島の最も豊かな土地から追い払い、その後、残っていた未開地までも欲しがって、先住民を組織的に探し出しては殺していった。最後まで生き残っていた人の一部は追い詰められ、福音主義の強制収容所に入れられた。そこでは善意はあるものの特別に心が広いわけではない宣教師たち

図33　トルガニニ。

が先住民を教化し、近代世界のやり方を叩き込もうとした。タスマニア人は読み書きやキリスト教、そして裁縫や農業といったさまざまな「生産的な技能」を教えられた。だが彼らは学ぶことを拒否した。彼らはしだいにふさぎ込むようになり、子供をもうけるのをやめ、生きる意欲をすっかり失い、ついには、科学と進歩の近代世界からの唯一の逃げ道、すなわち死を選んだ。

悲しいかな、科学と進歩はタスマニア人の死後も彼らを追跡し続けた。タスマニア人たちの遺体は、科学の名の下に人類学者や博物館長たちに奪取された。彼らは遺体を解剖し、重さや大きさを計測し、学術論文で分析結果を発表した。その後、頭蓋骨や骨格は博物館や人類学のコレクションで展示された。タスマニア博物館が、タスマニア最後の純血のアボリジニとされることの多いトルガニニの遺骨を埋葬のために手放したのは、やっと一九七六年になってからだ。トルガニニは一〇〇年も前に亡くなったというのに。* イングランド王立外科医師会が彼女の皮膚と毛髪のサンプルを返還したのは、二〇〇二年だった。

クックの船は軍事力に守られた科学のための遠征だったのか？　それとも科学者を

数人同行させた軍事的な遠征だったのか？　それはガソリンタンクが半分空なのか、それとも半分入っているのか、と問うのに等しい。りっきょくは同じことなのだ。科学革命と近代の帝国主義は切っても切れない関係にある。ジェイムズ・クック船長や植物学者ジョゼフ・バンクスのような人には、科学と帝国主義を区別することなどほぼ無理だった。そして、不運なトルガニニにも。

なぜヨーロッパなのか？

北大西洋の大きな島からやって来た人々が、オーストラリアの南の大きな島を征服したという事実は、歴史上の奇想天外な出来事の一つだ。クックの遠征の少し前まで、イギリス諸島とヨーロッパ西部は概して、地中海世界から遠く離れ、取り残された場所にすぎなかった。そこでは重要な事件はほとんど起こらなかった。近代以前のヨーロッパの唯一の重要な帝国であるローマ帝国でさえ、その富のほとんどを北アフリカやバルカン半島や中東の属州から得ていた。ローマ帝国のヨーロッパ西部の属州は、

＊今日《こんにち》、タスマニアのアボリジニを先祖に持つ何千もの人が、パラワとリア・プータのコミュニティを中心に、タスマニアなどに暮らしている。

鉱物と奴隷以外何も与えてはくれないに等しい、貧しい辺境だった。ヨーロッパ北部に至ってはあまりに不毛な未開地だったので、征服する価値さえなかった。

ヨーロッパがようやく軍事的、政治的、経済的、文化的発展の重要地域になったのは、一五世紀末のことだった。一五〇〇年から一七五〇年までの間に、ヨーロッパ西部は勢いをつけ、「外界」、つまり南北のアメリカ大陸と諸大洋の征服者になった。だがそのときでさえヨーロッパはアジアの列強には及ばなかった。ヨーロッパ人がアメリカを征服し、海上での覇権を得ることができたのは、主としてアジアの国々がそれらに興味をほとんど持っていなかったからだ。近代前期は地中海地方のオスマン帝国、ペルシアのサファヴィー帝国、インドのムガル帝国、中国の明朝と清朝の黄金時代だった。それらの国々は領土を大幅に拡げ、かつてなかったほどの人口増加と経済成長を遂げた。一七七五年にアジアは世界経済の八割を担っていた。インドと中国の経済を合わせただけでも全世界の生産量の三分の二を占めていた。それに比べると、ヨーロッパ経済は赤子のようなものだった。[3]

ようやく世界の権力の中心がヨーロッパに移ったのは、一七五〇年から一八五〇年にかけてであり、ヨーロッパ人が相次ぐ戦争でアジアの列強を倒し、その領土の多くを征服したときだった。一九〇〇年までにはヨーロッパ人は世界経済をしっかりと掌握し、世界の領土の大部分を押さえていた。一九五〇年にはヨーロッパ西部とアメリカ合衆国が全世界の生産量の半分以上を占め、一方、中国の占める割合は五パーセントに減少していた。(4) ヨーロッパの支配下で、新たな世界の秩序と文化が生まれた。今日、人類全体が、服装や思考や嗜好《しこう》の点で、普通そうとは認めたがらないほど多くをヨーロッパに倣《なら》っている。言うことは非常に反ヨーロッパ的かもしれないが、地球上のほとんどの人が政治や医学、戦争、経済などを、ヨーロッパ的な目を通して見ているし、ヨーロッパの言語で作詞され、ヨーロッパ風に作曲された音楽を聴いている。間もなく世界の首位の座を奪いそうな、目下急成長中の中国経済でさえ、ヨーロッパの生産と金融のモデルに基づいて構築されている。

ユーラシア大陸の寒冷な末端に暮らすヨーロッパの人々は、どのようにして世界の中心からほど遠いこの片隅から抜け出し、全世界を征服しえたのだろう？　その功績のほとんどがヨーロッパの科学者のものとされることが多い。一八五〇年以降、ヨーロッパの支配が軍事・産業・科学複合体と魔法のようなテクノロジーを大きな拠《よ》り所としてきたのは間違いない。近代後期に成功した帝国は例外なく、テクノロジーの刷新を期待して科学的な探究を奨励し、多くの科学者が、帝国の主君のために、兵器、医薬品、機械の開発にほとんどの時間を注ぎ込んだ。アフリカ人の敵に直面するヨーロッパの兵士たちの間でよく言われる台詞《せりふ》があった。「どう転んでも、俺たちには機関銃があるが、やつらは持ってない」。民間のテクノロジーもそれに劣らず重要だった。缶詰食品は兵士の糧食になり、鉄道や蒸気船は兵士と糧食の輸送手段となったし、さまざまな新薬のおかげで兵士や機関士の病気が治った。こうした兵站《へいたん》上の進歩が、ヨーロッパ勢によるアフリカ征服に機関銃よりも重要な役割を果たした。

だがそれは、一八五〇年以前には当てはまらなかった。軍事・産業・科学複合体はまだ生まれたてで、科学革命の木に生ったテクノロジーの果実はまだ熟れておらず、ヨーロッパ、アジア、アフリカの技術力の格差は小さかったのだ。一七七〇年には、ジェイムズ・クックは、たしかにオーストラリアのアボリジニよりもはるかに進んだテクノロジーを持っていたとはいえ、それは中国やオスマン帝国の人々にしても同じだった。それではなぜオーストラリアを探検して植民地化したのは、萬正色船長やフセイン・パシャ船長ではなく、ジェイムズ・クック船長だったのか？　さらに重要なのだが、もし一七七〇年にヨーロッパ人が、イスラム教徒やインド人や中国人よりもテクノロジーの面で大きく優位に立っていたわけではなかったのだとしたら、ヨーロッパの国々はその後の一〇〇年間で、どうやってその他の国々にそれほどの差をつけたのだろう？

軍事・産業・科学複合体が、インドではなくヨーロッパで発展したのはなぜか？　イギリスが飛躍したとき、なぜフランスやドイツやアメリカはすぐにそれに続いたのに、中国は後れを取ったのか？　工業国と非工業国の差が経済や政治に明らかに影響を及ぼすようになったとき、なぜロシアやイタリアやオーストリアは差を縮めることに成功したのに、ペルシアやエジプトやオスマン帝国は失敗したのか？　何と言っても、産業化の第一波のテクノロジーは比較的単純だったのだから。蒸気機関を設計し、機関銃を製造し、鉄道を敷設するのは、中国やオスマン帝国の人々にとってそれほど困難だったのか？

一八三〇年、世界初の営利の鉄道がイギリスで開業した。一八五〇年までに西洋諸国では、四万キロメートル近い鉄道が縦横に走っていたが、アジアとアフリカとラテン・アメリカでは、全土を合わせても鉄道はたった四〇〇〇キロメートルだった。一八八〇年には、西洋諸国の線路は合計三五万キロメートル以上に達していたのに対して、他の国々では全部合わせても三万五〇〇〇キロメートルにすぎなかった（しかも、そのほとんどはイギリスによってインドに敷設されたものだった）[5]。中国初の鉄道は一八七六年になってようやく開業した。長さ二五キロメートルで、ヨーロッパ人が建設したのだが、翌年中国政府によって破壊された。一八八〇年、清帝国は一本の鉄道も運営していなかった。ペルシア初の鉄道は一八八八年にやっと建設され、首都テヘランとそこから一〇キロメートルほど南下したイスラム教の聖地とを結んだ。それはベルギーの会社によって建設され運営されていた。ペルシアはイギリスの七倍の面積があるにもかかわらず、一九五〇年になっても、鉄道は合計で二五〇〇キロメートルしかなかった[6]。

中国人やペルシア人は、蒸気機関のようなテクノロジー上の発明（自由に模倣したり買ったりできるもの）を欠いていたわけではない。彼らに足りなかったのは、西洋で何世紀もかけて形成され成熟した価値観や神話、司法の組織、社会政治的な構造で、それらはすぐには模倣したり取り込んだりできるものではなかった。フランスやアメリカがいち早くイギリスを見習ったのは、フランス人やアメリカ人はイギリスの最も重要な神話と社会構造をすでに取り入れていたからだ。そして中国人やペルシア人がすぐには追いつけなかったのは、考え方や社会の組織が異なっていたからだ。

日本が例外的に一九世紀末にはすでに西洋に首尾良く追いついていたのは、日本の軍事力や、特有のテクノロジーの才のおかげではない。むしろそれは、明治時代に日本人が並外れた努力を重ね、西洋の機械や装置を採用するだけにとどまらず、社会と政治の多くの面を西洋を手本として作り直した事実を反映しているのだ。

このように説明すれば、一五〇〇年から一八五〇年にかけての時代が新たな形で浮かび上がってくる。この時代、ヨーロッパはアジアの列強に対してテクノロジー、政治、軍事、経済のどの面でも明らかな優位性を享受していたわけではなかったが、それでもヨーロッパは独自の潜在能力を高めていき、その重要性は一八五〇年ごろに突如として明らかになった。一七五〇年にはヨーロッパと、中国やイスラム教世界は、一見すると対等に見えたが、それは幻想だった。二人の建築者を想像してほしい。それぞれ非常に高い塔をせっせと建設している。建築者の一人は木と泥レンガを使い、もう一人は鋼鉄とコンクリートを使っている。最初は両者の工法にあまり違いはないように見える。両方の塔が同じようなペースで高くなり、同じような高さに到達するからだ。ところが、ある高さを超えると、木と泥の塔は自らの重さに耐えられず崩壊する一方で、鋼鉄とコンクリートの塔ははるかに仰ぎ見る高さまで階を重ねていく。

ヨーロッパは、近代前期の貯金があったからこそ近代後期に世界を支配することができたのだが、その近代前期に、いったいどのような潜在能力を伸ばしたのだろうか？　この問いには、互いに補完し合う二つの答えがある。近代科学と近代資本主義だ。ヨーロッパ人は、テクノロジー上の著しい優位性を享受する以前でさえ、科学的な方法や資本主義的な方法で考えたり行動したりしていた。そのため、テクノロジーが大きく飛躍し始めたとき、ヨーロッパ人は誰よりもうまくそれを活用することができた。したがって、ヨーロッパ帝国主義が二一世紀のポスト・ヨーロッパ世界に遺した最も重要な財産は科学と資本主義が形成しているというのは、けっして偶然ではないのだ。ヨーロッパやヨーロッパの人々はもはや世界を支配してはいないが、科学と資本はますます強力になっている。資本主義の勝利については次章で考察する。本章では、もっぱらヨーロッパ帝国主義と近代科学のラブストーリーを取り上げる。

征服の精神構造

近代科学はヨーロッパの諸帝国において、それらの国々のおかげで発展した。近代科学は明らかに、古代ギリシア、中国、インド、イスラム教世界のもののような古代の科学の伝統に負うところが大きいが、その特有の性質は、帝国主義のスペイン、ポルトガル、イギリス、フランス、ロシア、オランダの拡張とともに、近代前期になってようやく具体化し始めた。近代前期の間、中国人、インド人、イスラム教徒、アメリカ先住民、ポリネシア人は、科学革命に重要な貢献をし続けた。イスラム教徒の経済学者の見識はアダム・スミスやカール・マルクスによって研究され、アメリカ先住民の治療師たちが始めた治療はイギリスの医学の教科書に取り入れられ、ポリネシア人の情報提供者から得られたデータは西洋の人類学に革命をもたらした。とはいえ、二〇世紀半ばまで、これら無数の科学的発見を照合し、その過程で種々の科学的学問分野を創設したのは、グローバルなヨーロッパの諸帝国を支配する知的エリート層だった。極東やイスラム教世界もヨーロッパ同様に高い知能を持つ好奇心旺盛な人材を輩出した。それにもかかわらず、一五〇〇年から一九五〇年にかけて、ニュートンの物理学やダーウィンの生物学に匹敵するものはもとより、それに近いものすら生み出せなかった。

これはヨーロッパ人が科学に関する優れた遺伝子を持っているということではなく、物理学と生物学の研究を永遠に支配するということでもない。イスラム教は当初はアラビア人だけのものだったが、その後トルコ人とペルシア人に引き継がれたのと同様に、近代科学はヨーロッパ独特のものとして始まったけれど、今では多民族に営まれる活動となりつつある。

近代科学とヨーロッパの帝国主義との歴史的絆を作り上げたのは何だろう？　テクノロジーは一九世紀と二〇世紀には重要な要因だったが、近代前期にはそこまでの重要性はなかった。主な要因は、植物を求める植物学者と、植民地を求める海軍士官が、似たような考え方を持っていたことだ。科学者も征服者も無知を認めるところから出発した。両者は、「外の世界がどうなっているか見当もつかない」と口を揃《そろ》えて言った。両者とも、外に出ていって新たな発見をせずにはいられなかった。そして、そうすることで獲得した新しい知識によって世界を制するという願望を持っていたのだ。

ヨーロッパの帝国主義は、それまでの歴史で行なわれた諸帝国のどの事業とも完全に異なっていた。それ以前の帝国における探求者は、自分はすでにこの世界を理解していると考えがちだった。征服とはたんに自分たちの世界観を利用し、それを広めることだった。一例を挙げると、アラビア人は、自分たちにとって何か未知のものを発見するためにエジプトやスペインやインドを征服したわけではなかった。ローマ人やモンゴル人やアステカ族は、知識ではなく、富と権力を求めて新天地を貪欲に征服した。それとは対照的に、ヨーロッパの帝国主義者は、新たな領土とともに新たな知識を獲得することを望み、遠く離れた土地を目指して海へ乗り出していった。

このような考え方をした探検家はジェイムズ・クックが最初ではなかった。一五世紀と一六世紀のポルトガルやスペインの航海者は、すでにそのような思考をしていた。エンリケ航海王子とヴァスコ・ダ・ガマは、アフリカの海岸を探検し、その間、次々に島や港を掌握した。クリストファー・コロンブスはアメリカを「発見」して、ただちにスペインの王のために新天地の領有権を主張した。フェルディナンド・マゼランは世界を巡る航路を発見すると同時に、スペインによるフィリピン征服の土台を築いた。

歳月が流れるうちに、知識の征服と領土の征服は、ますます強く結びついていった。一八世紀と一九世紀には、遠く離れた土地を目指してヨーロッパを出発する重要な軍事遠征のほとんどには、戦うためではなく科学的な発見をするために科学者が同行していた。ナポレオンが一七九八年にエジプトに攻め入ったときは、一六五人の学者を連れていた。彼らの主な業績としては、エジプト学というまったく新しい学問分野の創設や、宗教や言語学や植物学の研究に対する多大な貢献が挙げられる。

一八三一年、イギリス海軍は、南アメリカ沿岸、フォークランド諸島、ガラパゴス諸島の地図を作成する目的でビーグル号を派遣した。地図は、いざ戦争となったときの備えを固めるのに必要だった。ビーグル号の船長はアマチュア科学者で、途中で出くわすかもしれない地層を調査するべく、探検隊に地質学者を加えることに決めた。そして地質学の専門家数人に声をかけたが断られ、その任務の話をケンブリッジ大学を卒業した二二歳のチャールズ・ダーウィンに持ちかけた。ダーウィンはイングランド国教会の牧師となるべく学んだが、聖書よりも地質学や自然科学にはるかに強い関心を抱いていた。彼はその話に飛びつき、その後のことは周知のとおりだ。船長は航海中に軍用地図を作成して過ごし、ダーウィンは観察に基づくデータを集めて洞察を深め、それが最終的に進化論として結実することになる。

一九六九年七月二〇日、ニール・アームストロングとバズ・オルドリンが月面に着陸した。この月探検までの数か月間、アポロ一一号の宇宙飛行士たちは、アメリカ西部にある、環境が月に似た辺境の砂漠で訓練を受けた。その地域には、昔からいくつかのアメリカ先住民のコミュニティがあった。そして、宇宙飛行士たちと先住民のこんな出会いの物語――というよりは伝説――が生まれた。

ある日の訓練中、宇宙飛行士たちはアメリカ先住民の老人と出会った。老人は彼らに、ここで何をしているのか尋ねた。宇宙飛行士たちは、近々月探査の旅に出る探検隊だと答えた。それを聞いた老人はしばらく黙り込み、それから宇宙飛行士に向かって、お願いがあるのだが、と切り出した。

「何でしょう？」と彼らは尋ねた。

「うん、私らの部族の者は月には聖なる霊が棲《す》むと信じている。私らからの大切なメッセージを伝えてもらえないだろうか」と老人は言った。

「どんなメッセージですか？」

老人は部族の言葉で何かを言い、宇宙飛行士たちが正確に暗記するまで、何度も繰り返させた。

「どういう意味があるのですか？」

「ああ、それは言えないな。私らの部族と月の聖なる霊だけが知ることを許された秘密だから」

宇宙飛行士たちは基地に戻ると、その部族の言葉を話せる人を探しに探して、ついに見つけ出し、その秘密のメッセージを訳すよう頼んだ。暗記していた言葉を復唱すると、訳を頼まれた者は腹を抱えて笑いだした。ようやく笑いが収まったとき、宇宙飛行士たちは、どういう意味なのかと尋ねた。彼によれば、宇宙飛行士たちが間違えないように苦心して暗記した一節の意味は次のようなものだった。「この者たちの言うことは、一言も信じてはいけません。あなた方の土地を盗むためにやって来たのです」

空白のある地図

近代の「探検と征服」の精神構造は、世界地図の発展に照らして考えればよくわかる。多くの文化が近代よりもはるか以前に世界地図を描いている。明らかに、世界全体について本当に知る人は誰もいなかった。アメリカ大陸について知っているアフロ・ユーラシア文化もなければ、アフロ・ユーラシア大陸を知っているアメリカ文化もなかった。だが、よく知らない地域はただ省略したり、あるいは、空想の怪物や驚くべき事物で満たしたりされた。そうした地図に空白はなかった。だからそれらは、世界の隅々まで熟知しているという印象を与えた。

一五世紀から一六世紀にかけて、ヨーロッパ人は空白の多い世界地図を描き始めた。ヨーロッパ人の植民地支配の意欲だけでなく、科学的な物の見方の発達を体現するものだ。空白のある地図は、心理とイデオロギーの上での躍進であり、ヨーロッパ人が世界の多くの部分について無知であることをはっきり認めるものだった。

決定的に重要な転機は一四九二年に訪れた。この年、クリストファー・コロンブスがスペインから東アジアへの新しい航路を探して西方に向かって出帆した。コロンブスはまだ、古い「空白のない」世界地図が正しいと信じていた。それらの地図を使って、コロンブスは、日本はスペインから約七〇〇〇キロメートル西にあるはずだと計算していた。実際は、二万キロメートル以上の距離と、まったく未知の大陸が東アジアをスペインから隔てている。一四九二年一〇月一二日の午前二時ごろ、コロンブスの探検隊は未知の大陸にぶつかった。ピンタ号のマストで見張りをしていたファン・ロドリゲス・ベルメホは、現在バハマ諸島と呼ばれる島々の一つに気づいて、「陸だ！陸だ！」と叫んだ。

コロンブスは東アジア沖にある小島にたどり着いたと信じていた。彼は、そこで出会った人々を「インディアン」と呼んだ。なぜならインド諸島（現在は東インド諸島かインドネシア諸島と呼ばれる）に上陸したと思ったからだ。コロンブスは死ぬまでそう誤解していた。まったく未知の大陸を発見したとは、彼や彼の世代の多くの人には思いもよらなかったのだ。数千年もの間、卓越した思想家や学者だけでなく絶対的な存在の聖書もヨーロッパとアフリカとアジアしか知らなかった。彼らはみな間違っていたのだろうか？　聖書が世界の半分を見落としていたなどということがありうるのだろうか？　それはあたかも、一九六九年にアポロ一一号が月に向かう途中、地球の周りを回るそれまで知られていなかった衛星——それ以前の観察がすべて、どういうわけか見落としていた衛星――に、ぶつかったようなものだった。コロンブスは、無知を自覚していなかったという点で、まだ中世の人間だったのだ。彼は、世界全体を知っているという確信を持っていた。そして、この重大な発見さえ、その確信を揺るがすことはできなかった。

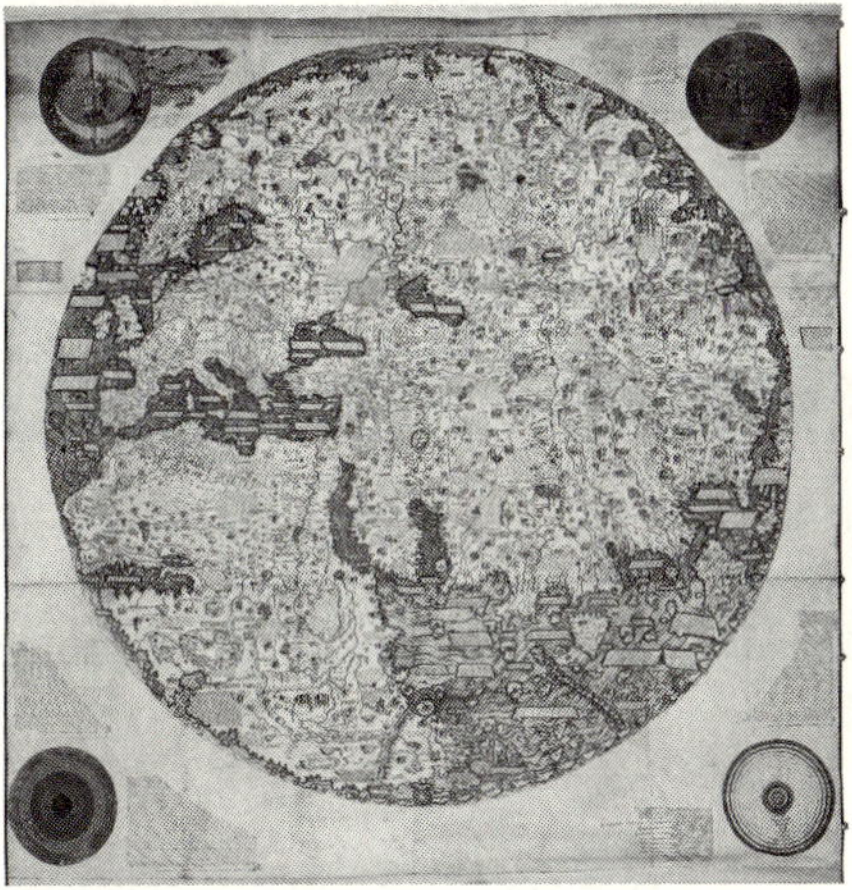
図34　1459年のヨーロッパの世界地図（ヨーロッパは左上にある）。この地図では、アフリカ南部のように、ヨーロッパ人にとってまったく馴染みのない地域でさえ、細部までびっしり描かれている。

近代人の第一号と呼べそうなのが、イタリア人航海者のアメリゴ・ヴェスプッチだ。彼は一四九九年から一五〇四年にかけて行なわれた数度のアメリカ探検に参加した。一五〇二年から一五〇四年までの間に、これらの探検について書かれた二通の書簡がヨーロッパで刊行された。ともにヴェスプッチが書いたものとされた。それらの書簡は、コロンブスによって発見された新しい土地は東アジアの沖にある島々ではなく、聖書やギリシア・ローマ時代の地理学者や当時のヨーロッパ人の知らない、まるごと一つの大陸であるとしていた。一五〇七年、定評のある地図製作者マルティン・ヴァルトゼーミュラーがこのような主張を信じて、改訂した世界地図を刊行した。ヨーロッパの西回りの艦隊が行き着いた場所を、独立した大陸として初めて示すものだった。ヴァルトゼーミュラーはその大陸を描いたために、それに名前をつけなければならなかった。彼は、その大陸を発見したのはアメリゴ・ヴェスプッチだと誤って信じていたので、アメリゴの栄誉を称えてアメリカと名づけた。ヴァルトゼーミュラーの地図は非常な人気を博し、他の多くの地図製作者に複写されたので、彼が新大陸につけた名前が広まっていった。世界の陸地面積の四分の一強を占める、七大陸のうちの二つが、ほとんど無名のイタリア人にちなんで名づけられたというのは、粋《いき》な巡り合わせではないか。彼は「私たちにはわからない」と言う勇気があったというだけで、その栄誉を手にしたのだから。

アメリカ大陸の発見は科学革命の基礎となる出来事だった。そのおかげでヨーロッパ人は、過去の伝統よりも現在の観察結果を重視することを学んだだけでなく、アメリカを征服したいという欲望によって猛烈な速さで新しい知識を求めざるをえなくなったのだから。彼らがその広大な新大陸を支配したいと心から思うなら、その地理、気候、植物相、動物相、言語、文化、歴史について、新しいデータを大量に集めなけ

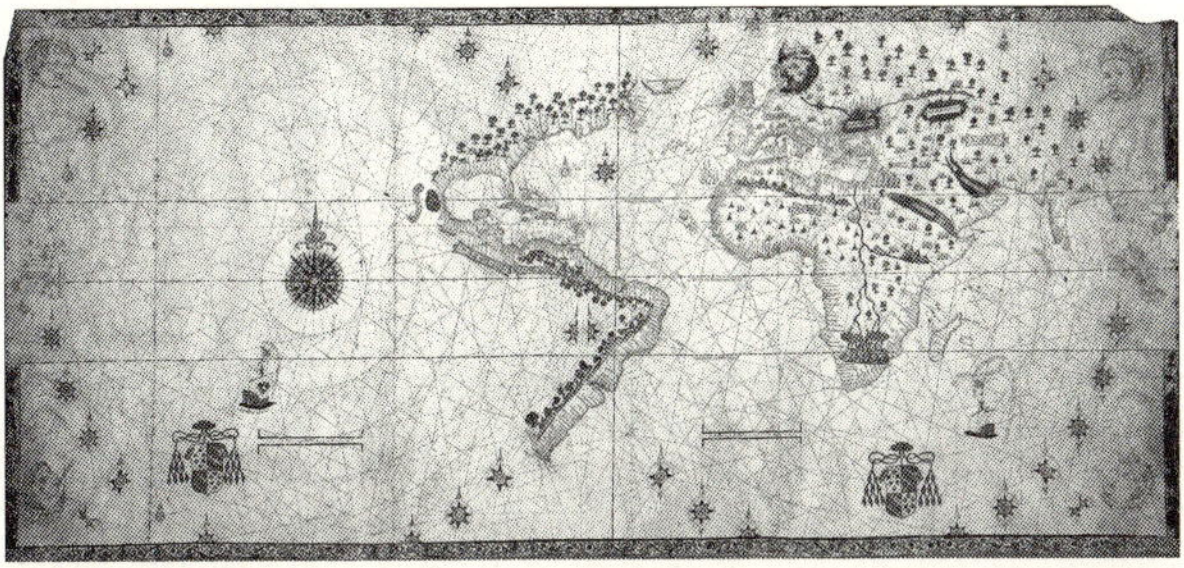

図35　1525年のサルヴィアーティの世界地図。1459年の世界地図は大陸や島、詳細な説明で埋め尽くされているのに対して、このサルヴィアーティの地図はほとんどが空白だ。アメリカの海岸線に沿って南へと目を走らせると、やがて陸地は狭くなって尽き果てる。少しでも好奇心を持っている人なら誰もが、この地図を見て「この先には何があるか？」と訊きたくなる。だがこの地図は答えてくれない。地図を見た人は、航海に出て調べたくなる。

ればならなかった。聖書や古い地理学の書物、古代からの言い伝えはほとんど役に立たなかったからだ。

これ以降、ヨーロッパでは地理学者だけでなく、他のほぼすべての分野の学者が、後から埋めるべき余白を残した地図を描き始めた。自らの理論は完全ではなく、自分たちの知らない重要なことがあると認め始めたのだ。

ヨーロッパ人は、地図上の空白の部分に、それが磁石であるかのように惹《ひ》きつけられ、せっせとそれらの部分を埋め始めた。一五世紀から一六世紀にかけて行なわれた遠征で、ヨーロッパ人はアフリカ大陸を周航し、アメリカ大陸を探検し、太平洋とインド洋を渡り、世界中に基地と植民地のネットワークを構築した。彼らは最初の真にグローバルな帝国を築き、最初のグローバルな交易ネットワークを編成した。ヨーロッパの帝国による遠征は世界の歴史を変えた。別個の民族と文化の歴史がただいくつも並立しているだけだったものが、一つに統合された人間社会の歴史になったのだ。

このようなヨーロッパ人による探検と征服のための遠征は私たちにとても馴染《なじ》み深いので、それがいったいどれだけ異例だったのかは見落とされがちだ。それまでは、その種の遠征はけっして敢行されなかった。長距離の征服活動は尋常な企てではない。歴史を通じて、たいていの人間社会は地域内での争いや周囲との揉《も》め事で手一杯だったので、遠方の土地を探検して征服することなどまったく考えなかった。ほとんどの大帝国はすぐ近くの地域に対してだけ支配を拡大した。遠方の土地まで行き着いたのは、自国の拡大によって、それまでは離れていた国が次々と隣国になっていったからにすぎない。たとえば、ローマ人はローマを守るためにエトルリアを征服した（紀元前三五〇～紀元前三〇〇年ごろ）。その後エトルリアを守るためにポー平原を征服した（紀元前二〇〇年ごろ）。次に、ポー平原を守るためにプロヴァンスを征服し（紀元前一二〇年ごろ）、プロヴァンスを守るためにガリアを（紀元前五〇年ごろ）、ガリアを守るためにブリタニア（大ブリテン島）を征服した（西暦五〇年ごろ）。こうして、ローマからロンドンにたどり着くまでに四〇〇年かかった。紀元前三五〇年には、直接ブリタニアへ航海していって征服しようと考えるローマ人はいなかっただろう。

ときには、野心的な支配者や冒険家が長距離の征服活動に乗り出したが、そのような場合は通常、しっかり確立された帝国内の道や通商路をたどった。たとえば、アレクサンドロス大王の遠征は新たな帝国の建設にはつながらず、既存の帝国、すなわちペルシア帝国の奪取に終わった。近代ヨーロッパの帝国に最も近い先例は、古代アテネとカルタゴや、中世マジャパヒトの海軍帝国だろう。マジャパヒトは一四世紀にインドネシアのほとんどを支配していた。もっとも、これらの帝国でさえも危険を冒して未知の海へと出ていくことはめったになかった。その海軍の偉業も、近代ヨーロッパ人のグローバルな冒険的事業に比べれば、限られた地域での活動にすぎない。

多くの学者によれば、中国の明《みん》朝の武将、鄭和《ていわ》が率いる艦隊による航海は、ヨーロッパ人による発見の航海の先駆けであり、それを凌《しの》ぐものだったという。鄭和は一四〇五年から一四三三年にかけて七回、中国から巨大な艦隊を率いてインド洋の彼方まで行った。なかでも最大の遠征隊は、三万人近くが乗り組んだ三〇〇隻弱の船で編成されていた。(7) 彼らは、インドネシア、スリランカ、インド、ペルシア湾、紅海、東アフリカを訪れた。中国の船はサウジアラビア西部のヒジャーズの主要な港ジッダや、ケニアの海岸沿いのマリンディに錨《いかり》を降ろした。一四九二年に遠征した、船員一二〇人が乗った三隻の小さな船から成るコロンブスの艦隊は、鄭和の艦隊がドラゴンの群

れだとしたら、三匹の蚊のようなものだった。(8)

それでも、両者には決定的な違いがあった。鄭和は海を探検し、中国になびく支配者を支援したが、訪れた国々を征服したり、植民地にしたりしようとはしなかった。さらに、鄭和の遠征は中国の政治や文化に深く根差したものではなかった。一四三〇年代に北京で政権が変わったとき、新しい支配者たちは突然遠征を中止した。大艦隊は編成を解かれ、重要な技術的知識や地理的知識が失われ、鄭和ほどの威信と才覚を持った探検家が中国の港から出航することは二度となかった。その後数百年間、中国の支配者はそれまでのほとんどの支配者のように、すぐ近隣の地域に対してのみ興味や野心を抱くにとどまった。

鄭和の遠征によって、ヨーロッパがテクノロジーの面でとくに優位に立っていたわけではないことがはっきりする。ヨーロッパ人が特別なのは、探検して征服したいという、無類の飽くなき野心があったからだ。やろうと思えばできたのかもしれないが、ローマ人はけっしてインドやスカンディナヴィアを征服しようとはしなかったし、ペルシア人はマダガスカルやスペインを、中国人はインドネシアやアフリカをけっして征服しようとはしなかった。中国の支配者の大半は近くの日本さえも自由にさせた。それは特別なことではなかった。特異なのは近代前期のヨーロッパ人が熱に浮かされ、異質な文化があふれている遠方のまったく未知の土地へ航海し、その海岸へ一歩足を踏み下ろすが早いか、「これらの土地はすべて我々の王のものだ」と宣言したいという意欲に駆られたことだったのだ。

宇宙からの侵略

一五一七年ごろ、カリブ諸島のスペイン人入植者は、メキシコ本土の中央のどこかにある強力な帝国についての漠然とした噂を耳にし始めた。わずか四年後、アステカ帝国の首都は焼き尽くされて荒廃し、この帝国は過去のものとなり、エルナン・コルテスがメキシコにできたスペイン傘下の広大な新帝国を統治していた。

スペイン人たちは現状に満足することなく、一休みさえしなかった。すぐに四方八方へと向かい、探検と征服を始めた。アステカ族やトルテカ族、マヤ族といった中央アメリカのそれまでの支配者は、二〇〇〇年にわたって、南アメリカが存在することをほとんど知らず、したがって、それを支配しようとすることもなかった。ところが、スペインによるメキシコ征服からわずか一〇年余りのうちに、フランシスコ・ピサロは南アメリカでインカ帝国を発見し、一五三二年にそれを征服した。

アステカ族やインカ族は、周りの世界にもう少し興味を示していたら、そして、自分たちの周りの国々にスペイン人が何をしたかを知っていたら、スペイン人が征服しようとする際にもっと激しく、もっとうまく抵抗できていたかもしれない。コロンブスによる最初のアメリカへの旅（一四九二年）からコルテスによるメキシコ上陸（一五一九年）までの間に、スペイン人はカリブ諸島のほとんどを征服し、一連の新しい植民地を築いた。支配下に置かれた先住民にとって、このような植民地はこの世の地獄だった。強欲で悪徳な入植者によって圧制を敷かれたのだ。入植者たちは先住民を奴隷にし、鉱山やプランテーションで働かせ、少しでも抵抗する者は誰でも殺した。先住民のほとんどはすぐに亡くなった。過酷な労働条件、または征服者の船でアメリカへ運ばれた病原菌が原因だった。二〇年のうちに、カリブ海の先住民のほぼ全員が命を落とした。スペイン人入植者はその穴を埋めるために、アフリカの奴隷を輸入し始めた。

大虐殺はまさにアステカ帝国の玄関先で起こったのだが、コルテスがこの帝国の東海岸に上陸したとき、アステカ族はそれについて何も知らなかった。スペイン人の到来は、宇宙からのエイリアンの侵略に等しかった。アステカ族は自分たちが全世界を知っていて、そのほとんどを支配していると確信していた。自分たちの領土の外にスペイン人などというものが存在するとは想像できなかった。現在のベラクルスに当たる、陽光降り注ぐ海岸にコルテスらが上陸したとき、アステカ族はまったく知らない人々に初めて出会ったのだった。

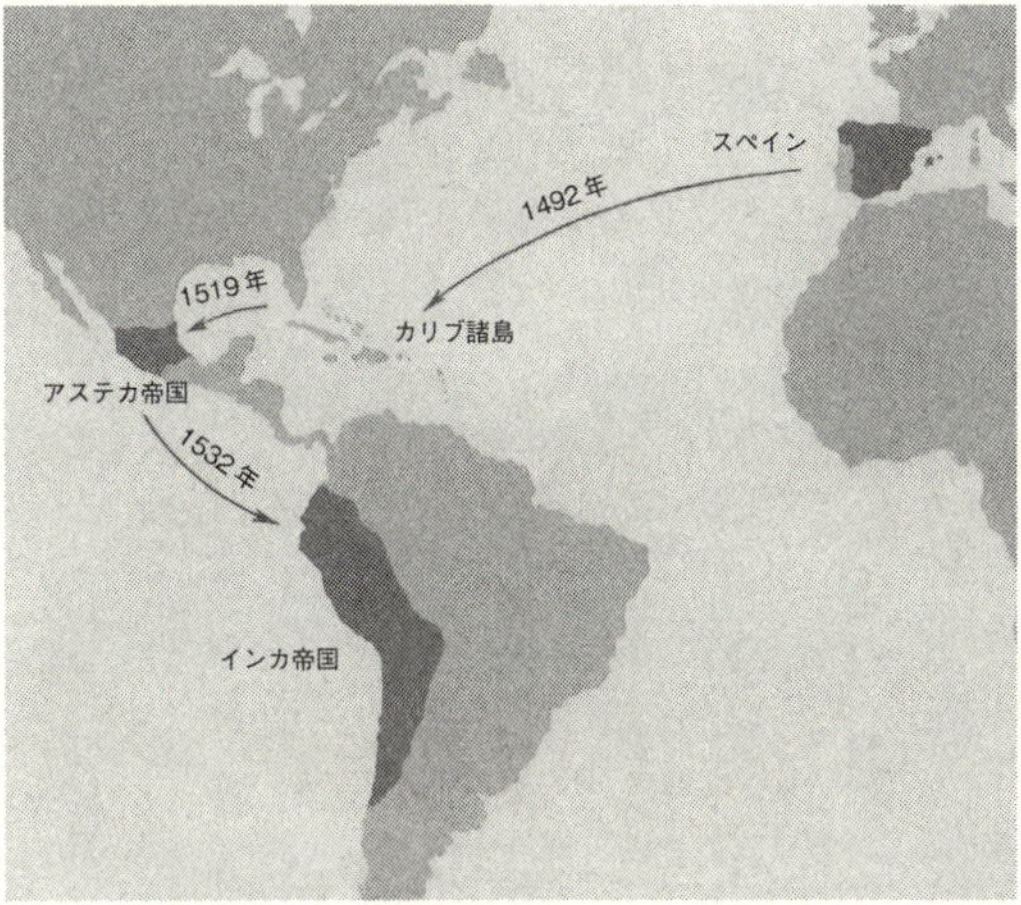

地図7　スペインによる征服の時代のアステカ帝国とインカ帝国。

アステカ族はどう対処していいかわからなかった。この見知らぬ人々は何者なのか判断しかねた。自分たちの知っている人の誰とも違い、この「エイリアン」たちは白い肌を持っていた。顔にたくさん毛が生えていた。太陽のような色の髪をした者もいた。彼らはひどい臭いがした（衛生状態は、スペイン人よりも先住民のほうが大幅に優っていた。初めてスペイン人がメキシコに着いたとき、香炉を持った先住民が、スペイン人がどこへ行くにも同行するように命じられた。スペイン人はそれを、自らが神のように尊ばれている証《あかし》だと思っていた。だが先住民の資料から、アステカ族が新来者の臭いを耐え難く思っていたことがわかる)。

「エイリアン」の物質文化はいっそう不可解だった。彼らは巨大な船に乗ってきた。アステカ族が想像したこともなかった類のものだ。見たことがなかったのは言うまでもない。彼らは非常に大きな恐ろしい動物の背中に乗り、風のように疾駆した。艶《つや》やかな金属の棒から稲妻と雷鳴を生み出せた。光輝く長い剣や、何をもってしても突き通せない鎧《よろい》を持っており、先住民の木剣や燧石《すいせき》の穂のついた槍《やり》では歯が立たなかった。

彼らは神に違いないと考えたアステカ族の人々もいた。悪魔か死人の霊か強力な魔術師だと言う者もいた。アステカ族は持てる力を結集してスペイン人を一掃しようとせずに、協議し、ぐずぐずと長い時間をかけて交渉した。急ぐ理由は思いつかなかった。何と言っても、コルテスが率いていたスペイン人は高々五五〇人だ。何百万もの民を擁する帝国に対して五五〇人に何ができるというのか?

コルテスのほうもアステカ族のことは知らなかったが、彼とその部下たちは敵よりも著しく有利だった。アステカ族には、このような奇妙な風采《ふうさい》をして悪臭を放つ「エイリアン」の出現に備えるだけの経験がなかったが、一方のスペイン人は、世界は見知らぬ人々の国だらけであることがわかっていたし、よその土地に侵入してまったく未知の状況に対処することにかけては誰よりも経験豊かだった。近代ヨーロッパの征服者にとっては、同時代のヨーロッパの科学者にとってと同様、未知の世界に飛び込むのは胸躍ることだったのだ。

だからコルテスは、一五一九年七月、あの光あふれる海岸沖に錨《いかり》を降ろしたとき、何の躊躇《ちゅうちょ》もなく行動を起こした。まるでサイエンス・フィクションの世界で宇宙船から姿を現したエイリアンのように、コルテスは、畏《おそ》れかしこまる先住民に向かって次のように言い放った。「我々は平和をかき乱すつもりはない。あなたがたの王に会わせてほしい」。コルテスは自らを偉大なるスペイン王からの平和の使者であると説明し、アステカ族の支配者モンテスマ二世との外交的な会見を求めた（これは厚かましい嘘だった。コルテスが率いていたのは強欲な冒険家たちが寄り集まった私設の遠征隊だ。スペイン王の耳には、コルテスのこともアステカ族のこともいっさい入っていなかった）。コルテスは、アステカ族と敵対する地元の勢力から、案内人や食糧やいくらかの軍事的支援を得た。そしてアステカ帝国の首都であるテノチティトランという大都市へ向かった。

アステカ族は、「エイリアン」の一行がはるばる首都まで進むのを許し、さらにはその指導者を丁重に迎えて皇帝モンテスマに引き合わせた。会見の最中、コルテスが合図すると、鋼《はがね》で武装したスペイン人たちはモンテスマの護衛たちを斬り殺した（護衛は木製の棍棒と石の刃しか持っていなかった）。こうして、もてなされた客がもてなした主人を捕虜にした。

今やコルテスは非常に微妙な立場に立たされた。皇帝を捕らえはしたものの、何万にも及ぶ怒り狂った敵の兵士や何百万もの敵意に満ちた民に取り囲まれており、周辺に広がる大陸については、何も知らないのに等しかった。意のままになるのはほんの数百人のスペイン人だけで、スペインの援軍を仰ごうにも、頼れる場所と言えば、最寄りのキューバでさえ一五〇〇キロメートル以上も離れていた。

コルテスは、モンテスマを捕虜として宮殿にとどめ、あたかも皇帝は相変わらず自由の身で君臨しているかのように、そして「スペインから来た大使」は客人にすぎないかのように見せかけた。アステカ帝国は極度に中央集権的な国家だったため、この前例のない事態のせいですっかり麻痺《まひ》してしまった。モンテスマは自分が帝国を支配しているかのように振る舞い続け、アステカのエリート層は彼に従い続けた。それはすなわち、コルテスの命令に従ったということだ。この状況は数か月続いた。その間、コルテスはモンテスマとその従者たちを尋問し、通訳たちには現地のさまざまな言葉を身につけさせた。そしてスペイン人による小規模な探検隊をあらゆる方面に送り込んでは、アステカ帝国や、その支配下にある多種多様な部族や民族、都市について、詳しく知るようになった。

やがてアステカのエリート層はとうとうコルテスとモンテスマに背《そむ》き、新しい皇帝を選ぶと、テノチティトランからスペイン人を追い出した。だがこのときすでに、帝国の体制は亀裂だらけになっていた。コルテスは、手に入れておいた知識を利用して、亀裂をさらに拡げ、内側から帝国を引き裂いた。帝国に支配されている諸民族の多くを説得して味方につけ、アステカのエリート層と敵対させたのだ。これらの諸民族は大変な見込み違いをした。彼らはアステカ族を忌《い》み嫌っている一方で、スペインのことやカリブ海での大量虐殺のことは何も知らなかった。スペイン人の手を借りればアステカの軛《くびき》から脱することができるだろうと思い込み、よもやスペイン人がアステカの後釜《あとがま》に座ろうとしているとは考えもしなかった。コルテスとほんの数百人の手下がどんな問題を引き起こしても、わけなく抑え込めるものとばかり思っていたのだ。アステカに反旗を翻した諸民族は、何万もの地元の軍をコルテスに提供し、コルテスはその支援を受けてテノチティトランを包囲し、陥落させた。

ここにきて、スペイン人の兵士や入植者が続々とメキシコに到着し始めた。キューバから来た者も、スペインからはるばるやって来た者もいた。いったい何が起こっているのか、地元の諸民族が気づいたときには手遅れだった。コルテスがベラクルスに上陸してから一〇〇年のうちに、アメリカ大陸の先住民の人口はおよそ一割にまで減少した。主に、侵入者がアメリカ大陸に持ち込んだ未知の病気のせいだった。生き延びた人々は、いつの間にか、貪欲で人種差別的な体制の支配下に置かれていた。それはアステカ帝国のものよりも格段に苛酷な支配体制だった。

コルテスがメキシコに上陸して一〇年後、ピサロがインカ帝国の海岸に到着した。このときに帯同した兵士の数はコルテスが連れて来た人数よりもはるかに少なかった。わずか一六八人だったのだ！　とはいえピサロは、過去の侵略で得られた知識や経験のすべてから恩恵を受けられた。それとは対照的に、インカ帝国の人々はアステカ族に降りかかった悲運などまったく知らなかった。ピサロはコルテスのやり口をそっくり真似た。自分はスペイン王が派遣した平和の使節だと宣言し、インカの支配者アタワルパを外交の会見に招いて誘拐した。そして地元の協力者の助けを借り、無力化した帝国の征服を進めた。インカ帝国の支配下にある人たちがメキシコの先住民のたどった運命を知っていたら、侵略者に自らの命運を託すことはなかっただろう。だが、彼らはそれを知らなかったのだ。

視野が狭かったために高い代償を払う羽目になったのは、アメリカ大陸の先住民だけではない。オスマン帝国やサファヴィー帝国、ムガル帝国、中国など、アジアの数々の大帝国の人々は、ヨーロッパ人たちが何か大きなものを発見したという話が早々に伝わってきたにもかかわらず、そうした発見にあまり関心を払わなかった。世界はアジアを中心に回っていると信じ続けており、アメリカ大陸、あるいは大西洋や太平洋の新しい遠洋航路の支配をめぐってヨーロッパ人と競おうとはしなかった。スコットランドやデンマークといったヨーロッパの小さな王国でさえ、アメリカ大陸に向けて探検と征服のための遠征隊を数回送り込んだが、イスラム教世界やインドや中国からは、探検隊であれ征服隊であれ、アメリカ大陸へ送られたことは一度もない。アメリカに軍事目的で遠征隊を送ろうとした初めての非ヨーロッパ勢力は日本だ。一九四二年六月のことだった。このとき、日本の遠征隊はキスカ島とアッツ島という、アラスカ沖の二つの小さな島を占領し、その過程でアメリカ兵一〇人と犬一頭を捕らえた。だが日本人はそれ以上アメリカ本土には近づくことはなかった。

オスマントルコ人や中国人は、あまりに遠く離れていた、あるいは、技術的、経済的、軍事的手段を持っていなかったとは言い難い。一四二〇年代に中国から東アフリカに鄭和を送り込むだけの資源があったのだから、アメリカ大陸にも十分到達できたはずだ。中国人はただアメリカ大陸に関心を持たなかっただけなのだ。中国が発行した世界地図にアメリカ大陸が登場したのは一六〇二年になってからだ。しかもその地図を製作したのはヨーロッパの宣教師だった！

ヨーロッパ人は三〇〇年にわたって、アメリカ大陸、オセアニア、大西洋、太平洋で圧倒的な支配権を享受し続けた。これらの地域で起こった大きな戦いはすべてヨーロッパ勢どうしのものだ。ヨーロッパ人は蓄積した富と資源のおかげで、最終的にはアジアも侵略して数々の帝国を打ち負かし、この地域を分け合うことができた。オスマントルコ、ペルシア、インド、中国の人々が目覚めて注意を向け始めたときには、もう遅かったのだ。

二〇世紀になってようやく、非ヨーロッパ文化にも真にグローバルな視点が取り入れられた。これがヨーロッパ諸国の覇権を崩壊させる決定的な要因の一つとなった。たとえば、アルジェリアの独立戦争（一九五四～六二年）で、アルジェリア人ゲリラ兵は、数の上でも技術的・経済的にも圧倒的優位に立っていたフランス軍を打ち破った。アルジェリア人が勝利を収めたのは、反植民地主義の世界的ネットワークに支えられていたからであり、また、世界のマスメディアはもとより、フランス自体の世論をも、首尾良く自らの主張の味方につけられたからだ。北ヴェトナムという小さな国がアメリカという巨人を敗北に追い込んだのも、同様の戦略による結果だ。こうしたゲリラ兵力は、限られた地域での戦いが世界的大義になれば、超大国でさえ負けうることを立証した。モンテスマ二世がスペインの世論を巧みに操り、スペインの競争相手であるポルトガル、フランス、オスマン帝国のいずれかから援助を受けていたならどうなっていたか、考えてみると興味深い。

帝国が支援した近代科学

近代の科学と帝国は、水平線の向こうには何か重要なもの、つまり探索して支配するべきものが待ち受けているかもしれないという、居ても立ってもいられない気持ちに駆り立てられていた。とはいえ、科学と帝国の結びつきには、それよりもはるかに深いものがあった。動機が同じだっただけではなく、帝国を築く人たちの慣行と科学者の慣行とは切り離せなかったのだ。近代のヨーロッパ人にとって、帝国建設は科学的な事業であり、科学の学問領域の確立は帝国の事業だった。

イスラム教徒がインドを征服したときには、考古学者が同行して体系的にインドの歴史を調べたり、人類学者が文化を研究したり、地質学者が土壌を調べたり、動物学者が動物相を調査したりはしなかった。一方、イギリスがインドを征服したときには、そういったことをすべて行なった。イギリスは一八〇二年四月一〇日にインド大三角測量を開始し、その後六〇年以上をかけて成し遂げた。何万もの現地の労働者、学者、案内人の協力を得て、インド全土を丹念に調査し、境界を定め、距離を測った上、エベレストをはじめとするヒマラヤ山脈の山々の正確な高さまで初めて算出したのだ。イギリス人はインドの各地方の軍事的資源や金鉱の場所も調査しただけではなく、わざわざインドの稀少なクモについての情報を集めたり、色彩豊かなチョウの目録を作ったり、廃《すた》れてしまったインドの言語の古い起源を調べたり、忘れられた遺跡を発掘したりもした。

モヘンジョ・ダロはインダス文明の主要都市の一つであり、紀元前三〇〇〇年紀に栄え、紀元前一九〇〇年ごろに壊滅した。イギリス以前にインドを支配したマウリヤ朝も、グプタ朝も、デリーのスルタンたちも、ムガル帝国も、遺跡には見向きもしなかった。ところが一九二二年、イギリスが実施した考古学調査は、モヘンジョ・ダロの遺跡に注目した。それから、イギリスの調査隊は遺跡を発掘してインド初の大文明を発見した。その文明のことは、インド人たちもそれまでまったく知らなかった。

イギリス人の科学的好奇心の顕著な例をもう一つ挙げよう。楔形《くさびがた》文字の解読だ。これは三〇〇〇年近く中東一帯で用いられていた重要な書記体系だったが、それを読むことができる人はおそらく一〇〇〇年紀初期に死に絶えた。それ以降、その地域に住む人たちは遺跡や石柱、古代の廃墟、壊れた壺や甕《かめ》の類に楔形文字が刻まれているのをたびたび見かけはしていたものの、彫り込まれているその尖った奇妙な文字の読み方を知らなかったし、また現在わかっているかぎりでは、読もうともしなかった。楔形文字がヨーロッパ人に注目されるようになったのは一六一八年だ。この年、スペインからペルシアに派遣されていた大使が古代ペルセポリスの廃墟を見に訪れた。大使は楔形文字が刻まれているのに目を留めたものの、それについて説明できる者がいなかった。解読不能な文字があるという知らせはヨーロッパの学者の間に広まり、彼らの好奇心を掻《か》き立てた。一六五七年にヨーロッパの学者がペルセポリスの楔形文字の写しを初めて発表した。その後、次々と写しが発表され、西洋の学者は二世紀近くにわたり、その文字の解読に挑んだ。だが誰一人成功しなかった。

一八三〇年代になって、ヘンリー・ローリンソンという名のイギリスの士官がペルシアに派遣された。ペルシア王がヨーロッパ流の軍事教練をするのを手伝うためだった。ローリンソンは、余暇を利用してペルシア各地を旅した。ある日、地元の案内人に連れられてザグロス山脈の断崖を訪れ、巨大なべヒストゥン碑文を目にした。この碑文は紀元前五〇〇年ごろ、王ダリウス一世の命令で、断崖の上のほうに、およそ高さ一五メートル、幅二五メートルにわたって、古ペルシア語、エラム語、バビロニア語の三言語で楔形文字で刻まれていた。地元の人たちは碑文のことはよく知っていたものの、誰も読めなかった。ローリンソンは、その碑文を解読できれば、自分や他の学者たちは、当時中東のあちこちで発見されていた多くの碑文や文書を読むことができ、忘れられた古代世界への扉を開けられると確信した。

文字を解読する第一段階は、ヨーロッパに送り返せる正確な写しを作ることだった。そこでローリンソンは命の危険も顧みず、切り立った崖に登り、奇妙な文字を写し取った。そのとき、地元民を数人雇って手を借りた。なかでも特筆するべきなのがクルド族の少年で、彼は崖の上のほうに刻まれた碑文を書き取るために、最も到達が難しい箇所まで登っていった。一八四七年、この事業が完了し、正確かつ漏れのない写しがヨーロッパに送られた。

ローリンソンはこの成功に甘んじたりはしなかった。軍の士官として、軍事上や政治上の任務を負いながらも、暇があればいつも謎めいた碑文を読み解こうと知恵を絞った。あの手この手を試し、とうとう碑文のうち古ペルシア語で書かれた部分をなんとか解読した。これは最も易しかった。というのも、古ペルシア語は現代ペルシア語とさほど違っておらず、ローリンソンもよく知っていたからだ。古ペルシア語の部分がわかったおかげで、エラム語とバビロニア語の部分の謎を解明するのに必要なカギが手に入った。こうして大きな扉がぱっと開き、古代の、それでいて活き活きとした声がにわかに聞こえてきた。シュメールの市場の喧騒《けんそう》、アッシリア王たちの布告文、バビロニアの官僚たちの議論。ローリンソンのような近代ヨーロッパの帝国主義者の努力がなくては、古代の中東に栄えた諸帝国の運命を私たちがこれほど知ることはなかっただろう。

著しい成果を収めた帝国主義時代の学者として、ウィリアム・ジョーンズも挙げられる。ジョーンズは一七八三年九月にインドにやって来て、ベンガルの最高裁判所判事に就任した。彼はインドの驚くべき事物に目を見張り、すっかり魅了され、到着から半年もしないうちにアジア協会を設立した。この学術組織はアジア、とくにインドの文化、歴史、社会の研究に専心した。二年のうちにジョーンズはサンスクリットに関する研究結果を発表し、これが比較言語学という学問の先駆けとなった。

ジョーンズは論文の中で、ヒンドゥー教の礼拝用言語になった古代インド語であるサンスクリットと、ギリシア語やラテン語との意外な類似点や、これらの諸言語と、ゴート語、ケルト諸語、古ペルシア語、ドイツ語、フランス語、英語との類似点を指摘した。たとえば、「mother」はサンスクリットでは「matar」であり、ラテン語では「mater」、そして古代ケルト語では「mathir」だ。これらの言語はみな共通の起源を持ち、今では忘れ去られた古い祖先から発展したに違いないとジョーンズは推測した。彼はこのように、後にインド・ヨーロッパ語族と呼ばれるようになる言語の存在を初めて突き止めた。

ジョーンズの研究は、その仮説が大胆（かつ正確）だったからだけでなく、彼が言語を比較するための秩序立った方法論を編み出した点でも画期的だった。他の学者もこの方法論を採用し、世界のあらゆる言語の発展を体系的に研究できるようになった。

言語学者は、各自の帝国から熱心な支援を受けた。ヨーロッパの諸帝国は、効果的に統治するには被支配民の言語や文化を知らなければならないと考えていた。インドに赴任したイギリスの役人は、カルカッタ（現コルカタ）の大学に最長三年間通うことを求められ、イングランド法に加えてヒンドゥー法やイスラム法を、またギリシア語やラテン語に加えてサンスクリット、ウルドゥー語、ペルシア語を学んだ。そしてまた、数学や経済学、地理学とともにタミル文化、ベンガル文化、ヒンドゥスタン文化を学んだ。言語学の研究は、現地語の構文や文法を理解する上で非常に貴重な助けとなった。

ウィリアム・ジョーンズやヘンリー・ローリンソンらが行なった研究のおかげで、ヨーロッパの征服者たちは自分の支配する帝国のことをとてもよく知っていた。実際、それまでのどの征服者よりも、さらには地元民自身よりもはるかによく理解していた。征服者たちの秀でた知識には、明らかに実用面で利点があった。こういった知識がなかったら、とんでもなく人数の少ないイギリス人が、何億ものインド人を二世紀にわたってうまく統治したり迫害したり搾取したりできたかどうか疑わしい。一九世紀から二〇世紀初期にかけて、イギリスから来た五〇〇〇に満たない役人、約四万～七万の兵士、さらには一〇万ほどの実業家らとその部下や妻子だけで三億に及ぶインド人を十分屈服させ、支配できた(9)。

だが帝国が言語学や植物学、地理学、歴史学の研究に資金提供したのは、このような実用面での利点だけが理由ではない。それに劣らず重要な要因として、帝国が科学によってイデオロギーの面で自らを正当化できたという事実が挙げられる。近代のヨーロッパ人は、新しい知識を獲得するのは例外なく良いことだと信じるようになった。帝国はたえず新しい知識を生み出していたので、進歩的で前向きな事業であるという印象を持たれた。今日でさえ、歴史的に見ると地理学や考古学、植物学といった科学は、少なくとも間接的にはヨーロッパの帝国の功績を認めないわけにはいかない。植物学の歴史には、オーストラリア先住民の受難についての言葉はほとんど出てこないが、ジェイムズ・クックやジョゼフ・バンクスに対する好意的な言葉は当たり前のように見つかる。

さらに、諸帝国が積み上げた新しい知識によって、少なくとも理論上は、征服された諸民族への援助が可能になり、「進歩」の恩恵を与えられるようになった。つまり、医療や教育を施し、鉄道や用水路を造り、正義や繁栄を保証することができるようになった。帝国主義者は、自らの帝国は大規模な搾取事業ではなく、非ヨーロッパ人種のために実施する利他的な事業なのだと主張した。ラドヤード・キプリングの言葉を借りれば、それは「白人の責務」となる。

白人の責務を引き受けよ
汝《なんじ》が育てた選《え》り抜きの子孫を送り出せ

息子たちを異郷に赴かせよ
汝の虜囚《りよしゆう》たちの必要を満たすために
重責を担わせ
うろたえる未開の人々――
新たに捕らえた気難しい人々、
半ば悪魔で半ば子供のような人々に
尽くすために

当然ながら事実はこの神話としばしば食い違った。イギリス人は一七六四年にインドで最も豊かな州、ベンガルを征服した。この新しい支配者たちは自らが豊かになること以外にはほとんど関心がなかった。杜撰《ずさん》な経済政策を採用し、そのせいで数年後にはベンガル大飢饉《ききん》が勃発した。飢饉は一七六九年に始まり、七〇年には最悪の状態に至り、七三年まで続いた。ベンガル州の人口の三分の一に当たる、およそ一〇〇〇万のベンガル人がこの悲惨な出来事で亡くなった。(10)

じつのところ、迫害や搾取の物語《ナラティブ》も「白人の責務」のナラティブも、事実にぴたりと符合しているわけではない。ヨーロッパの諸帝国はあまりにも多様なことをあまりにも大規模に行なったため、帝国についてどれほど好き勝手なことを言おうと、それを裏づける例はいくらでも見つけられる。これらの帝国は死や迫害、不正義を世界に広めた邪悪な怪物だと思ったとする。だとしたら、彼らの犯した罪でたやすく百科事典が一冊埋まるだろう。いや実際は、新しい医療や経済状態の改善、高い安全性をもたらし、被支配民の境遇を改善したのだと主張したいとする。それならば、帝国の功績で別の百科事典が一冊埋まるだろう。ヨーロッパの諸帝国は、科学との密接な協力により、あまりにも巨大な権力を行使し、あまりにも大きく世界を変えたので、これらの帝国を単純には善や悪に分類できないのではないか？　ヨーロッパの帝国は、私たちの知っている今の世界を作り上げたのであり、そのなかには、私たちがそれらの諸帝国を評価するのに用いるイデオロギーも含まれているのだ。

ところが科学は、帝国主義者によってもっと邪悪な目的にも使われた。生物学者や人類学者、さらには言語学者までもが、ヨーロッパ人は他のどの人種よりも優れているため、彼らを支配する（義務とは言わないまでも）権利を持っているとする科学的証拠を提供した。ウィリアム・ジョーンズがすべてのインド・ヨーロッパ語族は単一の古代言語を祖先とすると主張した後、多くの学者が、その言語を話していたのが誰かを突き止めたいと熱望した。最初期にサンスクリットを話していたのは、三〇〇〇年以上前に中央アジアからインドに侵攻した人々で、自らをアーリアと称していたことに学者たちは気づいた。最古のペルシア語を話す人たちは自分たちをアイリイアと称していた。そこでヨーロッパの学者はサンスクリットとペルシア語を（ギリシア語、ラテン語、ゴート語、ケルト諸語とともに）生み出した原初の言葉を話していた人々は、自らをアーリア人と呼んでいたに違いないと推測した。インドやペルシア、ギリシア、ローマの堂々たる文明を起こしたのがみなアーリア人だったのは、偶然の一致などということがありうるだろうか？

次に、イギリスとフランスとドイツの学者は、勤勉なアーリア人についてのこの言語学的理論とダーウィンの自然選択説を結びつけ、アーリア人は言語上の集団であるだけでなく生物学的な実体、つまり一つの人種であると断定した。それも、他の人種とただ違うだけでなく最も優れた人種であり、背が高く、髪の色が明るく、青い目をしており、勤勉でずば抜けて理性的で、北の霧の中から出現して世界中で文化の基盤を築いた人々だと考えた。遺憾ながら、インドとペルシアに侵入したアーリア人は、そこで出会った地元の先住民と結婚して、明るい色の肌や金髪を失い、それとともに理性や勤勉さも失くしてしまった。その結果、インドやペルシアの文明は衰退した。一方、ヨーロッパではアーリア人は人種的純粋性を維持した。だから、ヨーロッパ人は世界の覇権を握れたのであり、世界を支配するのにふさわしかったのだ——劣等人種と混ざり合わないように用心した場合には。

こういった人種差別的な理論は、何世代にもわたってもてはやされ、世間に認められ、西洋による世界征服を正当化してきた。だが、やがて二〇世紀後半に、西洋の諸帝国が崩壊するのとちょうど同じころ、人種差別は科学者にも政治家にも等しく忌み嫌われるようになった。それでもなお、西洋の優越という信念は消えなかった。消える代わりに、新たな形を取った。人種差別は、「文化主義」に取って代わられたのだ。「文化主義」などという言葉はないのだが、今やこういう造語が登場してもいいだろう。今日のエリート層はたいてい、人種間の生物学的相違ではなく文化間の歴史的相違の視点から、優越性を正当化する。私たちはもはや「血統だ」とは言わず、「文化のせいだ」と言う。

たとえば、イスラム教徒の移民に反対するヨーロッパの右翼政党は通常、人種差別的な語句を用心深く避ける。極右政党「国民戦線（現国民連合）」の党首マリーヌ・ル・ペンのスピーチライターが、ル・ペンに、テレビに出演して「劣等人種セム族には、私たちアーリア人の血を薄め、アーリア人の文明を台無しにしてほしくない」と宣言するように提案などしたら、即座に追い出されただろう。それよりむしろ、フランスの国民戦線やオランダ自由党、オーストリア未来同盟をはじめ、それに類する政党は、西洋文化はヨーロッパで発展したため民主主義的価値観や寛容さ、男女平等を特徴とする一方、中東で発展したイスラム文化は階層的な政治、狂信性、女性蔑視を特徴とすると主張する傾向にある。二つの文化はあまりにも違うし、多くのイスラム教徒移民は西洋の価値観を取り入れようとしない（し、ひょっとすると取り入れられない）から、内紛を煽《あお》ってヨーロッパの民主主義と自由主義を蝕《むしば》んだりしないように、流入を許すべきでないと主張する。

こういった文化主義的な議論は、いわゆる文明の衝突や異なる文化間の根本的な違いに光を当てる人文科学や社会科学の研究によって助長される。すべての歴史学者や人類学者がそのような理論を受け容れたり、その政治利用を支持したりするわけではないが、今日の生物学者が、現代の人間に見られる生物学的差異は取るに足りないと説明するだけで人種差別をたやすく否定できるのに対して、歴史学者や人類学者が文化主義を否定するのは難しい。つまるところ、人類の文化の差異が取るに足りないなら、歴史学者や人類学者がそういった研究をできるように私たちが費用を出す必要がなくなるからだ。

科学者は帝国主義の事業に、実用的な知識やイデオロギー面での正当性、テクノロジー上の道具を与えてきた。こういった貢献がなければ、ヨーロッパ人が世界を征服できたかどうかははなはだ疑問だ。征服者は、情報と保護を与え、あらゆる種類の奇妙なプロジェクトや魅力的なプロジェクトを支援し、地球の隅々にまで科学的な考え方を広めて、科学者に報いた。帝国の支援なくしては、近代科学が大きな進歩を遂げていたかどうかは疑わしい。科学の領域のほとんどが、帝国の成長に尽くす僕《しもべ》として始まり、それらの領域での発見や収集、施設、研究成果の多くが、陸軍の士官や海軍の艦長、帝国の総督の寛大なる援助のおかげだった。

言うまでもなく、これは話の全貌ではない。科学は帝国だけでなく他の制度にも支えられてきた。また、ヨーロッパの諸帝国が台頭し、繁栄したのは、科学以外の要因のおかげでもある。科学と帝国の華々しい隆盛の裏には、一つのきわめて重要な力が潜んでいる。それは資本主義だ。金儲《かねもう》けを追求する実業家がいなかったら、コロンブスはアメリカに到達しなかっただろうし、ジェイムズ・クックはオーストラリアにたどり着かなかっただろう。そしてまた、ニール・アームストロングが月面に、例の小さな一歩を踏み出すこともけっしてなかっただろう。

第16章　拡大するパイという資本主義のマジック

帝国を建設するにも科学を推進するにも絶対必要なものが、お金だ。現代の軍隊も大学の研究所も、銀行がなければ維持できない。

経済が近代史において果たした真の役割を把握するのは容易ではない。お金によって数々の国家が建設され、滅ぼされた。新たな地平が開け、無数の人々が奴隷と化した。産業が推進され、何百もの種《しゅ》が絶滅に追いやられた。その経緯については、すでに多数の書物が書かれている。だが経済の近代史を知るためには、本当はたった一語を理解すれば済む。その一語とはすなわち、「成長」だ。良きにつけ悪しきにつけ、病めるときも健やかなるときも、近代経済はホルモンの分泌が真っ盛りの時期を迎えているティーンエイジャーのごとく「成長」を遂げてきた。目についたものを手当たり次第食い尽くし、みるみるうちに肥え太ってきたのだ。

歴史の大半を通じて、経済の規模はほぼ同じままだった。たしかに世界全体の生産量は増えたものの、大部分が人口の増加と新たな土地の開拓によるもので、一人当たりの生産量はほとんど変化しなかった。ところが近代に入ると状況は一変する。西暦一五〇〇年の世界全体の財とサービスの総生産量は、およそ二五〇〇億ドル相当だった。それが今では六〇兆ドルあたりで推移している。さらに重要なのは、一五〇〇年には一人当たりの年間生産量が五五〇ドルだったのに対して、今日《こんにち》では老若男女をすべて含めて平均八八〇〇ドルにのぼる点だ。[1] どうしてこのように途方もない成長が起こりえたのだろうか？

　周知のとおり、経済の話は複雑でなかなか理解しづらい。わかりやすく説明するために、単純な例で考えてみよう。

　カリフォルニア州エルドラドで、抜け目のない金融業者サミュエル・グリーディ氏が銀行を設立したとする。

　同じくエルドラドに住む、新進建設業者のA・A・ストーン氏は初の大仕事を終え、報酬として大枚一〇〇万ドルを現金で受け取った。そこでストーン氏はグリーディ氏の銀行にこのお金を預ける。これで銀行には一〇〇万ドルの資金ができたことになる。

　ちょうどそのころ、エルドラドで長年にわたって料理人を続けてきたジェイン・マクドーナッツ夫人が、ビジネスチャンスありと感じていた。彼女が暮らしている地域には、おいしいベーカリーがないのだ。だが貧しいマクドーナッツ夫人には、業務用のオーブンや流し台、包丁や鍋《なべ》といった調理用具などを揃《そろ》えて新しい店を開くだけの資金がない。そこで彼女は銀行に行ってグリーディ氏に自分の事業計画を説明し、これが価値ある投資だと納得させる。グリーディ氏は彼女に一〇〇万ドルの融資を決め、グリーディ氏の銀行にある彼女の口座に一〇〇万ドルが入金される。

さっそくマクドーナッツ夫人はベーカリーの建築と内装工事のために、建設業者のストーン氏と契約する。費用は一〇〇万ドルだ。

マクドーナッツ夫人がグリーディ氏の銀行の小切手で代金を支払うと、ストーン氏はそれをグリーディ氏の銀行にある自分の口座に入金する。

さて、ストーン氏の銀行口座にはいくら預金されているだろうか？　そう、二〇〇万ドルだ。

では、銀行の金庫に実際に入っている現金はいくらか？　もちろん、一〇〇万ドルだ。

話はそこで終わらない。建設業者にありがちなことだが、仕事に取りかかって二か月たつと、ストーン氏はマクドーナッツ夫人に、想定外の諸問題と出費のため、店舗建設の実際の費用は二〇〇万ドルになると告げる。マクドーナッツ夫人は面白くないものの、今さら計画を投げ出すわけにもいかない。そこでもう一度銀行を訪ねて、グリーディ氏に追加融資を申し込む。グリーディ氏が納得してそれに応じた結果、マクドーナッツ夫人の口座にはさらに一〇〇万ドルが入金され、彼女はそれをストーン氏の口座に振り込む。

では今、ストーン氏の口座には、いくら入っていることになるだろうか？　三〇〇万ドルだ。

だが、銀行の金庫に実際に収まっている現金はいくらか？　依然として一〇〇万ドルだけだ。現実には、最初に預けた一〇〇万ドルがそのまま残っているにすぎない。

現在のアメリカの銀行法では、この行為をあと七回繰り返すことができる。すなわち、建設業者は口座の残高を最終的に一〇〇〇万ドルまで増やすことが可能なのだ——実際のところ、銀行の金庫には相変わらず一〇〇万ドルしか入っていなくても。銀行は実際に所有している金額を基に、一ドル当たり一〇ドルの割合で貸しつけることができる。言い換えるなら、私たちの銀行口座に記された金額の合計の九割は、実際の紙幣や硬貨の形で銀行に収まっているわけではないということだ(2)。たとえば万一、バークレイズ銀行の全預金者が突然、預金を全額引き出したいと言い出したら、同銀行は（政府が救済に入らないかぎり）たちまち破綻《はたん》してしまうだろう。ロイズ銀行、ドイツ銀行、シティバンク銀行をはじめ、世界中のどの銀行にも同じことが言える。

これは巨大なポンジスキーム〔訳註　ネズミ講に似た詐欺《さぎ》の一種〕ではないかと思う人がいるかもしれない。だが、もしこれを詐欺と呼ぶなら、現代の経済全体が詐欺ということになってしまう。現実には、これは詐欺というより、人間の驚くべき想像力の賜物《たまもの》だ。銀行が――そして経済全体が――生き残り、繁栄できるのは、私たちが将来を信頼しているからにほかならない。この信頼こそが、世界に流通する貨幣の大部分を一手に支えているのだ。

ベーカリーの例に戻れば、建設業者の口座の数字と実際に銀行にある金額との差は、マクドーナッツ夫人のベーカリーに相当する。グリーディ氏はベーカリーが将来、儲《もう》けを出すと見込んで、銀行のお金をそのベーカリーに投じた。まだ一切れのパンも焼かれていないが、一年後には毎日何千もの食パンやロールパン、ケーキやクッキーが売れ、たっぷり利益があがるはずだとグリーディ氏とマクドーナッツ夫人は期待している。それが実現すれば、マクドーナッツ夫人は利子をつけて借入金を返済することができるだろう。その時点でストーン氏が預金を引き出そうとしたら、グリーディ氏は耳を揃えて現金を用意できる。このように、この仕組み全体が想像上の将来に対する信頼――起業家と銀行家が夢に描くベーカリーに対して抱く信頼と、建設業者が銀行の将来の支払い能力に対して抱く信頼――の上に成り立っている。

すでに見てきたとおり、貨幣とは驚くべきものだ。無数の異なるものの代わりとすることが可能であり、たいていのものを他のたいていのものへと転換できる。とはいえ、近代以前には、その能力は限られていた。ほとんどの場合、貨幣が代わりとなったり転換したりできるのは、その時点で現に存在するものだけだった。そのため新規事業に融資するのはきわめて困難であり、経済の成長は著しく制限された。

もう一度、ベーカリーの話に戻ろう。もし貨幣が有形のものの代わりにしかならないとしたら、マクドーナッツ夫人は店舗を建設できるだろうか？　とても無理だ。今のところ、彼女が持っているのは大きな夢だけで、有形の資産は何もない。それでも店を開きたいと思ったら、今日働いた分の代金は数年後にベーカリーが利益をあげ始めてから払ってもらえばいいと言ってくれる建設業者を見つけるほかない。だが残念ながらそんな業者など、まずいない。それでは我らが起業家は苦境に立たされてしまう。店がなければマクドーナッツ夫人はケーキを焼けない。ケーキを焼けなければ、お金を稼げない。お金を稼げなければ、建設業者を雇えない。建設業者を雇えなければ、ベーカリーを開くことはできない。

人類は何千年もの間、この袋小路にはまっていた。その結果、経済は停滞したままだった。そして近代に入ってようやく、この罠《わな》から逃れる方法が見つかった。将来への信頼に基づく、新たな制度が登場したのだ。この制度では、人々は想像上の財、つまり現在はまだ存在していない財を特別な種類のお金に換えることに同意し、それを「信用《クレジット》」と呼ぶようになった。この信用に基づく経済活動によって、私たちは将来のお金で現在を築くことができるようになった。信用という考え方は、私たちの将来の資力が現在の資力とは比べ物にならないほど豊かになるという想定の上に成り立っている。将来の収入を使って、現時点でものを生み出せれば、新たな素晴らしい機会が無数に開かれる。

信用がそれほど優れたものなら、どうして昔は誰も思いつかなかったのだろうか？もちろん、昔の人々も思いつきはした。人類の既知の文化ではどれでも、何らかの形で信用契約が存在しており、その歴史は少なくとも古代シュメールまでさかのぼることができる。近代以前の問題は、誰も信用を考えつかなかったとか、その使い方がわからなかったとかいうことではない。あまり信用供与を行なおうとしなかった点にある。なぜなら彼らには、将来が現在よりも良くなるとはとうてい信じられなかったからだ。概して昔の人々は自分たちの時代よりも過去のほうが良かったと思い、将来は今よりも悪くなるか、せいぜい今と同程度だろうと考えていた。経済用語に置き換えるなら、富の総量は減少するとは言わないまでも、限られていると信じていたのだ。したがって、個人としても王国としても、あるいは世界全体としても、一〇年後にはより多くの富を生み出すなどと考えるのは、割の悪い賭けに思えた。ビジネスはあたかもゼロサムゲームのように見えた。もちろん、あるベーカリーが繁盛することはあるだろうが、その場合には隣のベーカリーが犠牲になる。ヴェネツィアが繁栄するか

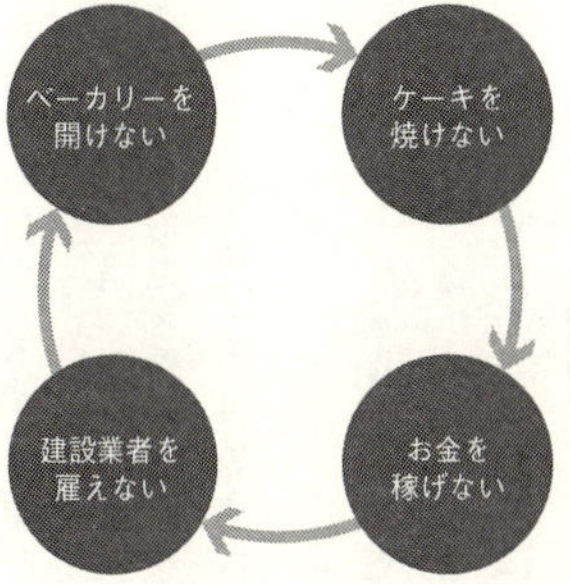

起業家のジレンマ

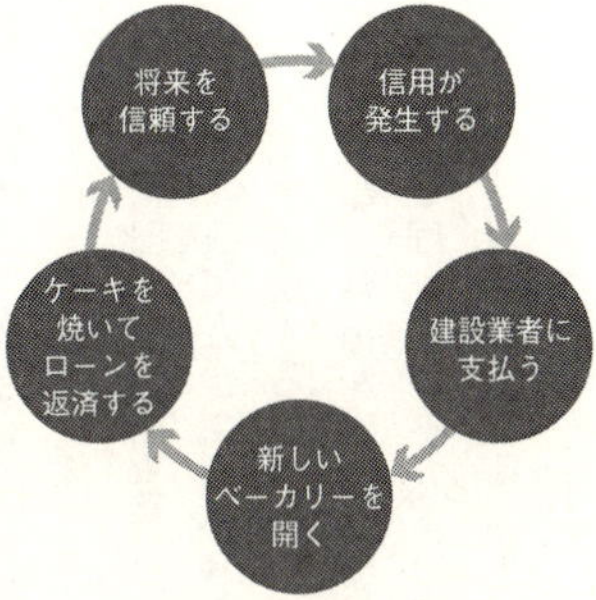

近代経済の魔法の循環

もしれないが、そのときはジェノヴァが窮乏することになる。イングランド王が富を増すには、フランス王の富を奪うしかない。パイの切り方はいろいろあっても、パイ全体が大きくなることはけっしてありえないのだ。

　多くの文化で、大金を稼ぐことが罪悪と見なされたのも、そのためだ。イエスの言うように、「金持ちが神の国に入るよりも、らくだが針の穴を通る方がまだ易しい」（「マタイによる福音書」第19章24節）（日本聖書協会『聖書』新共同訳より）。パイの大きさが変わらない以上、一人がたっぷり取れば、必ず誰かの取り分が減る。だから裕福な人々は、余った富を慈善事業に寄付することで、己《おのれ》の悪行に対する贖罪《しょくざい》の意を示さなければならなかった。

　もし世界のパイの大きさが変わらないのなら、信用が生まれる余地はない。信用とは、今日のパイと明日のパイの大きさの差だ。パイが大きくならなければ、信用を供与する意味がない。お金を貸してほしいと頼んでくるベーカリーや王様が、競争相手のシェアを奪い取ってくることが見込めないかぎり、貸し手は融資のリスクを受け容れ難い。だからこそ、近代以前の世界では融資を受けることはきわめて難しく、仮に受けられたとしても、たいてい少額で短期かつ高利という条件だった。それでは新参の起業家が新しいベーカリーを開くのは難しいし、偉大な王たちが宮殿を造りたい、あるいは戦争を始めたいと思ったら、税金や関税を引き上げて必要な資金を調達するしか選択肢はなかった。それでも王たちには（臣民が従順であるかぎりは）問題なかったが、もし宮殿の厨房《ちゅうぼう》で下働きをしているメイドがベーカリーを開いて出世したいと野望を抱いたとしても、たいていは、どこからかお金が転がり込んでこないかと夢見ながら、いつまでも厨房の床を磨き続けるほかなかっただろう。

これは、誰にとっても不利な状況だった。信用が限られていたので、新規事業のための資金を調達するのは難しかった。新規事業がほとんどなかったので、経済は成長しなかった。経済が成長しなかったので、人々は経済とは成長しないものだと思い込み、資本を持っている人々は相手の将来を信頼して信用供与をするのをためらった。こうして、経済は沈滞するという思い込みは現実のものとなった。

拡大するパイ

そこに科学革命が起こり、進歩という考え方が登場した。進歩という考え方は、もし私たちが己《おのれ》の無知を認めて研究に投資すれば、物事が改善しうるという見解の上に成り立っている。この考え方は、まもなく経済にも取り入れられた。進歩を信じる人々は誰もが、地理上の発見やテクノロジー上の発明、組織面での発展によって人類の生産や交易、富の総量を増やすことができると確信している。大西洋を通る新たな交易ルートが栄えたからといって、インド洋の古い交易ルートが衰退するわけではなかった。新たな財が生産されたからといって、これまでの財の生産を減らす必要はなかった。たとえばチョコレートケーキとクロワッサン専門の新しいベーカリーを開いたとしても、パン専門のベーカリーを倒産に追い込むことはなかった。誰もが好みが増えて、前よりもっと多く食べるようになるだけだ。一人が豊かになるからといって、誰かが貧しくなるわけではない。他人を飢え死にさせなくても、人は太ることができる。グローバルなパイ全体が拡大可能なのだ。

過去五〇〇年の間に、人々は進歩という考え方によって、しだいに将来に信頼を寄せるようになっていった。この信頼によって生み出されたのが信用で、その信用が本格的な経済成長をもたらし、成長が将来への信頼を強め、さらなる信用への道を拓《ひら》いた。これは一夜にして起こったわけではない。経済の動きは、気球よりもジェットコースターに似ていた。それでも長い目で見れば、凹凸は平らにならされ、全体的な方向性は見まがいようがなかった。今日の世界には信用があふれているので、政府や企業、個人は、当期の収益や現在の収入をはるかに上回るような、多額で長期かつ低利の融資を簡単に受けることができる。

グローバルなパイが拡大するに違いないという信念は、最終的に社会に革命的な変化をもたらした。一七七六年、スコットランド生まれの経済学者アダム・スミスが『国富論』（大河内一男監訳、玉野井芳郎・田添京二・大河内暁男訳、中央公論新社、二〇一〇年、他）を出版した。『国富論』は、おそらく歴史上最も重要な経済学の声明書と呼んでもいいだろう。第1編第8章でスミスは次のような、当時としては斬新な議論を展開している。すなわち、地主にせよ、あるいは織工、靴職人にせよ、家族を養うために必要な分を超える利益を得た者は、そのお金を使って前より多くの下働きの使用人や職人を雇い、利益をさらに増やそうとする。利益が増えるほど、雇える人数も増える。したがって、個人起業家の利益が増すことが、全体の富の増加と繁栄の基本であるということになる。

これがあまり独創的な発想には思えないとしたら、それは私たちがみな、スミスの主張が当然のものと見なされる、資本主義の世界で生きているからだ。毎日のニュー

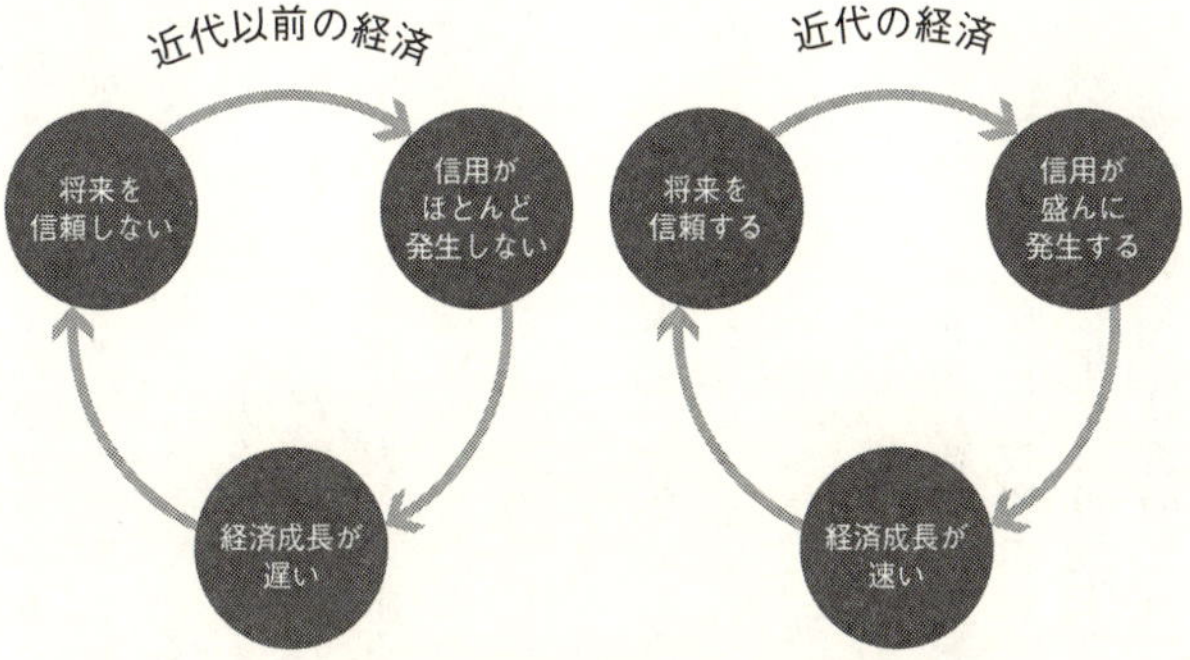

世界の経済史を単純化したモデル

スの中で、私たちはこのテーマをさまざまな形で耳にしている。だが、自分の利益を増やしたいと願う人間の利己的な衝動が全体の豊かさの基本になるというスミスの主張は、じつは人類史上屈指の画期的な思想なのだ。経済的な視点からだけでなく、むしろそれ以上に道徳と政治の視点から見て、従来の思想を根本的に覆《くつがえ》すものだった。実際のところスミスはこう述べているのに等しい——強欲は善であり、個人がより裕福になることは当の本人だけでなく、他の全員のためになる。利己主義はすなわち利他主義である、というわけだ。

　スミスは人々に、経済を「双方のためになる状況」として考えるよう説いた。つまり自分にとっての利益が相手にとっても利益になる状況だ。この場合、双方が同時にパイのより大きな分け前を享受できるだけでなく、自分の取り分の増え具合が、相手の取り分の増え具合も左右する。もし自分が貧しければ、相手の製品やサービスを購入できないから相手もやはり貧しくなる。自分が裕福ならば、相手から何かを買うことができるから相手も裕福になる。スミスは富と道徳は矛盾するという従来の考え方を否定し、金持ちに対して天国の門を開いた。裕福であることは道徳的だというのだ。スミスの描いた物語の中では、人は隣人の財産を奪い取るのではなく、パイ全体を大きくすることによって豊かになる。そしてパイが大きくなれば、誰もが恩恵を受ける。したがって、社会の中で最も有用で慈悲深い人間は金持ちだということになる。全員の利益のために経済成長の歯車を回すのは彼らだからだ。

だがこれはすべて、金持ちが自分の得た利益を非生産的な活動に浪費するのではなく、工場を新設し、新たに従業員を雇うために使えば、の話だ。そのためスミスは念仏でも唱えるように、「利益が拡大したら、地主や織屋《おりや》はさらに働き手を雇う」という原則を繰り返し述べた。「利益が拡大したら、スクルージは金庫にお金を貯め込み、取り出すのはいくら貯まったのかを勘定するときだけ」ではいけないのだ。近代資本主義経済で決定的に重要な役割を担ったのは新しく登場した倫理観で、それに従うなら、利益は生産に再投資されなくてはならない。再投資がさらなる利益をもたらし、その利益がまた生産に再投資されて新たな利益を生む、というようにこの循環は際限なく続いていく。投資の仕方にはさまざまな可能性がある。たとえば工場を拡げる、

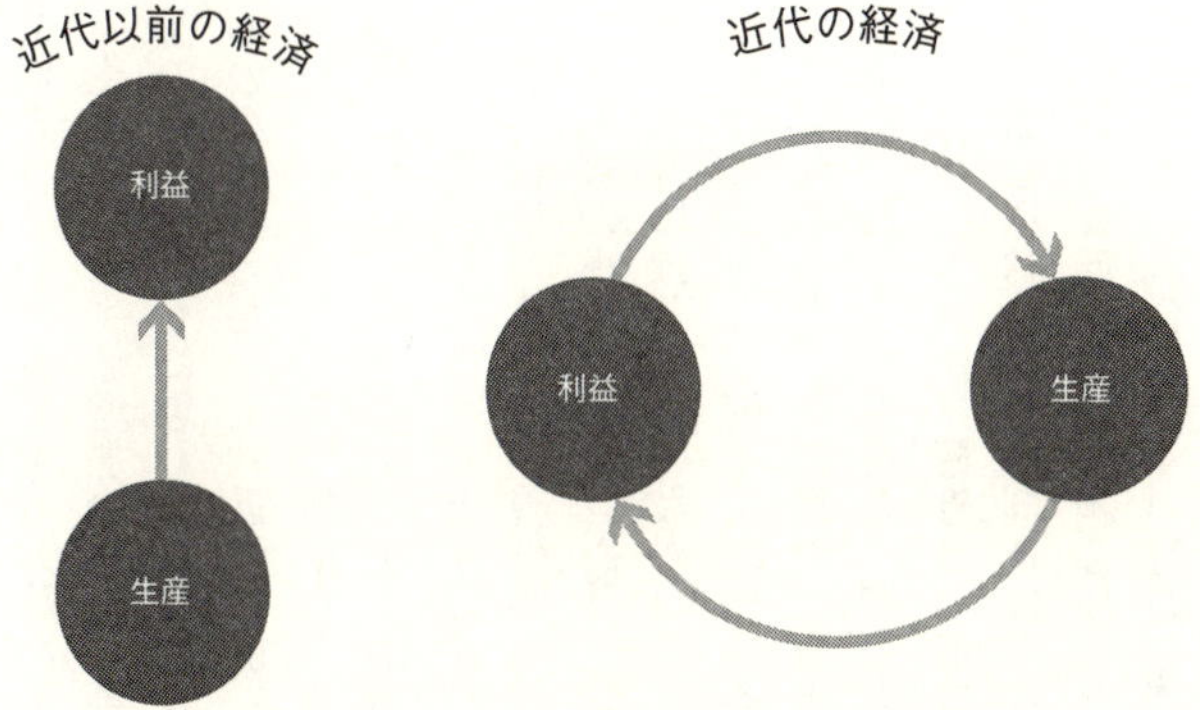

科学的な研究を行なう、新製品を開発する、といったように。だがこうした投資はみな、何らかの形で生産を増やし、結果としてより大きな利益を生む必要がある。新しい資本主義の信条における第一にして最も神聖な掟《おきて》は、「生産利益は生産増加のために再投資されなくてはならない」だ。

これが、資本主義が資本主義と呼ばれる所以《ゆえん》だ。資本主義は「資本」をたんなる「富」と区別する。資本を構成するのは、生産に投資されるお金や財や資源だ。一方、富は地中に埋まっているか、非生産的な活動に浪費される。非生産的なピラミッドの建設に資源を注ぎ込むファラオは資本主義者ではない。スペイン財宝艦隊を襲い、金貨のぎっしり詰まった箱をカリブ海のどこかの島の砂浜に埋めて隠す海賊は資本主義者ではない。だが、自分の収入のいくばくかを株式市場に再投資する勤勉な工場労働者は資本主義者だ。

「生産利益は生産増加のために再投資されなくてはならない」というのはごく当たり前の考えのように思われる。ところが歴史を通して、これは大部分の人にとって馴染《なじ》みのない考えだった。近代以前には、人々は生産とはおおむね一定しているものだと信じていた。だから、何をしようと生産が大幅に増えることがないのなら、なぜ自分の得た利益を再投資する必要があるのか、と考えた。こうして、中世の貴族は気前の良さと派手な消費を旨とする倫理観を支持した。彼らは収入を馬上試合、晩餐会《ばんさん》、大邸宅、戦争、そして慈善事業や壮大な大聖堂に費やした。荘園《しょうえん》の生産高を増やしたり、より上質の小麦を開発したり、新たな市場を探したりすることに利益を再投資しようとする者はほとんどいなかった。

近代になると、資本主義の信条を固く信奉する新たなエリート層が登場して貴族に取って代わった。この新たな資本主義エリート層を構成するのは公爵や侯爵ではなく、取締役会長、株式売買人、実業家などだ。こうした有力者たちは中世の貴族よりもはるかに金持ちだが、桁外《けたはず》れの浪費への関心はずっと低く、自分が得た利益のうち、非生産的な活動に費やす割合は大幅に少ない。

中世の貴族は金糸や絹を使った色鮮やかな衣服をまとい、晩餐会やお祭り騒ぎや華やかな馬上試合に多くの時間を割いた。それとは対照的に、スーツという名の陰鬱《いんうつ》な制服に身を包んだ現代のＣＥＯたちは、まるでカラスの一団さながらで、お祭り騒ぎにうつつを抜かす暇などほとんどない。典型的なベンチャーキャピタリストは仕事の打ち合わせから打ち合わせへと駆け回り、自分の資本をどこに投入するかを見極めつつ、所有する株や債券の値動きを追いかける。たしかに、着るのはヴェルサーチのスーツで、移動には自家用ジェットを使うのかもしれないが、そのための費用は、人類の生産性向上のために彼が投資する額に比べたら何ほどのこともない。

生産性向上のために投資するのは、ヴェルサーチを着た実業界の大立者だけではない。一般人や政府機関も同じようなことを考えている。庶民の住む住宅街で友人どうしが夕食で交わす会話がいつの間にか、自分の貯金を株と債券と不動産のどれに投資したほうがいいかについての果てしない議論になってしまい、にっちもさっちもいかなくなることはよくある。政府もまた、将来の収入を増やしてくれる生産性の高い事業に税収を投資しようと懸命だ。たとえば、新しく港を作れば、工場は製品を輸出しやすくなり、課税所得をさらに増やすことができる。すると政府の未来の税収も増える。教育に投資するほうがいいと考える政府もあるだろう。教育を受けた人々が収益の大きいハイテク産業の基盤を形成することにより、大がかりな港湾設備などなくても、企業からの多額の税収を見込めるからだ。

資本主義は、経済がどう機能するのかについての理論として始まった。この理論は説明的な面と規範的な面の両方を備えていた。つまりお金の働きを説明すると同時に、利益を生産に再投資することが経済の急速な成長につながるという考えを普及させたのだ。だが資本主義は、しだいにたんなる経済学説をはるかに超える存在になっていった。今や一つの倫理体系であり、どう振る舞うべきか、どう子供を教育するべきか、果てはどう考えるべきかさえ示す一連の教えまでもが、資本主義に含まれる。資本主義の第一の原則は、経済成長は至高の善である、あるいは、少なくとも至高の善に代わるものであるということだ。なぜなら、正義や自由やさらには幸福まで、すべてが経済成長に左右されるからだ。資本主義者に尋ねてみるといい。ジンバブエやアフガニスタンのような所に、どうすれば正義と政治的な自由をもたらせるのか、と。おそらく、安定した民主主義の制度には経済的な豊かさと中間層の繁栄が重要であり、そのためにはアフガニスタンの部族民に、自由企業制と倹約と自立がいかに重要かを叩き込む必要があるということを、こんこんと説かれるだろう。

この新しい宗教は、近代科学の発展にも決定的な影響を与えてきた。科学研究には通常、政府か民間企業が資金を提供する。資本主義下の政府や企業が特定の科学プロジェクトへの投資を考えるときに、最初に問うのはたいてい、「このプロジェクトは、生産量と利益の増加を可能にするだろうか？　経済成長を生み出すだろうか？」だ。

こうしたハードルを越えられないプロジェクトにはスポンサーが見つかる可能性はほとんどない。だから近代科学の歴史を語るときには、資本主義に触れずにはいられない。

逆に、科学を考慮に入れずに資本主義の歴史を理解することもできない。経済成長は永久に続くという資本主義の信念は、この宇宙に関して私たちが持つほぼすべての知識と矛盾する。獲物となるヒツジの供給が無限に増え続けると信じているオオカミの群れがあったとしたら、愚かとしか言いようがない。それにもかかわらず、人類の経済は近代を通じて飛躍的な成長を遂げてきた。それはひとえに、科学者たちが何年かおきに新たな発見をしたり、斬新な装置を考案したりしてきたおかげだ。アメリカ大陸の発見然《しか》り、内燃機関や遺伝子操作したヒツジ然り。紙幣を発行するのは政府と中央銀行だが、けっきょくのところそれに見合った価値を生み出すのは科学者なのだ。

ここ数年、各国の政府と中央銀行は熱に浮かされたように紙幣を濫発してきた。現在の経済危機が経済成長を止めてしまうのではないかと、誰もが戦々恐々としている。だから政府と中央銀行は何兆ものドル、ユーロ、円を何もないところから生み出し、薄っぺらな信用を金融システムに注ぎ込みながら、バブルが弾《はじ》ける前に、科学者や技術者やエンジニアが何かとんでもなく大きな成果を生み出してのけることを願っている。すべては研究室にいる人々頼みなのだ。バイオテクノロジーや人工知能といった分野で新しい発見がなされれば、まったく新しい産業がいくつも生まれるだろう。そしてそこからもたらされる利益が、政府や中央銀行が二〇〇八年以来発行してきた何兆ドルもの「見せかけの」お金を支えてくれるだろう。だが、もしバブルが弾ける前にさまざまな研究室がこうした期待に応えることができなければ、私たちは非常に厳しい時代へと向かうことになる。

コロンブス、投資家を探す

資本主義は近代科学の台頭においてだけでなく、ヨーロッパ帝国主義の出現においても重要な役割を果たした。そもそも、ヨーロッパ帝国主義こそが資本主義の信用制度を創出したのだ。もちろん、信用そのものは近代ヨーロッパの産物ではない。ほぼすべての農耕社会に存在していた。また、近代前期におけるヨーロッパ資本主義の出現はアジアの経済発展と深く結びついていた。一八世紀後期までは世界経済で最も大きな影響力を持っていたのはアジアであり、中国人やイスラム教徒やインド人に比べると、ヨーロッパ人が自由にできる資金は格段に少なかったことも思い出してほしい。とはいえ、中国、インド、イスラム教世界の社会政治的な制度においては、信用は二次的な役割しか果たさなかった。イスタンブール、イスファハン、デリー、北京などの市場の商人や銀行家は資本主義者と同じような考え方をしたかもしれないが、宮殿や要塞にいる王や将軍には、商人や商業的な考え方を見下す傾向があった。近代前期の非ヨーロッパの帝国のほとんどは、ヌルハチやナーディル・シャーのような偉大な征服者によって建国されたか、あるいは清帝国やオスマン帝国のようにエリート官僚やエリート軍人によって建国された。彼らは税金や略奪（この二つを明確に区別しなかった）によって戦争のための資金調達をしたので、信用制度に負うところなどほとんどなく、ましてや銀行家や投資家の利益などまるで気にもかけなかった。

一方、ヨーロッパでは、国王や将軍がしだいに商業的な考え方をし始めた結果、商人や銀行家がエリート支配層となった。ヨーロッパ人の世界征服のための資金調達はしだいに税金よりも信用を通じてなされるようになり、それにつれて資本家が主導権を握るようになっていった。彼らは最大限の投資利益を得ることにもっぱら熱意を注いだ。フロックコートを着込み、シルクハットを被った銀行家や商人が築いた帝国は、金糸織りの衣服や輝く甲冑《かっちゅう》に身を包んだ国王や貴族が築いた帝国を打ち破った。征服のための資金調達において、商人たちの帝国のほうが断然抜け目なかったのだ。誰も税金は払いたくないが、投資なら喜んでする。

クリストファー・コロンブスは一四八四年に、東アジアへの新たな貿易ルート開拓を目指し、西に向かって航海する艦隊に資金を援助してもらうための提案を携えて、ポルトガルの国王に接近した。そうした探検は非常に危険で高くつく事業だった。船の建造、補給品の購入、船員や兵士への支払いなどに多額のお金が必要だった。しかも、その投資が利益を生むという保証は何もなかった。ポルトガル国王は彼の申し出を断った。

事業を始めようとする現代の起業家のように、コロンブスは諦めなかった。イタリア、フランス、イングランド、そして再度ポルトガルを訪ねては、投資をしてくれそうな人に自分の考えを売り込んだ。だが、そのたびに拒否された。そこで、統一されたばかりのスペインを治めるフェルナンドとイサベルに賭けてみることにした。コロンブスは経験豊かなロビイストを数人雇い、彼らの助けで、どうにかイサベル女王を説得して投資を承諾させた。小学生でも知っているように、イサベルの投資は大当たりした。コロンブスの発見に導かれてアメリカ大陸を征服したスペイン人は、その地で金銀の鉱山を開発し、サトウキビやタバコのプランテーションを建設した。そのおかげでスペインの国王、銀行家、商人たちは思いもよらないような富を手にした。

一〇〇年後、君主や銀行家たちは、コロンブスの後継者たちに対してはるかに多くの信用供与を行なうことを厭《いと》わなかったし、アメリカ大陸から得た財宝のおかげで、彼らの手元には自由にできる資金が前よりも多くあった。同じく重要だったのは、君主や銀行家たちが探検の将来性にはるかに大きな信頼を寄せるようになり、進んでお金を手放す傾向が強まったことだ。これが帝国資本主義の魔法の循環だった。すなわち、信用に基づいた融資が新たな地理上の発見をもたらし、発見が植民地につながり、植民地が利益を生み、利益が信頼を育《はぐく》み、信頼がさらなる信用供与を実現させたのだ。ヌルハチやナーディル・シャーは数千キロメートル進軍したところで燃料を使い果たしてしまった。資本主義の起業家は、征服のたびに融資を受ける額が増えるだけだった。

そうはいっても、こうした探検が不確実なものであることに変わりはなかったため、信用市場は依然としてかなり慎重だった。探検隊の多くは、価値あるものを何も見つけられずに手ぶらでヨーロッパに戻ってきた。たとえばイギリス人は、北極圏を通ってアジアに向かう北西航路を見つけようとしてけっきょく果たせず、この試みに注ぎ込んだ巨額の資金を無駄にした。出かけたきり戻ってこない探検隊も多かった。船が氷山にぶつかったり、熱帯暴風雨で沈没したり、海賊の餌食《えじき》になったりしたのだ。投資してくれそうな人の数を増やし、彼らの被《こうむ》るリスクを減らすために、ヨーロッパ人は有限責任の株式会社に目を向けた。一人の投資家が自分の全財産をぼろぼろの船に賭ける代わりに、株式会社が大勢の投資家から資金を集めることで、各自は自己資本のほんの一部を危険にさらすだけで済む。その結果、リスクを抑えられる一方で、利益の上限はなくなる。たとえ少額でも適切な船に投資をすれば、大金が転がり込むかもしれないのだ。

年月がたつうちに、西ヨーロッパでは高度な金融制度が発達し、短期間で多額の信用供与を募り、それを民間の起業家や政府が自由に使えるようになった。この制度はどんな王国や帝国よりもはるかに効率的に、探検や征服に資金を提供できた。新たに発見された、信用制度が持つこの力は、スペインとオランダの間の激しい争いにも見て取れる。一六世紀には、スペインはヨーロッパ一の強国で、グローバルな巨大帝国に君臨していた。ヨーロッパの大部分、南北アメリカのかなりの領域、フィリピン諸島、アフリカやアジアの沿岸部の一連の軍事拠点がその支配下にあった。アメリカやアジアの財宝を満載した艦隊が、毎年セビリアやカディスの港に帰ってきた。一方、オランダは強い風の吹きすさぶ小さな低湿地で、天然資源に恵まれず、スペイン国王が支配する帝国の片隅を占めるにすぎなかった。

一五六八年、主にプロテスタントであるオランダ人は、カトリック信徒であるスペイン人の君主に対して反乱を起こした。当初、反乱軍は無敵の風車に向かって果敢に突進していくドン・キホーテさながらだった。ところが八〇年のうちに、オランダ人はスペインからの独立を確保したばかりか、スペイン人とその盟友のポルトガル人に取って代わって海洋路の覇者となり、グローバルなオランダ海上帝国を建設し、ヨーロッパで最も豊かな国になっていた。

オランダ人の成功の秘密は、信用だった。地上での戦闘を好まなかったオランダ市民は、傭兵《ようへい》部隊を雇って自分たちの代わりにスペイン人と戦わせた。その間オランダ人はというと、ますます大規模な艦隊を組んでは、海へ乗り出していった。傭兵部隊や、敵を威嚇《いかく》する大砲を備えた艦隊には莫大な費用がかかったが、オランダ人は強大なスペイン帝国よりもたやすく軍事遠征の資金を調達できた。当時急速に発展していたヨーロッパ金融制度の信頼を勝ち取ったからで、しかもそのころ、スペイン国王はうかつにもその信頼を損ねつつあった。投資家はオランダ人に対して軍隊や艦隊を組織するのに十分な信用供与を行ない、その軍隊や艦隊がオランダ人による世界の通商路の支配を可能にし、その通商路が莫大な利益を生み出した。その利益でオランダ人は借金を返済し、それにより資本家の信頼は強まった。アムステルダムは見る見るうちに、ヨーロッパ有数の港として台頭してきたばかりでなく、ヨーロッパ大陸の金融の中心地にもなりつつあった。

オランダ人は、具体的にはどのようにして金融制度の信頼を勝ち取ったのか？　第一に、彼らは貸付に対して期限内の全額返済を厳守し、貸し手が安心して信用供与が行なえるようにした。第二に、オランダの司法制度は独立を享受し、個人の権利、なかでも私有財産の権利を保護した。資本は、個人とその財産を守れない専制的な国家からは流出し、法の支配と私有財産を擁護する国家に流れ込む。

自分が手堅いドイツ人資本家の一家の息子だと想像してみよう。父親はヨーロッパの主要都市に支店を開いて事業を拡げる好機が来たと考えている。そこで父親はあなたと弟に投資の元手として一万枚の金貨を与え、それぞれアムステルダムとマドリードに送り出す。弟はその元手を利息付きでスペイン王に貸す。スペイン王はフランス王と戦うため、軍を編成する資金を必要としていたのだ。あなたは、あるオランダ人商人に資金を貸すことにする。彼はマンハッタン島という名の荒涼とした島の南端にある低木の繁茂する土地に投資したいと思っており、その土地の資産価値はハドソン川が交易の主要な動脈になれば跳ね上がると確信している。どちらの貸付金も一年以内に返済される条件だった。

一年が過ぎる。オランダの商人は購入した土地を売却し、かなりの利益をあげ、約束通りの利息をつけてお金を返してくれる。父親も喜ぶ。だが、マドリードの弟はやきもきし始めている。フランスとの戦争はスペインの勝利で終わったが、スペイン王は今度はトルコとの紛争に巻き込まれた。王は新たな戦争に有り金をすべて投入する必要があり、古い借金の返済など二の次だと考えている。弟は宮殿に何度も手紙を送ったり、宮廷につてのある友人たちに間に入ってもらったりするが、どうにもならない。約束の利子が入らないどころか、元金まで戻ってこない。父親はご機嫌斜めだ。

しかも、さらに悪いことに、スペイン王は財務の役人を弟のもとに送り、単刀直入に、新たに同額を至急融資してもらいたい旨を申し入れさせる。弟には、もう貸せるお金はない。そこで故国の父親に手紙を書いて、スペイン王も今度は約束を果たすだろうということを納得させようとする。父親はこの末っ子に甘い。そこで渋々承知する。新たに一万枚の金貨がスペイン王の懐《ふところ》に消え、二度と戻ってくることはない。一方、アムステルダムでは万事好調のようだ。あなたは進取の気性に富むオランダ商人たちにますます多額の融資をし、滞りなく全額を返済してもらえる。とはいえ、あなたの幸運も無限に続くわけではない。得意客の一人が、次は木靴がパリで大流行するという予感がしたので、このフランスの都で大規模な靴店を開業するための資金を借りたいと言ってくる。あなたはお金を貸すが、残念ながら木靴はフランスの婦人たちの間で人気を博することはなく、機嫌を損ねた商人は借金の返済を拒否する。

父親は激怒し、あなたたち兄弟に、こうなったら法律家の出番だと告げる。弟はマドリードでスペイン王を相手取って訴訟を起こし、あなたはアムステルダムでかつての自称「木靴販売の天才」を相手に訴訟を起こす。スペインでは、法廷は国王に従属しているので、判事たちは国王に迎合し、その意に反して罰せられるのを恐れている。オランダでは、法廷は政府の独立した一部門で、自国の市民や王侯に従属していない。マドリードの法廷はあなたの弟の訴訟を棄却するが、アムステルダムの法廷はあなたの言い分を認め、負債を返済させるために木靴商人の資産に対する先取特権をあなたに与える。父親は教訓を得た。王侯と取引するより商人と取引したほうがいいし、マドリードで取引するよりオランダで取引したほうがいい。

さて、弟の苦労はまだ終わらない。スペイン王は軍隊に使うためにさらに多くの資金を喉《のど》から手が出るほど必要としている。彼は、あなたの父親にはまだ貸せるお金があるに違いないと踏んでいる。そこで王は弟に叛逆罪《はんぎゃく》の濡れ衣を着せる。もし即刻金貨二万枚を用意できなければ、彼は地下牢に投獄され、やがてやつれ果てて命を落とすことになる。

父親は堪忍袋の緒が切れる。愛する息子のために身代金を支払うが、スペインとは二度と取引をしないと誓う。彼はマドリードの支店を閉鎖し、弟をロッテルダムに移す。オランダ国内に二つの支店というのは、今ではとても良い考えのように見える。噂では、スペイン人の資本家さえ財産を国外にこっそり持ち出しているそうだ。彼らも、もし自分の資産を守り、それを使ってさらなる富を得ようと思うなら、その資金を、たとえばオランダのように、法の支配が徹底し、私有財産の権利が尊重されている国に投資したほうがいいということに気づいたのだ。

このようにしてスペイン王は投資家たちの信用を食い潰《つぶ》し、それと同時にオランダ商人たちは彼らの信頼を勝ち得た。そしてオランダ海上帝国を建設したのは、オランダという国家ではなく、オランダの商人たちだった。スペイン王は、不満を募らせる民衆に課した不人気な税を増額することによって財源を確保し、占領地を維持しようとし続けた。オランダの商人たちも征服に資金を提供したが、その資金は、融資を受けて賄《まかな》うだけではなく、自社の株を売って調達することがしだいに多くなった。株を売るとは、その株の保有者に会社の利益の配当を受け取る権利を与えることだ。用心深い投資家たちは、二度とスペイン王に自分のお金を与えなかっただろうし、オランダ政府への信用供与も躊躇《ちゅうちょ》しただろうが、新しい帝国の大黒柱であるオランダの株式会社には喜んで大金を投資した。

もしあなたが、ある会社が大きな利益をあげそうだと考えたとしよう。その会社がすでに株をすべて売ってしまっていたとしても、あなたはその株を所有している人から、おそらくはその人がもともと購入したより高い値段で、買うことができる。株を買った後に、その会社がひどい苦境にあるとわかったら、購入時より低い値でかまわなければ、売ってしまうこともできる。会社の株式のこうした取引のために、ヨーロッパの主要都市のほとんどに、会社の株が売買される場所、すなわち証券取引所が設立された。

最も有名なオランダの株式会社であるオランダ東インド会社（ＶＯＣ）は一六〇二年に設立勅許《ちょっきょ》を与えられた。オランダはスペインの支配を脱しつつあり、スペインの砲声がまだアムステルダムの城壁から遠からぬ所で聞こえているころだった。VOCは株を売って調達した資金を使って船を建造し、それらをアジアに派遣し、中国やインドやインドネシアの品々を持ち帰った。また、会社の船が競争相手や海賊に対して取る軍事行動にもその資金を充《あ》てた。VOCの資金によって最終的にインドネシアの征服が達成された。

インドネシアは世界最大の群島だ。一七世紀初頭には、無数の島々が何百もの王国、地方領主領、スルタン領、部族領に分かれていた。一六〇三年に初めてVOCの商人たちがインドネシアに着いたとき、その目的は純粋に商業的なものだった。だが、商業的利益を確保して株主の利益を最大限に増やすために、VOCの商人たちは、ヨーロッパの競争相手だけでなく、関税を吊り上げる地元の支配者たちとも戦い始めた。VOCは商船を大砲で武装し、ヨーロッパ人、日本人、インド人、インドネシア人の傭兵《ようへい》を雇い、砦《とりで》を築き、大規模な会戦や包囲戦を行なった。このような活動は現代では少し奇異に聞こえるかもしれないが、近代前期にあっては、民間の会社が兵士だけでなく将軍や提督、大砲や艦船を雇ったり借り上げたり、さらには既成の軍隊をまるごと雇用したりするのも、よくあることだった。国際社会もこれを当然と考え、一民間企業が帝国を樹立しても眉《まゆ》一つ動かさなかった。

島々は次々にVOCの傭兵に攻略され、インドネシアのかなりの部分がVOCの植

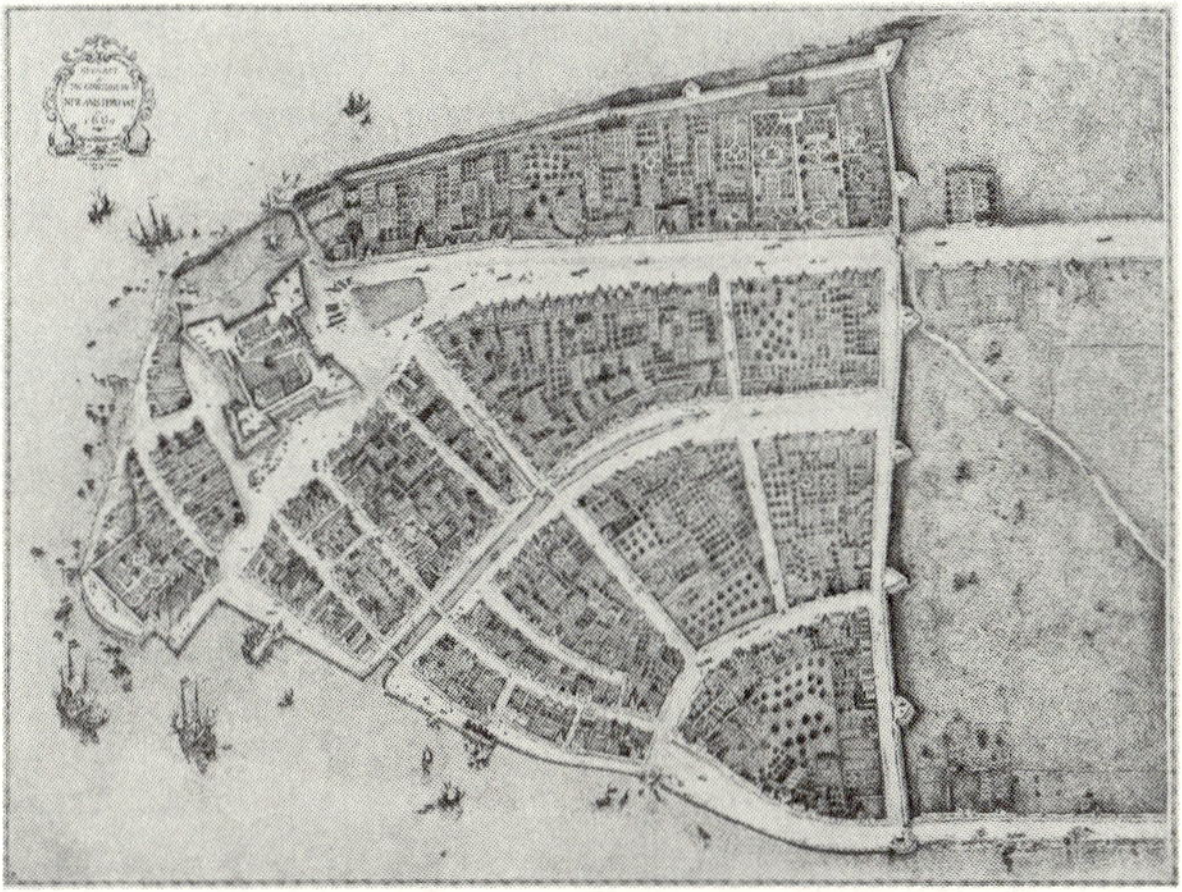

図36　マンハッタン島の端にあった1660年当時のニューアムステルダム。入植地の防壁は、今日ではウォール街の舗装の下に埋もれている。

民地になった。ＶＯＣはインドネシアを二〇〇年近く支配した。一八〇〇年になってやっと、オランダ政府がインドネシアの支配を引き継ぎ、以後一五〇年間、国の植民地とした。今日、二一世紀の企業はあまりに強い力を蓄えているという警告の声が上がっている。もし企業が自己利益をとことんまで追求するのを許されればどこまで行けるのか、近代前期の歴史はまさにそれを物語っている。

ＶＯＣがインド洋で活動している間、オランダ西インド会社（ＷＩＣ）は大西洋に進出していた。ハドソン川という重要な通商路を通る交易を支配下に置くために、

WICは河口にある島にニューアムステルダムという名の入植地を建設した。この入植地は先住民の脅威にさらされ、またイギリスに再三攻撃され、一六六四年、ついにイギリスに奪われた。イギリスは名前をニューヨークと変えた。植民地を先住民とイギリスから守るためにWICによって築かれた防壁《ウォール》は、今日では世界一有名な通り、すなわちウォール街の舗装の下に残っている。

一七世紀が紆余曲折《うよきよくせつ》を経て終わりに向かっていたとき、現状認識の甘さと大陸での費用のかかる戦争のせいで、オランダはニューヨークだけでなく、ヨーロッパの金融と帝国主義的支配の原動力という地位も失った。空席をめぐって激しく争ったのがフランスとイギリスだ。最初はフランスが圧倒的に優勢のように思われた。フランスはイギリスより広く、豊かで、人口も多く、規模が大きくて経験豊富な軍隊を持っていた。だが、イギリスがうまく金融界の信頼を勝ち取ったのに対して、フランスは信用に値しないことを露呈してしまった。とりわけ悪評を高めたのが、「ミシシッピ・バブル」と呼ばれる一八世紀ヨーロッパ最大の財政危機のさなかにフランス王室が取った行動だった。この話もまた、帝国建設を目的としたある株式会社から始まる。

一七一七年、フランスが勅許を与えたミシシッピ会社は、ミシシッピ川下流域の植民地化に着手し、その過程でニューオーリンズという都市を建設した。その野心的な計画に資金を供給するために、ルイ一五世の宮廷に強力なつてのあったこの会社は、パリの証券取引所に上場した。取締役のジョン・ローは、フランスの中央銀行の総裁でもあった。そのうえ、国王は彼を、現代の財務大臣にほぼ相当する財務総監に任命した。一七一七年の時点で、ミシシッピ川下流域で目につくものといえば湿地とワニぐらいだったが、ミシシッピ会社は途方もない富と無限の機会が待っているかのような噂を広めた。フランスの貴族、実業家、都市に暮らす愚鈍な中産階級の人々がこの夢物語に引っかかり、ミシシッピ会社株は天井知らずに跳ね上がった。売り出し価格は一株五〇〇リーブルだった。それが、一七一九年八月一日には二七五〇リーブルで取引された。八月三〇日には、四一〇〇リーブルの値がつき、九月四日には五〇〇〇リーブルにまで上がった。一二月二日には、ミシシッピ会社の株価は一万リーブルの大台に乗った。高揚感がパリの街を吹き抜けた。人々はミシシッピ会社株を買うために全財産を売り払い、多額の借金をした。誰もが楽々富を手にする方法を見つけたと信じていた。

数日後、恐慌が始まった。投機家のなかに、株価が実態をまったく反映しておらず、維持不可能だと気づいた者が出たのだ。彼らは、最高値のうちに株を売ったほうがいいと判断した。購入できる株の供給量が増えるにつれて、価格は下落していった。他の投資家たちも、株価が下がっているのに気づくと、すぐさま手放そうとした。株価はさらに下がり、暴落が起こった。価格を安定させるために、総裁ジョン・ローの指示に従ってフランスの中央銀行はミシシッピ会社株を買い支えたが、自ずと限度があった。ついには資金が尽きてしまった。この事態に至ったとき、財務総監、つまり同じジョン・ローは、株を買い続けるためにさらに紙幣を印刷する許可を与えた。その結果、フランスの金融界全体がバブルに巻き込まれた。そしてこの財政の魔術を用いてさえ、窮地を脱することはできなかった。ミシシッピ会社株の値は一万リーブルから一〇〇〇リーブルまで下がり、それから完全に価値を失い、株は紙くず同然になった。この時点で、中央銀行と国庫は厖大《ぼうだい》な量の無価値な株券を所有し、金庫は空《から》っぽになっていた。大物投機家たちの大半は無傷で済んだ。まんまと売り抜けたのだ。小口の投資家たちはすべてを失い、自殺した人も多かった。

ミシシッピ・バブルは歴史上屈指の派手な金融破綻《はたん》だった。王政フランスの国家金融制度は打撃から完全に回復することはついになかった。ミシシッピ会社が株価を操作して熱狂的な購入意欲を煽《あお》るために、政治的影響力を利用したせいで、世間の人々はフランスの金融制度とフランス王の財政的見識に対する信頼を失った。ルイ一五世は、資金を調達するのがますます難しくなっていった。それが一つの大きな原因となって、海外のフランス領はイギリスの手に落ちた。イギリスは簡単に、しかも低金利でお金を借りることができるのに、フランスは融資を取りつけるのが難しく、しかも高い金利を支払わなければならなかった。増大していく負債を返済するために、フランス王はさらに多くのお金を、さらに高い金利で借りた。その結果、一七八〇年代には、祖父の死によって王位に就いていたルイ一六世は、王室の年間予算の半分が借金の利息の支払いに充てられ、自分が破産に向かって進んでいることを知った。一七八九年、ルイ一六世は不本意ながら、フランスの議会にあたる三部会を一世紀半ぶりに召集し、この危機の解決策を見つけようとした。これを機にフランス革命が始まった。

フランスの海外の帝国が崩壊していく一方で、大英帝国は急速に拡大を続けた。かつてのオランダ海上帝国と同じく、大英帝国は主としてロンドン証券取引所に基盤を置く民間の株式会社によって建設され、運営された。北アメリカで最初のイギリスの入植地は、一七世紀初めにロンドン会社、プリマス会社、ドーチェスター会社、マサチューセッツ湾会社といった株式会社によって建設された。

インド亜大陸も、イギリスという国家ではなく、イギリス東インド会社の傭兵軍によって征服された。この会社はＶＯＣさえ凌《しの》いでいた。ロンドンのレドンホール街にある本社から、約一世紀にわたってインドという巨大な帝国を支配し、最大で三五万にも及ぶ巨大な兵力を維持し、その規模はイギリスという君主国の兵力を大幅に上回っていた。イギリス王室は、一八五八年になってやっと、東インド会社私有の軍隊とインドを国の支配下に置いた。ナポレオンはイギリスを物笑いの種にして、商店主たちの国と呼んだ。だがその商店主たちがナポレオンその人を打ち負かし、彼らの帝国は空前の規模となった。

資本の名の下に

オランダがインドネシアを国家の支配下に置いても（一八〇〇年）、イギリスがインドを国家の支配下に置いても（一八五八年）、資本主義と帝国の絆に終止符が打たれたとはとうてい言い難かった。それどころか、両者のつながりは一九世紀の間にいっそう強まった。株式会社は、自前で植民地を建設し、統治する必要がなくなった。ロンドンやアムステルダム、パリにいる会社の幹部や大株主が今や裏で権力を操っており、自分たちの利益は国にきちんと面倒を見てもらえるので、安心していられた。マルクスをはじめ、当時の社会を批判する人々が強烈に皮肉を言っていたように、西洋の政府は資本主義の手先に成り下がりつつあった。

政府が大資本の言いなりになった悪名高い代表例は、イギリス・中国間の第一次アヘン戦争（一八四〇～四二年）だ。一九世紀前半には、イギリス東インド会社とさまざまなイギリスの実業家が、麻薬、とくにアヘンを中国に輸出して大儲けした。厖大な数の中国人が中毒となり、中国は経済的にも社会的にも衰弱した。一八三〇年代も終わりになると、中国政府はアヘンの取引を禁じたが、イギリスのアヘン商人はそんな法律などあっさり無視した。中国当局は船で運ばれてくるアヘンを没収し、処分し始めた。アヘン・カルテルは、イギリスの議員と政府閣僚に強力なつてがあった――実際、多数の議員と閣僚が製薬会社の株を所有していた――ため、政府に行動を起こすよう圧力をかけた。

そこで一八四〇年、イギリスは「自由貿易」という大義名分の下に、中国に宣戦布告した。この戦いは簡単に決着がついた。慢心していた中国は、汽船、重砲、ロケット弾、速射銃などの強力な新型兵器を持つイギリスの敵ではなかった。その後の講和条約で、中国は、イギリスのアヘン商人の活動を制限しないこと、中国の警察が与えた損害を賠償することに同意した。さらに、イギリスは香港の割譲を要求して認められ、同地を統治することとなり、安全な麻薬取引基地として利用した（香港は一九九七年までイギリス領だった）。一九世紀後期には、中国総人口の一割に当たる約四〇〇〇万人がアヘン中毒だった[3]。

エジプトも、イギリス資本主義の広範に及ぶ影響力を尊ばなければならないことを学んだ。一九世紀にフランスとイギリスの投資家が、最初はスエズ運河建設資金として、後にはそれに比べてはるかに見劣りする成果しか挙げられなかった数々の事業の資金として、莫大な金額をエジプトの支配者に貸しつけた。エジプトの負債は膨《ふく》らみ、ヨーロッパの債権者はエジプトの政治への介入の度合いを深めた。一八八一年、我慢が限界に達したエジプトの国民主義者は反乱を起こした。彼らは外国からの借金をすべて棒引きにすると一方的に宣言した。ヴィクトリア女王はこの言い分を快く思わなかった。一年後、女王は陸海軍をナイル川に派遣し、エジプトは第二次大戦後までイギリスの保護領となった。

投資家の利益のために行なわれた戦争は、けっしてこれだけにとどまらない。それどころか、戦争自体がアヘンのように商品になりえた。一八二一年、ギリシア人がオスマン帝国に反乱を起こした。この反乱はイギリスの自由主義派とロマン主義派から広く共感を得た。詩人のバイロン卿は、ギリシアに赴いて反乱軍とともに戦いさえした。だがロンドンの資本家たちは、この戦いは商機にもなると読んでいた。彼らは、ギリシアの反乱軍の指導者たちに、ギリシア独立債をロンドン証券取引所で発行してはどうかと持ちかけた。ギリシアは、独立を勝ち取った暁には、利息をつけて償還すると約束する。個人投資家は儲《もう》けるために、あるいはギリシア反乱軍の大義に賛同して、はたまたその両方の理由から債券を買った。ギリシア独立債の価値は、ギリシアの戦況に応じて上下した。トルコ側がしだいに優勢になり、反乱軍の敗戦が避けられない状況になると、独立債保有者は財産を失う危機に瀕《ひん》した。彼らの利益は国家の利

図37　ナヴァリノの海戦（1827年）。

益でもあるため、イギリスは多国籍艦隊を組織し、一八二七年にナヴァリノの海戦でオスマン帝国の主力の小艦隊を撃滅した。数世紀にわたる支配から、ギリシアはついに自由になった。だが自由には、新生国家にはとても償還できないほどの巨額の債務がついてきた。ギリシア経済はその後何十年も、イギリスの債権者に担保に取られていた。

資本と政治の固い結束は債券市場にも広く影響を及ぼした。一国の信用力は、新しい油田が発見されたとか、新しい機械が発明されたとかいった純粋に経済的な要因だけではなく、政権交代や野心的な外交政策の実施といった政治的な出来事によっても決まる。ナヴァリノの海戦後、イギリスの資本家はリスクの高い海外の取引に以前よりも進んで投資した。もし海外の債務者が借金の返済を拒《こば》んだら、女王陛下の軍隊が彼らの資金を取り戻してくれることがわかったからだ。

だからこそ、今日の国家の信用格付けは、その国が所有する天然資源よりも、その国の財政の健全性にとってはるかに重要なのだ。信用格付けは国が債務を返済する見込みを示す。そこには、純粋な経済データだけでなく、政治的要因や社会的要因、さらには文化的要因まで加味されている。独裁体制を敷き、領土内で紛争が続き、裁判制度が腐敗している石油大国は、たいてい格付けが低い。そのせいで石油で得た儲けを最大限活用するために必要な資金を調達できず、貧困から脱け出せない可能性が高い。一方、天然資源はないものの、平和を享受し、公正な裁判制度と自由な政府を持つ国は格付けが高くなることが多い。だから質の高い教育制度を維持し、繁栄間違いないハイテク産業を育《はぐく》む資金を安価に調達できる。

自由市場というカルト

資本と政治は強く影響し合うので、その関係について、経済学者や政治家、一般市民が同じように熱い議論を戦わせている。熱心な資本主義者は、資本が政治に影響を与えるのは自由だが、政治は資本に影響を与えるべきではないと主張しがちだ。政府が市場に介入すると、政治的利益が絡《から》んで賢明な投資ができず、成長が鈍《にぶ》ると彼らは言う。たとえば、政府が企業経営者に重税を課し、その税収を失業手当として大盤振る舞いするとしよう。この政策は有権者に人気が高い。ところが、多くの実業家に言わせれば、政府はそのお金を自分たちに持たせておいたほうがはるかにいいということになる。自分たちならそのお金を使って工場を新設し、失業者を雇用するから、と彼らは言う。

この考え方に従えば、最も賢明な経済政策は、政治を経済に関与させず、課税と政府の規制を最低限にして、市場を自由にさせ、好きな方向に進ませればいいことになる。個人投資家は、政治的な思惑に縛られることなく、いちばん多く利益をあげられるところに投資するので、最大の経済成長を確実なものとする――そうすれば、実業家も労働者もみな得をする――には、政府ができるだけ手を出さないのが最善だ。このの自由市場至上主義は現在、資本主義の信条のうちで最も一般的で影響力がある。いちばん熱心な自由市場主義支持者は、国内の社会福祉制度を批判するのに劣らぬ熱意をもって国外での軍事作戦を批判する。禅の師が入門者に与えるのとまったく同じ助言を、彼らも政府に与える――「何もするな」と。

だが、自由市場を信じるのも極端になると、サンタクロースを信じるのに負けず劣らず、無邪気過ぎると言わざるをえない。政治的な偏見がいっさいない市場など、どう考えてもありはしない。経済資源で何より大切なのは未来への信頼だが、この資源は泥棒やペテン師によってつねに脅《おびや》かされている。市場は、詐欺《さぎ》、盗難、暴力から自力で身を守れない。不正行為に対する制裁を法制化して信頼を確保し、その法を執行する警察、法廷、刑務所を設置して維持するのは政治の仕事だ。君主が責務を果たせず、市場を適切に規制できないと、信頼が失われ、信用がしだいに消滅し、不況になる。これが一七一九年のミシシッピ・バブルの教訓であり、忘れていた者はみな、二〇〇七年のアメリカの住宅バブルとその後の銀行の貸し渋りと不景気であらためてそれを思い知らされた。

資本主義の地獄

市場に完全な自由を与えるのが危険だというのには、さらに根本的な理由がある。アダム・スミスは、靴職人は利益が出たらさらに下働きを雇うと説いた。利己的な強欲は全員にとって良いことだ、というわけだ。生産を拡大し、従業員を増やすために利益が使われるのだから。

ところが、この強欲な靴職人が従業員の給料を減らし、労働時間は長くして、自分の利益を増やしたとしたらどうなるのか？　自由市場が従業員を守る、というのが標準的な答えだろう。この靴職人の支払いがあまりに少なく、要求があまりに多かったら、優秀な従業員はさっさと彼の店を辞めて競争相手の店に移る。暴君店主が気づいたときには、店には出来の悪い従業員しか残っていない。あるいは従業員が全員いなくなっている。彼が行ないを改めなければ店が潰れる。強欲だからこそ、従業員を手厚く処遇せざるをえないのだ。

　これは理論上は完全無欠に聞こえるが、実際にはすぐぼろが出る。君主や聖職者が目を光らせていない完全な自由市場では、強欲な資本主義者は市場を独占したり、労働力に対抗して結託したりできる。ある企業一社が国内の製靴工場全部を支配下に置いていたり、工場主全員が一斉に賃金を減らそうと共謀したりすれば、労働者はもう、職場を変わることで自分の身を守れなくなる。

　さらにひどい場合は、強欲な雇用主たちが、労働者を借金の返済のためにただ働きさせたり、奴隷扱いしたりして、彼らの移動の自由を奪いかねない。中世末期のキリスト教圏のヨーロッパでは、奴隷制はほぼ皆無だった。近代前期にヨーロッパ資本主義が台頭すると、それに歩調を合わせるかのように大西洋奴隷貿易が盛んになった。暴君や人種差別的なイデオロギー信奉者ではなく、何の抑制も受けない市場原理がこの悲惨な史実の原因だった。

　ヨーロッパ人は、南北アメリカを征服すると、金銀の鉱山を開発し、サトウキビ、タバコ、綿花のプランテーションを建設した。これらの鉱山とプランテーションは、アメリカ大陸の生産と輸出の主力となった。とりわけ重要だったのがサトウキビのプランテーションだ。中世には、砂糖はヨーロッパではめったに手に入らない貴重品だった。中東から法外な高値で輸入され、ご馳走や偽の万能薬の秘密の原料にほんの少しずつ使われた。大規模なサトウキビのプランテーションがアメリカに建設されると、ヨーロッパに輸入される砂糖の量は増加の一途をたどった。砂糖の価格は下がり、ヨーロッパ人は飽くことを知らない甘党になった。起業家は、ケーキ、クッキー、チョコレート、キャンディや、砂糖を加えて飲むココア、コーヒー、紅茶などを大量に生産して需要に応えた。イギリス人の年間平均砂糖摂取量は、一七世紀初めはほぼゼロだったのに、一九世紀初めには八キログラム前後に増えた。

だが、サトウキビを育て、砂糖を抽出するのは労働集約的な仕事だった。熱帯の太陽が照りつける下、マラリアが蔓延《まんえん》するサトウキビ畑で長時間好き好んで働く人間はそういない。労働者に賃金を払って商品を生産させたら高くついて、大量消費は望めなかっただろう。市場原理に敏感で、利益と経済成長を貪欲に求めるヨーロッパのプランテーションの所有者は奴隷に切り替えた。

一六世紀から一九世紀まで、約一〇〇〇万のアフリカ人が奴隷としてアメリカに連れてこられた。その七割ほどがサトウキビのプランテーションで働いた。労働条件は劣悪だった。ほとんどの奴隷の一生は短く、惨《みじ》めで、奴隷を捕まえるための戦争やアフリカ内陸部からアメリカに到着するまでの長旅で命を落とす者も多数いた。それもこれも、すべてはヨーロッパ人が甘い紅茶と菓子を楽しむため、そして砂糖王たちが莫大な利益を享受するためだった。

奴隷貿易はどこの国家や政府によっても管理されていなかった。それは純粋な営利事業であり、需要と供給の法則に則《のっと》って自由市場が運営し、出資していた。民間の奴隷貿易企業はアムステルダムやロンドン、パリの証券取引所に上場していた。良い投資先を探しているヨーロッパの中産階級は、これらの企業の株を買った。当の企業は、こうして調達した資金で船を買い、船員と兵士を雇い、アフリカで奴隷を買い、アメリカに運んだ。アメリカでは、買った奴隷をプランテーションの所有者に売り、売上金で砂糖、ココア、コーヒー、タバコ、綿花、ラム酒などのプランテーションの産物を買った。ヨーロッパに戻ると、砂糖や綿花などを高値で売り、次の取引に向けてまたアフリカへ出帆した。株主はこの段取りにいたって満足だった。一八世紀を通じて、奴隷貿易への投資の利回りは年率約六パーセントだった。現代のコンサルタントなら誰もが、抜群に儲けが大きいと即座に認めることだろう。

これが自由市場資本主義の重大な欠点だ。自由市場資本主義は、利益が公正な方法で得られることも、公正な方法で分配されることも保証できない。それどころか、人々は利益と生産を増やすことに取り憑《つ》かれ、その邪魔になりそうなものは目に入らなくなる。成長が至高の善となり、それ以外の倫理的な考慮というたがが完全に外れると、いとも簡単に大惨事につながりうる。キリスト教やナチズムなど、一部の宗教は、炎のような憎しみから大量虐殺を行なった。資本主義は、強欲と合体した冷淡な無関心から厖大な数の人間を死に至らしめた。大西洋奴隷貿易はアフリカ人への憎しみが原因ではなかった。奴隷貿易企業の株を買った人間、その株の売買を仲介したブローカー、奴隷貿易企業の経営者は、アフリカ人に思いを馳《は》せることなどめったになかった。サトウキビのプランテーションの所有者も同様だ。多くの所有者はプランテーションから離れた所に居を構えており、彼らが唯一要求した情報といえば、利益と損失がきちんと記されている台帳だけだった。

自由市場資本主義は完全無欠にはほど遠く、大西洋奴隷貿易はその歴史における唯一の汚点でないことは、しっかり心に刻んでおきたい。前章で論じたベンガル大飢饉《ききん》が発生したのも同じようなダイナミクスに起因する。イギリス東インド会社には、一〇〇〇万のベンガル人の命よりも利益のほうが大事だった。オランダ東インド会社のインドネシアにおける軍事行動は、高潔なオランダ市民が資金を提供していた。彼らは自分の子供を愛し、慈善団体に寄付し、上質の音楽と美術を愛《め》でる人々だったが、ジャワ島やスマトラ島、マラッカの住民の苦しみは一顧《いっこ》だにしなかった。世界の他の地域でも、近代経済の成長に伴う犯罪や不正行為は後を絶たなかった。

一九世紀になっても資本主義の倫理観は改善しなかった。ヨーロッパを席巻《せっけん》した産業革命は銀行家と資本所有者の懐《ふところ》を潤したが、無数の労働者を絶対的な貧困に追いやった。ヨーロッパ各国の植民地では事態はそれに輪をかけて悲惨だった。一八七六年、ベルギーのレオポルド二世は、非政府の人道支援団体を設立した。公然と掲げた目的は、中央アフリカの調査とコンゴ川流域の奴隷貿易撲滅だった。この団体は、道路、学校、病院を建設して、その地域の住民の境遇を改善する任務も負わされていた。一八八五年、ヨーロッパ列強は、コンゴ盆地の二三〇万平方キロメートルの土地の支配権をこの団体に与えることに同意した。ベルギーの七五倍の広さを持つこの土地は、以後、コンゴ自由国として知られることとなった。だが、誰もそこに住む二〇〇〇万〜三〇〇〇万の人の意見を聞くことはなかった。

間もなくこの人道支援団体は、成長と利益を真の目的とする営利事業になった。学校と病院は忘れ去られ、コンゴ盆地では至る所で鉱山とプランテーションが開発された。これらを運営していたのは主にベルギーの政府高官で、彼らは情け容赦なく現地民を搾取した。ゴム業界がとくに悪名高かった。ゴムは工業にとって必要性が急増しつつあったし、ゴムの輸出はコンゴの最も重要な収入源でもあった。ゴムを収穫するアフリカの村人のノルマは増えるばかりだった。ノルマに達しなかった者は、「怠け者」として残酷な罰を受けた。腕を切り落とされ、村人全員が虐殺されることもあった。かなり控えめに見積もっても、一八八五年から一九〇八年までに、成長と利益の追求と引き換えに六〇〇万人（コンゴの人口の少なくとも二割に当たる）の命が失われたとされている。死者の数は一〇〇〇万人にも及ぶとする推定もいくつかある。(4)

過去何十年もの間に、とりわけ一九四五年以降は、資本主義者の強欲ぶりには多少歯止めがかかった。それは共産主義への恐怖によるところが大きかった。だが不平等は依然としてはびこっている。二〇一四年の経済のパイは、一五〇〇年のものよりはるかに大きいが、その分配はあまりに不公平で、アフリカの農民やインドネシアの労働者が一日身を粉にして働いても、手にする食料は五〇〇年前の祖先よりも少ない。農業革命とまったく同じように、近代経済の成長も大がかりな詐欺だった、ということになりかねない。人類とグローバル経済は発展し続けるだろうが、さらに多くの人々が飢えと貧困に喘《あえ》ぎながら生きていくことになるかもしれない。

この批判に対して、資本主義は二つの答えを用意している。最初の答えは、資本主義は、資本主義者にしか動かすことのできない世界を生み出した、というものだ。世界を違う方法で動かそうとする唯一の真剣な試みである共産主義は、考えられるかぎり、ほとんどどの面でもはるかに劣るので、誰も再び試そうという気にならない。紀元前八五〇〇年に農業革命で苦い涙を流した者もいただろうが、農業をやめるにはすでに手遅れだった。それと同じで、資本主義が気に入らなくても、私たちは資本主義なしでは生きていけない。

もう一つの答えは、あともう少しの辛抱だ、というものだ。楽園はすぐ目の前にある、と資本主義者は請け合う。大西洋奴隷貿易やヨーロッパ労働者階級の搾取といった過ちがあったことは事実だ。だが、私たちはそこから学んだし、パイがもう少しだけ大きくなるまで、あとしばらく待てば、みんなでより大きい分け前にありつける。成果の分配はけっして公平になることはないが、老若男女全員を満足させるだけの分量は手に入る――コンゴにおいてさえも。

たしかに明るい兆《きざ》しはいくつか見えている。少なくとも、平均寿命、小児死亡率、カロリー摂取量といった純粋に物質的・身体的な物差しで測れば、二〇一四年の平均的な人間の生活水準は、人口が飛躍的に増えたにもかかわらず、一九一四年よりも格段に改善した。

だが、経済のパイは永遠に大きくなり続けることが可能なのだろうか？　どのパイにも原材料とエネルギーが必要だ。破滅の予言者は、ホモ・サピエンスは遅かれ早かれ地球の原材料とエネルギーを使い果たすと警告する。そのときには、いったい何が起こるのだろう？

第17章 産業の推進力

近代の経済は、未来に対する私たちの信頼と、利益を生産に再投資する資本家の意欲のおかげで成長した。とはいえ、それだけでは十分ではない。経済成長にはエネルギーと原材料も必要で、そのどちらも有限だ。エネルギーと原材料がなくなれば、システム全体が崩壊する。

だが、過去の証拠を見ればわかるとおり、両者が有限であるというのは理論上のことにすぎない。直感には反するが、過去数世紀の間に人類のエネルギーと原材料の使用量は爆発的に増えたものの、私たちが使用できる量はじつは増加した。どちらか一方の不足で経済成長が減速する恐れが出るたびに、科学とテクノロジーの研究に資本が流れ込んだ。そうした投資は必ず実を結び、既存の資源のより効率的な利用法だけでなく、まったく新しい種類のエネルギーと原材料が見つかった。

輸送手段の製造産業を考えてほしい。過去三〇〇年にわたって、人類は荷車や手押し車から、鉄道車両や自動車、超音速ジェット機、スペースシャトルまで、厖大《ぼうだい》な数の運搬具や乗り物を製造してきた。これほどの規模の生産を行なえば、製造に必要なエネルギー資源も原材料も尽き果て、今ではかろうじて残ったものを掻《か》き集めて使っているのではないかと思う向きもあるだろう。ところが、じつはその逆なのだ。一七〇〇年には世界の輸送手段の製造業界は圧倒的に木と鉄に頼っていたのに対して、今日《こんにち》ではプラスティックやゴム、アルミニウム、チタンといった新たに発見された多様な材料が使える。私たちの祖先は、これらの材料など知りもしなかった。そして、一七〇〇年には荷車は主に車職人と鍛冶《かじ》職人の筋肉の力で造られていたのに対して、今日ではトヨタやボーイングの工場は石油を使った燃焼機関や原子力発電所から動力を得ている。同じような革命が、他のほぼすべての産業分野を席巻《せっけん》した。それを私たちは「産業革命」と呼ぶ。

産業革命以前、人類は何千年にもわたって、多種多様なエネルギー源を利用する方法をすでに知っていた。人々は木を燃やして鉄を溶融させ、家を暖め、ケーキを焼いた。帆船は風力を使って動き回り、水車は川の流れを利用して穀物を挽《ひ》いた。だが、これらにはみな、明確な限界と問題があった。木はどこでも手に入るわけではないし、風は必要なときにいつも吹くとはかぎらなかったし、水力は川のそばに住んでいるときにしか役に立たなかった。

さらに大きな問題は、一つの種類のエネルギーを別の種類のエネルギーに変換する方法がわからなかったことだ。風と水の動きを利用して、船を帆走させたり、挽き臼《うす》を回したりすることはできたが、水を温めたり、鉄を溶融させたりすることはできなかった。逆に、木を燃やしたときに出る熱エネルギーを使って挽き臼を回すこともできなかった。人類はそのようなエネルギー変換の離れ業《わざ》をやってのけられる機械を一つしか持っていなかった。すなわち、肉体だ。代謝という自然の過程によって、人間や他の動物の身体は食物という有機燃料を燃やして、放出されたエネルギーを筋肉の動きに変換する。人間も獣も穀物と肉を食べ、それに含まれる炭水化物と脂肪を燃やし、得られたエネルギーを使って人力車や鋤《すき》を引くことができた。

使うことができるエネルギー変換装置は人間と動物の身体だけだったので、人間の活動のほぼすべてにとって筋肉の力がカギだった。人間の筋肉が荷車を造り、家を建て、牛の筋肉が畑を耕し、馬の筋肉が品物を運んだ。これらの有機的筋肉機械の燃料となるエネルギーは、最終的には単一の源泉、すなわち植物に由来した。植物自体は、太陽からエネルギーを獲得していた。植物は光合成の過程で太陽エネルギーを捉え、有機化合物に詰め込んだ。歴史を通して人々がやったことのほぼすべてが、植物が捉えた後、筋肉の力に変換された太陽エネルギーを燃料としていた。

したがって人類史は、植物の生長サイクルと太陽エネルギーの変化サイクル（昼と夜、夏と冬）という、主に二つのサイクルに支配されてきた。日光が乏しく、小麦畑がまだ緑のときには、人間にはほとんどエネルギーがなかった。穀倉は空《から》で、収税吏は暇で、兵士は動くのも戦うのもままならず、王は平和を守ることが多かった。だが、太陽が明るく輝き、小麦が実ると、農民は収穫し、穀倉を満たした。収税吏は急いで税を取り立てた。兵士は筋肉を誇示し、剣を研《と》いだ。王は軍議を開き、次の軍事行動の計画を立てた。こうして、捉えられ、小麦や米、ジャガイモに詰め込まれた太陽エネルギーによって誰もが燃料を補給した。

熱を運動に変換する

この長い何千年もの年月に、人々は来る日も来る日もエネルギー生産の歴史で最も重要な発明の種に面と向かっていながら、ついにそれに気づかなかった。それは、主婦か召使いがお茶のために薬缶《やかん》でお湯を沸かしたり、ジャガイモをいっぱい入れた鍋《なべ》をこんろにかけたりするたびに、その人の目に真正面から映ったはずだ。お湯が沸騰すると、薬缶や鍋の蓋《ふた》が跳び上がった。熱が動きに変換されていたのだ。だが、鍋の蓋が躍り上がるのは不愉快だった。とくに、鍋をこんろにかけたままにしてしまい、お湯が吹きこぼれたときには。その本当の可能性に気づく人は誰もいなかった。

熱を動きに変換するという大躍進は、部分的には九世紀の中国で火薬が発明された後に起こった。当初、火薬を使って物を発射するという発想は、あまりにも直感に反していたため、火薬は何世紀にもわたって主に焼夷弾《しょういだん》を作るのに使われた。だがやがて、どこかの爆弾専門家が乳鉢《にゅうばち》で火薬をすり潰《つぶ》していたときに乳棒が吹き飛びでもした後だろうか、銃砲が登場した。火薬の発明から実用的な大砲の開発までには、約六〇〇年が過ぎていた。

大砲ができたときにさえ、熱を運動に変換するという発想は、相変わらずあまりに直感に反していたので、熱を使って物を動かす次なる機械を人々が発明するまでには、さらに三世紀が過ぎた。その新しいテクノロジーは、イギリスの炭鉱で生まれた。イギリスの人口が増えるにしたがい、成長する経済に燃料を提供したり、住宅や畑のための土地を確保したりするために、森林が伐採された。その結果、イギリスはしだいに深刻な薪《たきぎ》不足に苦しむことになった。そこで、代わりに石炭を燃やし始めた。多くの炭層は土壌が極度に多くの水分を含む土地にあったので、炭鉱の深い層は、出水で作業員が近づけなかった。そこで、この問題の解決が待たれた。一七〇〇年ごろ、イギリス中の坑道に奇妙な音が鳴り響き始めた。産業革命の到来を告げるその音は、最初はかすかだったが、月日の流れとともにしだいに大きくなり、ついには耳をつんざくような騒音となって全世界を呑み込んだ。それは蒸気機関が発する音だった。

蒸気機関には多くの種類があるが、そのすべてが一つの共通原理に基づいている。石炭のような燃料を燃やし、生じる熱を使ってお湯を沸かし、蒸気を生み出す。蒸気は膨張するときにピストンを押す。ピストンが動き、何であれピストンにつながった物もいっしょに動く。熱を運動に変換できたのだ！　一八世紀のイギリスの炭鉱では、ピストンをポンプにつなぎ、そのポンプで坑道の底から水を汲み出した。最初期の蒸気機関は信じられないほど効率が悪かった。わずかの水を汲み出すためにさえ、厖大な量の石炭を燃やす必要があった。だが、炭鉱には石炭が手近にたっぷりあったので、気にする人などいなかった。

その後の数十年間に、イギリスの起業家たちは蒸気機関の効率を上げ、坑道から引っ張り出し、織機《しょつき》や綿《わた》繰り機〔訳註　綿花から繊維を分離する機械〕につないだ。これによって織物《おりもの》生産に革命がもたらされ、安価な織物をしだいに多く生産できるようになった。イギリスは瞬く間に世界の織物工場になった。だが、それ以上に重要だったのは、蒸気機関を炭鉱の外の世界に引っ張り出すことによって、大きな発想の壁が崩れたことだ。石炭を燃やして織機を動かせるのなら、同じ方法を使って他の物、たとえば乗り物を動かさない手はないではないか。

一八二五年、あるイギリスの技術者が、石炭を満載した炭鉱の貨車に蒸気機関をつないだ。この蒸気機関は、二〇キロメートルほどの鉄の線路に沿って、炭鉱から最寄りの港まで貨車を引いていった。これが史上初の蒸気機関車だった。蒸気を使って石炭を輸送できるのなら、他の品物を輸送できるはずだ。いや、人間でさえ輸送できないはずがない。一八三〇年九月一五日、リヴァプールとマンチェスターを結ぶ、初の営利鉄道路線が開業した。列車は、それまで水を汲み出したり織機を動かしたりしていたのと同じ蒸気の力で動いた。それからわずか二〇年後、イギリスには何万キロメートルもの鉄道線路が敷設されていた[1]。

それ以降、人々は機械と機関を使えば一つの種類のエネルギーを別の種類のエネルギーに変換できるという発想に取り憑《つ》かれるようになった。適切な機械さえ発明できれば、世界のどこでも、どんな種類のエネルギーでも、私たちのどんな必要でも満たすために利用できるのだ。たとえば、原子の中には途方もないエネルギーが蓄えられていることに物理学者たちが気づいたとき、彼らはこのエネルギーを放出させて発電に使う方法や潜水艦の動力にする方法、都市を破壊し尽くす方法をただちに考え始めた。中国の錬金術師が火薬を発明してから、トルコの大砲がコンスタンティノープルの城壁を粉砕するまでには、六〇〇年の時が流れた。だが、どんな種類の質量もエネルギーに変換できる（$E=mc^2$という式はそういう意味だ）とアインシュタインが結論してから、広島と長崎を原子爆弾が壊滅させ、世界中に原子力発電所が続々と建設されるまでには、わずか四〇年の月日が過ぎただけだった。

　決定的に重要な発明は他にもある。内燃機関の発明もその一つだ。内燃機関はたった一世代ほどのうちに、人類の輸送手段に大変革をもたらし、石油を液状の政治権力に変えた。石油はすでに何千年も前から知られており、防水のために屋根に塗ったり、動きを滑らかにするために車軸に塗ったりされていた。だが、ほんの一世紀前まで、せいぜいその程度の役にしか立たないものと誰もが思っていた。石油のために血を流すのは馬鹿馬鹿しく思えただろう。土地や金、香辛料、奴隷をめぐって争うことはあっても、石油の争奪戦など、考えられなかった。

　石油よりもさらに驚異的なのが、電気の歴史だ。二世紀前には、電気は経済で何の役割も果たしておらず、使われたとしても、不可解な科学実験や安っぽい魔法のトリックでぐらいのものだった。それが、一連の発明のおかげで、私たちにとって何でも願い事をかなえてくれるランプの魔人となった。私たちがパチンと指を鳴らすと、本を印刷し、服を縫《ぬ》い、野菜を新鮮に保ち、アイスクリームを凍ったまま貯蔵し、夕食を調理し、犯罪者を処刑し、思考を保存し、笑顔を記録し、夜を明るく照らし、無数のテレビ番組で楽しませてくれる。電気がどのようにしてこれらすべてを成し遂げるのかを理解している人はほとんどいないが、電気なしの暮らしを想像できる人は、それに輪をかけて少ない。

エネルギーの大洋

じつは産業革命は、エネルギー変換における革命だった。この革命は、私たちが使えるエネルギーに限界がないことを、再三立証してきた。あるいは、もっと正確に言うならば、唯一の限界は私たちの無知によって定められることを立証してきた。私たちは数十年ごとに新しいエネルギー源を発見するので、私たちが使えるエネルギーの総量は増える一方なのだ。

それなのに、エネルギーを使い果たしてしまうことを恐れる人がこれほど多いのはなぜか？　利用可能な化石燃料を枯渇させてしまったら悲惨なことになると彼らが警告するのはなぜか？　この世界でエネルギーが不足していないことは明らかだ。私たちに不足しているのは、私たちの必要性を満たすためにそのエネルギーを利用し、変換するのに必要な知識なのだ。地球上の化石燃料に蓄えられているエネルギーの量は、太陽が毎日無料で与えてくれるエネルギーの量に比べれば、微々たるものにすぎない。太陽のエネルギーのうち、私たちに届くのはほんの一部だが、それでも毎年合計三七六万六八〇〇エクサジュールに達する（「ジュール」はエネルギーの量を表すメートル法の単位で、一ジュールは小ぶりのリンゴ一個を一メートル真っ直ぐ上向きに持ち上げるときに使うエネルギーにほぼ相当する。一エクサジュールは一ジュールの一〇億倍のさらに一〇億倍に等しい。リンゴに換算したら、これはまた大変な数だ！）[2]。世界中の植物が、光合成の過程を通して捉えるのは、そのうち約三〇〇〇エクサジュールだけだ[3]。人間の活動と産業をすべて合わせても、消費するエネルギーは毎年約五〇〇エクサジュールで、これは地球が太陽からわずか九〇分で受け取るエネルギーの量でしかない[4]。しかも、これは太陽エネルギーだけを考えた場合だ。私たちはそれ以外にも、核エネルギーや重力エネルギーのような巨大なエネルギー源に囲まれている。重力は、地球に対する月の引力で起こる大洋の潮汐《ちょうせき》の力を見れば、歴然とする。

産業革命以前、人間のエネルギー市場はほぼ完全に植物に依存していた。人々は年に三〇〇〇エクサジュールを取り込む緑のエネルギー宝庫の傍《かたわ》らで暮らし、できるかぎり多くのエネルギーをそこから引き出そうとした。だが、抽出できる量には明確な限界があった。私たちは産業革命の間に、自分たちがじつは途方もないエネルギーの大洋に接して生きていることに気づき始めた。その大洋は莫大なエネルギーを秘めていた。私たちは、これまでよりも性能の良いポンプを発明しさえすればいいのだ。

エネルギーの利用と変換の方法を学ぶことで、経済成長を減速させるもう一つの問題、すなわち原材料の不足も実質的に解消できた。人類は大量の安価なエネルギーを利用する方法を見つけ出すと、以前には近づき難かった原材料の鉱床などを開発したり（たとえば、シベリアの未開の地で鉄を採掘する）、以前よりますます遠い場所から原材料を輸送したり（たとえば、イギリスの織物工場にオーストラリアの羊毛を供給する）し始めることができた。同時に、科学の飛躍的発展のおかげで、人類はプラスティックなどのまったく新しい原材料を発明したり、シリコンやアルミニウムといった、以前は知られていなかった天然材料を発見したりできた。

　化学者がアルミニウムを発見したのは、ようやく一八二〇年代になってからだったが、この金属を鉱石から分離するのは非常に難しく、しかも高くついた。何十年もの間、アルミニウムは金《きん》よりもはるかに高価だったほどだ。一八六〇年代にフランスの皇帝ナポレオン三世は、最も高貴な客たちをもてなすときのために、アルミニウムのナイフやフォークなどを作らせた。そこまで身分の高くない客たちは、金のナイフやフォークで我慢しなければならなかった。[5]だが、一九世紀末に化学者たちは厖大な量のアルミニウムを安価に分離する方法を発見した。今や世界の年間合計生産量は三〇〇〇万トンにのぼる。ナポレオン三世は自分の臣民の子孫が、サンドイッチをくるんだり、残り物を包んで保存したりするのに安い使い捨てのアルミホイルを使っていると聞いたら、さぞかし驚くだろう。

　二〇〇〇年前、地中海沿岸の人々は肌の乾燥に悩まされたら手にオリーブオイルを塗った。今日はチューブ入りのハンドクリームを塗る。私が地元の店で買った、現代のありふれたハンドクリームの成分リストを次に挙げておく。

脱イオン水、ステアリン酸、グリセリン、カプリリック／カプリックトリグリセリド、プロイレングリコール、ミリスチン酸イソプロピル、オタネニンジン根エキス、香料、セチルアルコール、トリエタノールアミン、ジメチコン、ウバウルシ葉エキス、リン酸アスコルビルマグネシウム、イミダゾリジニル尿素、メチルパラベン、ショウノウ、プロピルパラベン、ヒドロキシイソヘキシル－3－シクロヘキセンカルボキシアルデヒド、ヒドロキシシトロネラール、リナロオール、ブチルフェニルメチルプロパナール、シトロネロール、リモネン、ゲラニオール

これらの成分のほぼすべてが、過去二世紀の間に発明されたり発見されたりしたものだ。

第一次大戦中、ドイツは封鎖されたので、原材料、とくに火薬をはじめとする爆薬に不可欠の成分である硝石《しょうせき》が深刻な不足を来《きた》した。重要極まりない硝石の鉱床はチリとインドにあり、ドイツにはまったくなかった。たしかに、硝石の代わりにアンモニアを使うことはできたが、これまた製造には多額の費用がかかった。ドイツ人にとっては幸いにも、同胞の一人でフリッツ・ハーバーという名のユダヤ人化学者が、空気

からアンモニアを製造する方法を一九〇八年に発見していた。戦争が始まると、ドイツはハーバーの発見を利用して、空気を原材料とした爆薬の工業生産を開始した。ハーバーの発見がなければ、ドイツは一九一八年一一月よりもはるか前に降伏を余儀なくされていただろうと考える学者もいる。(6) この発明でハーバーは、一九一八年にノーベル賞を授与された——平和賞ではなく、化学賞を(ちなみに彼は戦時中、戦闘での毒ガス使用を主導している)。

ベルトコンベヤー上の命

産業革命は、安価で豊富なエネルギーと安価で豊富な原材料との、先例のない組み合わせを実現させた。その結果、人類の生産性は爆発的に向上した。それが真っ先に実感されたのが農業だった。普通、産業革命というと、煙を吐き出す煙突が立ち並ぶ都会の風景や、地の底で重労働に明け暮れる炭鉱労働者の苦境が頭に浮かんでくる。だが産業革命は、何よりもまず、第二次農業革命だったのだ。

過去二〇〇年間に、工業生産方式は農業の大黒柱になった。以前は筋肉の力で行なわれていた作業、あるいはまったく行なわれていなかった作業を、トラクターのような機械がこなし始めた。人工肥料や業務用殺虫剤、多種多様な合成ホルモンや薬剤のおかげで、農地も動物たちも生産性が大幅に上がった。冷蔵庫や船舶、航空機によって、農産物を何か月も貯蔵したり、地球の裏側まで素早く安価に輸送したりできるようになった。ヨーロッパ人はアルゼンチンの新鮮な牛肉や日本の鮨《すし》を楽しみ始めた。

動植物さえもが機械化された。ホモ・サピエンスが人間至上主義の宗教によって神のような地位に祭り上げられたのと同じころ、家畜も痛みや苦しみを感じる生き物と見なされることがなくなり、代わりに機械として扱われるに至った。今日こうした動物たちは、工場のような施設で大量生産されることが多い。その身体は産業の必要性に応じて形作られる。彼らは巨大な製造ラインの歯車として一生を送り、その生存期間の長さと質は、企業の損益によって決まる。業界は、動物たちを生かしておき、そこそこ健康で良い栄養状態に保つ配慮をするときにさえ、彼らの社会的欲求や心理的欲求には本来関心を持たない（ただし、それが生産に直接影響するときは話が別だ）。

たとえば、卵を産むメンドリは、複雑な行動の欲求と衝動を持っている。メンドリたちは周辺を偵察したり、餌《えさ》を漁《あさ》り回ったり、あたりをつついて回ったり、社会的ヒエラルキーを定めたり、巣を作ったり、身づくろいしたりしたいという、強い衝動を感じる。だが、鶏卵産業は、しばしばメンドリを小さな檻《おり》に閉じ込める。一つのケージに四羽も押し込むことも珍しくなく、床の広さにしたら一羽当たり幅二二センチメートル、奥行二五センチメートルほどにしかならない。餌は十分与えられるが、縄張りを確保することも、巣を作ることも、他の自然な活動に従事することもできない。実際、ケージはあまりにも小さいので、羽ばたいたり、完全に真っ直ぐ立ったりすることさえできない。

ブタは哺乳《ほにゅう》動物たちのうちでも非常に知能が高く、好奇心が強く、それを凌《しの》ぐのは大型類人猿ぐらいのものだろう。だが、工場式養豚場では母ブタはあまりに狭い仕切りに入れられるので、文字どおり、向きを変えることすらできない（歩いたり餌を漁り回ったりできないことは言うまでもない）。母ブタたちは出産後の四週間、朝から晩までこのような仕切りの中に閉じ込められたままにされる。子供たちは連れ去られて太らされ、母ブタは次の子供たちを妊娠させられる。

多くの乳牛は狭い囲いの中で、定められた生涯のほぼ全期間を、自分の排泄物の中で立ったり、座ったり、寝たりしながら過ごす。機械で餌とホルモン剤と薬剤を与えられ、別の機械で数時間ごとに搾乳される。そこに存在するのは、乳牛というより、原材料を取り込む口と、商品を生み出す乳房でしかない。複雑な感情の世界を持っている生き物を、あたかも機械であるかのように扱えば、身体的不快感ばかりでなく、多大な社会的ストレスや心理的欲求不満を引き起こす可能性が高い(7)。

大西洋奴隷貿易がアフリカ人に対する憎しみに端を発したわけではないのとちょうど同じで、今日の畜産業も悪意に動機づけられてはいない。これもまた、無関心が原

図38　民間の孵化《ふか》場でベルトコンベヤーに乗せられたヒヨコたち。オスのヒヨコと不完全なメスのヒヨコはベルトコンベヤーから降ろされ、ガス室で窒息死させられたり、自動シュレッダーに放り込まれたり、そのままゴミの中に投げ込まれ、潰されて死んだりする。このような孵化場では毎年何億羽ものヒヨコが死ぬ。

動力なのだ。卵や牛乳、食肉を生産したり消費したりする人の大半は、自分が飲食しているもののもとであるニワトリや牛やブタの運命について、立ち止まって考えることは稀《まれ》だ。また、しばしば考える人は、そのような動物はじつは機械とほとんど変わらず、感覚も感情も、苦しむ能力もないと主張する。皮肉にも、私たちの「牛乳製造機械」や「鶏卵製造機械」を形作るまさにその科学の諸分野が最近、哺乳類や鳥類には複雑な感覚構造と感情構造があることを、合理的な疑いを差し挟む余地がないほどまで立証した。彼らは身体的苦痛を感じるだけでなく、精神的苦痛も受けうるのだ。

進化心理学では、家畜の感情的欲求や社会的欲求は、野生の時代に進化したとされている。それが生存と繁殖に不可欠だったからだ。たとえば、野生の牛は他の牛たちと親密な関係を結ぶ術《すべ》を知っていなければならない。さもないと、生存も繁殖もできないからだ。必要な技能を学ばせるために、進化は遊びたいという強い欲求を、他のあらゆる社会的哺乳動物の子供と同様に子牛たちにも植えつけた（遊びは、哺乳動物が社会的行動を学ぶ方法だ）。そして、母親と結びつきたいという、なおさら強い欲望も植えつけた。母親の乳と世話がなければ生き残れないからだ。

今日、農民が幼い子牛を捕まえて母親から引き離し、閉じたケージに入れ、餌と水を与え、病気に対する予防接種をし、成長すると雄牛の精子で妊娠させたらどうなるのか？　客観的な視点に立てば、この子牛は生き残って繁殖するために、もはや母親との絆作りも、遊び仲間も必要としない。だが、主観的な視点に立てば、子牛は依然として母親と強く結びついたり、他の子牛たちと遊んだりしたいという強い衝動を覚える。もしこうした衝動が満たされなければ、子牛はひどく苦しむ。これこそが進化心理学の基本的教訓だ。自然界で形作られた欲求は、もはや生存と繁殖に本当は必要なくなったときにさえ、主観的には依然として感じられる。工業化された農業の悲劇は、動物たちの客観的欲求を満たすことにはおおいに心を砕くのに対して、主観的欲求は無視する点にある。

この説が正しいことは、遅くとも一九五〇年代には知られていた。アメリカの心理学者ハリー・ハーロウによる、サルの発達の研究のおかげだ。ハーロウはサルの赤ん坊たちを誕生後数時間で母親から引き離した。そして、一頭ずつ別のケージに入れ、「代理母」で育てた。ハーロウはそれぞれのケージに二体の代理母を用意した。一方は針金でできており、サルの赤ん坊が吸えるように、哺乳瓶を取りつけてあった。もう一方は木で作って布を掛けてあり、本物の母親に似せてあったが、サルの赤ん坊が生命を維持するのに必要な栄養はいっさい提供しなかった。赤ん坊たちは、栄養を与えてくれない布の母親よりも、ミルクを与えてくれる金属の母親にしがみつくのとハーロウは予想した。

図39　ハーロウのサルの孤児が、金属の母親の哺乳瓶を吸う間にさえ、布の母親にしがみついているところ。

ところが意外にも、サルの赤ん坊たちは、布の母親をはっきり選び、ほとんどの時間を彼女とともに過ごした。二体の代理母を隣どうしに置くと、金属の母親の哺乳瓶からミルクを吸う間も、布の母親にしがみついていた。赤ん坊たちがそうするのは、寒かったからではないかとハーロウは思った。そこで彼は針金の母親の中に電球を取りつけ、熱を発するようにした。それでも、ごく幼いサルを除けば、ほとんどのサルが布の母親を選び続けた。

その後も研究を続けると、ハーロウのサルの孤児たちは、必要な栄養はすべて与えられていたにもかかわらず、成長後に情緒障害の症状を見せた。彼らはサルの社会に溶け込めず、他のサルたちと意思を疎通させるのが難しく、不安と攻撃性のレベルが高かった。したがって、次のように結論を下さざるをえなかった。サルたちは、物質的な必要に加えて、心理的な欲求や欲望も持っており、それが満たされないとおおいに害を受けるのだ。ハーロウのサルの赤ん坊たちが、栄養を与えてくれない布の母親の下で時間を過ごすのを選んだのは、ミルクだけではなく情緒的な絆も求めていたからだった。その後の数十年間に行なわれた多数の研究から、この結論がサルだけではなく他の哺乳動物や鳥類にも当てはまることがわかった。現時点では、厖大な数の家畜がハーロウのサルたちと同じ憂き目に遭っている。農民は日常的に子牛や子ヤギ、その他の動物の子供を母親から引き離し、隔離して育てているからだ(8)。

今日、合計すると何百億もの家畜が機械化された製造ラインの一部と化して暮らしており、毎年そのうち約五〇〇億が殺される。このような工業化された畜産法は、農業生産と人間の食糧備蓄の急激な増加につながった。工業化された畜産業は、植物栽培の機械化と相まって、現代の社会経済的な秩序全体の基礎を成している。農業の工業化以前は、畑や農場で生産された食物の大半は、農民や家畜を食べさせるために「浪費」された。職人や教師、聖職者、官僚を養うのに回せる割合はほんのわずかだった。したがって、ほぼすべての社会では農民が人口の九割以上を占めていた。だが、農業の工業化以降は、しだいに少ない数の農民で、しだいに多くの事務員や工場労働者を養えるようになった。今日のアメリカ合衆国では、農業で生計を立てている人は人口の二パーセントしかいないが、その二パーセントでアメリカの全人口を養うだけではなく、余剰分を国外に輸出できるほど多くを生産している。[9] 農業の工業化がなければ、都市での産業革命はけっして起こらなかっただろう。工場やオフィスに回せるだけの人手と頭脳が足りなかっただろうから。

　これらの工場やオフィスは、野良仕事から解放された厖大な数の人手と頭脳を吸収するにつれ、空前の量の製品を世に送り出し始めた。人類は今、かつてなかったほど大量の鉄鋼を生産し、衣料を製造し、建物を建てている。さらに、電球や携帯電話、カメラ、食器洗い機など、かつては想像すらできなかった、気が遠くなるほど多様な品物を生み出している。人類史上初めて、供給が需要を追い越し始めた。そして、まったく新しい問題が生じた。いったい誰がこれほど多くのものを買うのか？

ショッピングの時代

現代の資本主義経済は、泳いでいなければ窒息してしまうサメのように、存続するためにはたえず生産を増大させなければならない。とはいえ、ただ生産するだけでは足りない。製品を買ってくれる人がいなければ、製造業者も投資家もそろって破産する。そのような惨事を防ぎ、業界が何であれ新しいものを生産したときには人々がいつも必ず買ってくれるようにするために、新しい種類の価値体系が登場した。消費主義だ。

歴史を通じて、ほとんどの人は欠乏状態で生きてきた。したがって、倹約こそが彼らのモットーだった。清教徒やスパルタ人の質素な倫理観は有名だが、他にも例には事欠かない。正しい人は贅沢《ぜいたく》を避け、けっして食べ物を捨てず、服が破れたら新しいものを買わずに繕《つくろ》う。そうした価値観を公然と捨て、富をこれ見よがしに誇示することを許されていたのは王侯貴族だけだった。

ところが消費主義は、ますます多くの製品やサービスの消費を好ましいことと見なす。そして、人々が自腹を切って楽しみ、自分を甘やかすよう促し、さらには過剰な消費によって徐々に自らを破滅に追い込むことさえ奨励する。倹約は病気であり、治さなければならない。この消費主義の価値体系が働いている様子は、わざわざ探すまでもなく、すぐ身近に見られる。シリアルの箱の裏側を読みさえすればいい。私のお気に入りの朝食用シリアルのうち、イスラエルのテルマ社が生産しているものの箱から少し引用しよう。

> ときにはご馳走が必要になります。ときには少しばかり多くのエネルギーが必要となります。そして、体重に注意しなければならないときや、どうしても何か食べなければならないときもあります……今すぐに！　テルマはあなたにぴったりの、さまざまな美味しいシリアルを提供します――後悔しないで食べられるご馳走を。

この箱には、ヘルス・トリーツという別のシリアルのブランドの広告も載っている。

> ヘルス・トリーツには穀物、フルーツ、ナッツがたっぷり入っていて、美味しさと喜びと健康をいっぺんに経験できます。一日の途中で取る、健康なライフスタイルにぴったりの、楽しいご馳走です。ちょっとリッチな素晴らしい味の、本物のご

馳走です。

人々は歴史の大半を通して、このような文句には惹《ひ》かれるよりも反発する可能性のほうが高かった。彼らはきっと、こんなものは手前勝手で、退廃的で、道徳的に堕落していると決めつけただろう。消費主義は通俗心理学（「やるしかない！」《ジャスト・ドゥー・イット》）〔訳註　ナイキのキャッチフレーズ〕）の助けを借りて、懸命に人々を説得し、欲望の満足は自分にとって良いことであるのに対して、倹約は自己虐待だと思い込ませようとした。

そしてそれに成功した。私たちはみな、良き消費者となった。私たちは、本当は必要なく、前日まであることすら知らなかった無数の製品を買う。製造業者は意図的に短期商品を生産し、完璧に満足できる製品があるのに、不必要な新モデルを生み出し、流行に後れないためにはぜひ買わなければならないようにする。ショッピングは人気のある娯楽となり、消費財は家族や配偶者、友人の間の関係において必須の媒介者となった。クリスマスのような宗教関係の祭日は大々的なショッピングの機会に仕立て上げられた。アメリカでは、本来、戦場で亡くなった将兵を追悼する厳粛な日だった戦没将兵追悼記念日にさえ、今や特別セールが行なわれる。ほとんどの人はこの日にショッピングに行く——それによって、自由の擁護者たちの死は無駄ではなかったことを立証できるのかもしれないが。

消費主義の価値体系が隆盛を誇っている様子は、食品市場に最も顕著に表れている。伝統的な農耕社会は、飢饉《ききん》の恐ろしい影におびえながら生活していた。ところが今日の豊かな世界では、致命的な健康問題の一つが肥満だ。犠牲者は豊かな人（有機栽培の食材を使ったサラダを食べ、果物のスムージーを飲む人）よりも、貧しい人（ハンバーガーやピザをお腹に詰め込む人）のほうがなおさら多い。アメリカ人は毎年、世界の他の地域の飢えた人全員を養うのに必要とされる以上の金額をダイエット食品に費やす。肥満は消費主義にとって二重の勝利だ。食べる量を減らせば経済は縮小するが、人々はそうする代わりに食べ過ぎ、その挙句、減量用の製品などを買い、経済成長に二重に貢献しているからだ。

利益は浪費されてはならず、生産に再投資するべきであるとする実業家の資本主義の価値体系と、消費主義の価値体系との折り合いを、どうすればつけられるか？　じつに単純な話だ。過去の各時代にそうだったように、今もエリート層と大衆の間には分業がある。中世のヨーロッパでは、貴族階級の人々は派手に散財して贅沢をしたのに対して、農民たちはわずかのお金も無駄にせず、質素に暮らした。今日、状況は逆転した。豊かな人々は細心の注意を払って資産や投資を管理しているのに対して、裕福ではない人々は本当は必要のない自動車やテレビを買って借金に陥る。

資本主義と消費主義の価値体系は、表裏一体であり、二つの戒律が合わさったものだ。富める者の至高の戒律は、「投資せよ！」であり、それ以外の人々の至高の戒律は「買え！」だ。

資本主義・消費主義の価値体系は、別の面でも革命的だ。以前の倫理体系の大半は、人々にずいぶんと厳しい条件を突きつけてきた。人々は楽園を約束されたが、それは思いやりと寛容さを養い、渇望と怒りを克服し、利己心を抑え込んだ場合に限られた。ほとんどの人にとって、これはあまりに難し過ぎた。倫理の歴史は、誰も達成できない素晴らしい理想の悲しい物語だ。キリスト教徒の大半はキリストを真似ず、仏教徒の大半はブッダに倣《なら》えず、儒者の大半は孔子に癇癪《かんしゃく》を起こさせただろうような振る舞いを見せた。

それとは対照的に、今日ではほとんどの人が資本主義・消費主義の理想を首尾良く体現している。この新しい価値体系も楽園を約束するが、その条件は、富める者が強欲であり続け、さらにお金を儲《もう》けるために時間を使い、一般大衆が自らの渇望と感情にしたい放題にさせ、ますます多くを買うことだ。これは、信奉者が求められたことを実際にやっている、史上最初の宗教だ。だが、引き換えに本当に楽園が手に入ると、どうしてわかるのか？　それは、テレビで見たからだ。

第18章　国家と市場経済がもたらした世界平和

産業革命によって、エネルギーの変換と財の生産に新たな道がつけられ、人類はおおむね、周囲の生態系に依存しなくて済むようになった。人間は森を切り拓《ひら》き、湿地を干拓し、川を堰《せ》き止め、平原を灌漑《かんがい》し、何万キロメートルもの鉄道線路を敷き、超高層建築のそびえる大都市を建設した。ホモ・サピエンスの必要性に応じて世界が造り替えられるにつれて、動植物の生息環境は破壊され、多くの種が絶滅した。かつては緑豊かな青い惑星だった私たちの地球は、コンクリートとプラスティックのショッピングセンターに変貌しつつある。

今日《こんにち》、地球上の大陸には七〇億近くものサピエンスが暮らしている。全員を巨大な秤《はかり》に載せたとしたら、その総重量はおよそ三億トンにもなる。もし乳牛やブタ、ヒツジ、ニワトリなど、人類が農場で飼育している家畜を、さらに巨大な秤にすべて載せたとしたら、その重量は約七億トンになるだろう。対照的に、ヤマアラシやペンギンからゾウやクジラまで、残存する大型の野生動物の総重量は、一億トンに満たない。児童書や図画やテレビ画面には、今も頻繁《ひんぱん》にキリンやオオカミ、チンパンジーが登場するが、現実の世界で生き残っているのはごく少数だ。世界には一五億頭の畜牛がいるのに対して、キリンは八万頭ほどだ。四億頭の飼い犬に対して、オオカミは二〇万頭しかいない。チンパンジーがわずか二五万頭であるのに対して、ヒトは何十億人にものぼる。人類はまさに世界を征服したのだ。(1)

生態系の悪化は、資源不足とは違う。前章で見たとおり、人類が利用できる資源はたえず増加しており、今後もこの傾向は続く可能性が高い。資源が枯渇するという破滅的な予言がおそらく見当外れだと思われる理由もそこにある。逆に、生態系悪化の懸念については、十分過ぎるほどの確かな根拠がある。将来サピエンスは豊富な新材料とエネルギー源を支配できるようになるかもしれないが、同時に、残っている自然の生息環境を破壊し、他の生物種の大多数を絶滅に追いやるかもしれない。

じつのところ、生態系の大きな混乱は、ホモ・サピエンス自体の存続を脅《おびや》かしかねない。地球温暖化や海面上昇、広範な汚染のせいで、地球が私たちの種《しゅ》にとって住みにくい場所になる恐れもあり、結果として将来、人間の力と、人間が誘発した自然災害との間で果てしない鍔迫《つばぜ》り合いが繰り広げられることになるかもしれない。人間が持てる能力を濫用《らんよう》し、自然の力に抗《あらが》って、自らの必要や気まぐれを満たすために生態系を意のままに操ろうとすれば、予想外の危険な副次的影響がしだいに増えていく恐れがある。こうした影響はおそらく、生態系に一段と大きく手を加えることでしか制御できない。だがそれは、さらに深刻な混乱を招くだろう。

多くの人が、この過程を「自然破壊」と呼ぶ。だが実際には、これは破壊ではなく変更だ。自然はけっして破壊できない。六五〇〇万年前、小惑星の衝突によって恐竜が絶滅したが、同時に哺乳類《ほにゅう》繁栄への道が拓《ひら》かれた。今日、人類は多くの種を絶滅に追い込みつつあり、自らをも消滅させかねない状況にある。だが、非常にうまく適応している生物もいる。たとえば、ネズミやゴキブリは隆盛を誇っている。こうした強靭《きょうじん》な生き物たちはおそらく、核兵器による最終決戦後に煙の立ち上る瓦礫《がれき》の下から這《は》い出てきて、待っていましたとばかりに自分のDNAを広めることができるだろう。今から六五〇〇万年もすれば、高い知能を得たネズミたちが人間の行なった大量殺戮《さつりく》を振り返って、ありがたく思うかもしれない。ちょうど私たちが今日、恐竜を破滅させたあの小惑星に感謝できるように。

それでもやはり、私たち人類が絶滅するという風説は時期尚早だ。産業革命以来、世界人口はかつてない勢いで増えている。一七〇〇年には、世界で約七億人が暮らしていた。一八〇〇年には、人口は九億五〇〇〇万になった。一九〇〇年までに、その数字はほぼ倍増して、一六億になった。そして二〇〇〇年には、人口はその四倍の六〇億に増大した。現在では、サピエンスの数は間もなく七〇億に達しようとしている。

近代の時間

これほど多くのサピエンスは、しだいに自然の気まぐれに振り回されなくなる一方で、近代産業と政府の命令にはかつてないほど支配されるに至った。産業革命は、さまざまな社会工学の試みの実施を次々に可能にし、日常生活と人間の精神構造にさらに多くの想定外の変化を続々と生む結果となった。多くの変化の一例として、伝統的な農業のリズムが画一的で正確な産業活動のスケジュールに置き換わったことが挙げられる。

伝統的な農業は、自然の時間のサイクルと動植物本来の生育サイクルに依存していた。たいていの社会では、時間を正確に計測することができなかったし、時間の計測にそれほど関心もなかった。時計も時間表もなく、太陽の動きと植物の生長サイクルにのみ従って、世の中は回っていた。画一的な就業時間などなく、やるべき仕事は季節ごとに大きく異なった。人々は太陽の位置を知り、雨季や収穫時期の兆候を注意深く見守ってはいたが、正確な時刻は知らず、暦年などほとんど気にも留めなかった。タイムトラベラーが中世の村に迷い込んで、通りすがりの人に「今は何年ですか？」

図40　工場の製造ラインの歯車に巻き込まれた素朴な労働者を演じるチャールズ・チャップリン。映画『モダン・タイムス』（1936年）より。

と尋ねたら、その村人は見知らぬ人物のおかしな恰好に驚くばかりか、わけのわからないその質問に面食らってしまうだろう。

中世の農民や靴職人とは対照的に、近代産業は太陽や季節をほとんど意に介さない。それに代わって、正確さと画一性を神聖視する。一例を挙げよう。中世の靴工房では、それぞれの職人が靴底から留め金まで、靴全体を一人で製作した。職人の一人が仕事に出てくるのが遅れたとしても、他の人の仕事が滞ることはなかった。だが、近代の履物《はきもの》工場の製造ラインでは、各労働者が受け持ちの機械を使って靴のごく一部を製作し、それを次の機械へと順に送り出す。そのため、もし五番の機械を操作する作業員が寝過ごせば、他の機械もすべて止まる。このような惨事を回避するためには、全員が厳密な時間表を忠実に守らなければならない。労働者はみな、まったく同じ時刻に出勤して配置に就く。空腹かどうかにかかわらず、誰もが一斉に昼休みをとる。そして、仕事をやり終えたときではなく、就業時間が終了したことを告げる合図があったときに全員家に帰る。

産業革命によって、時間表と製造ラインは、人間のほぼあらゆる活動の定型《テンプレート》になった。工場で人々の行動に時間枠が課せられると、厳密な時間表はほどなく学校でも採用され、次いで病院や官庁、食料品店でも導入された。製造ラインや機械とは無縁の場所においてさえ、時間表がすべてを支配するようになった。工場の勤務が夕方五時に終わるのであれば、近隣の酒場は、五時二分には店を開いておいたほうがいいからだ。

時間表制の普及に欠かせなかったのが、公共交通機関だ。労働者が朝八時に仕事を始める必要があるとしたら、通勤客を乗せた鉄道やバスは、七時五五分には工場の入口に到着していなければならない。数分遅れただけで生産活動に支障を来《きた》し、不運にも遅刻した労働者は解雇さえされるかもしれなかった。一七八四年に、公表された時刻表に基づく馬車サービスがイギリスで営業を開始した。ただし、その時刻表で定められていたのは出発時刻だけで、到着時刻の記載はなかった。当時のイギリスでは、市や町ごとに時刻が違っていたので、ロンドンの時刻とは最大で三〇分の開きがあった。ロンドンで正午のとき、リヴァプールでは一二時二〇分、カンタベリーでは一一時五〇分ということがありえた。リヴァプールでは一二時二〇分、……電話もラジオもテレビもなく、急行列車も走っていない時代だ。各地の時刻を知りえ、気にする者など誰もいなかった。(2)

一八三〇年、リヴァプールとマンチェスターの間で、史上初めて営利の鉄道サービスが営業を開始した。その一〇年後には、初めて列車の時刻表が公表された。鉄道は従来の馬車よりも格段に速かったので、各地の時刻の呆《あき》れるほどの不統一は、大変な頭痛の種となった。そこでイギリスの鉄道会社各社は、一八四七年に一堂に会して相談し、以後すべての鉄道時刻表は、リヴァプールやマンチェスター、グラスゴーなどの現地時間ではなく、グリニッジ天文台の時刻に準ずることで合意した。その後、この鉄道業界の例に倣《なら》う機関が続々と登場した。そして一八八〇年にはついにイギリス政府が、同国におけるすべての時間表はグリニッジの時刻に準ずることを定めた法律を制定するという、前代未聞の措置を採った。歴史上初めて、一国が国内標準時を導入し、各地の時刻や日の出から日の入りまでのサイクルではなく、人為的な時刻に従って暮らすことを国民に義務づけたのだ。

このささやかな始まりがやがて、秒以下のごく小さな単位まで合致した時間表のグローバル・ネットワークを誕生させることになった。放送媒体（最初にラジオ、続いてテレビ）は登場すると同時に、時間表の世界に足を踏み入れ、その主要な実践者となり、熱烈な伝道者となった。ラジオ局が最初に放送したものの一つが時報で、この信号音によって、遠く離れた集落でも海上の船でも時計を合わせることが可能になった。そのうちに、ラジオ局では毎正時にニュースを放送するのが慣わしになった。現在でもニュース番組の最初の項目は、（戦争勃発さえも凌《しの》ぐ重要性を持つ）時刻だ。第二次大戦中、BBCニュースは、ナチス占領下のヨーロッパに向けて放送されていた。番組冒頭では必ず、正時を告げるビッグベン〔訳註　イギリス議会議事堂時計塔の大時鐘〕の鐘の音が生中継された——自由を告げる魔法の響きだ。独創性に富んだドイツの物理学者たちは、聞こえてくる鐘の音の微妙な違いに基づいて、ロンドンの天候を突き止める方法を発見した。この情報は、ドイツ空軍にとってきわめて貴重な支援になった。イギリスの諜報《ちようほう》機関はこの事実を把握すると、この有名な時報を生放送から、毎回同じ録音の放送に切り替えた。

時間表のネットワークを運営するために、安価だが正確で持ち運びのできる時計が普及した。アッシリアやササン朝、インカ帝国の町には、時計はあったとしても、日時計がせいぜい数個ぐらいだっただろう。中世ヨーロッパの町には通常、一つずつ時計があった。町の広場に建つ高い塔のてっぺんに据えつけられた巨大な時計だ。塔の上のこうした時計は、不正確なことで知られていたが、そもそも町には他に時計が一つもないのだから、ずれが生じることもなく、さしたる問題はなかった。今日、裕福な家庭には、中世の一国にあった時計を全部合わせたよりも多くの時計がある。腕時計を見たり、携帯端末に目をやったり、ベッド脇の目覚まし時計に視線を走らせたり、キッチンの壁掛け時計をじっと見たり、電子レンジを見つめたり、テレビやＤＶＤをちらっと見たり、パソコン上のタスクバーを目の端で捉えたりするだけで、すぐに時刻がわかる。時刻を知らずにいることにこそ、意識的な努力を要するのだ。

人はたいてい、日に数十回もこうした時計に目をやる。というのも、私たちは何をするにしても、ほぼ例外なく時間どおりにしなくてはならないからだ。私たちは午前七時に目覚まし時計に起こされて、電子レンジで冷凍のベーグルをきっかり五〇秒温め、電動歯ブラシがビーッと鳴るまで三分間歯を磨き、七時四〇分の列車に乗って仕事へ向かい、三〇分たったことを信号音が知らせるまで、ジムのランニングマシンで走り、午後七時にはテレビの前に座って、お気に入りの番組を観るが、その番組は前もって決まった時々に、秒単価一〇〇〇ドルのコマーシャルに中断される。そして、積もり積もった苦悩をすべて吐き出すために、ついにはセラピストを訪ねるのだが、そのセラピストも、現在の標準的な診療時間である五〇分で、私たちのとりとめのない話を打ち切る。

産業革命は、人間社会に何十もの大激変をもたらした。産業界の時間への適応は、ほんの一例にすぎない。その他の代表的な例には、都市化や小作農階級の消滅、工業プロレタリアートの出現、庶民の地位向上、民主化、若者文化、家父長制の崩壊などがある。

とはいえ以上のような大変動もみな、これまでに人類に降りかかったうちで最も重大な社会変革と比べると、影が薄くなる。その社会変革とは、家族と地域コミュニティの崩壊および、それに取って代わる国家と市場の台頭だ。私たちの知りうるかぎり、人類は当初、すなわち一〇〇万年以上も前から、親密な小規模コミュニティで暮らしており、その成員はほとんどが血縁関係にあった。認知革命と農業革命が起こっても、それは変わらなかった。二つの革命は、家族とコミュニティを結びつけて部族や町、王国、帝国を生み出したが、家族やコミュニティは、あらゆる人間社会の基本構成要素であり続けた。ところが産業革命は、わずか二世紀余りの間に、この基本構成要素をばらばらに分解してのけた。そして、伝統的に家族やコミュニティが果たしてきた役割の大部分は、国家と市場の手に移った。

家族とコミュニティの崩壊

産業革命以前は、ほとんどの人の日常生活は、古来の三つの枠組み、すなわち、核家族、拡大家族、親密な地域コミュニティ[*]の中で営まれていた。人々はたいてい、家族で営む農場や工房といった家業に就いていた。さもなければ、近隣の人の家業を手伝っていた。また、家族は福祉制度であり、医療制度であり、教育制度であり、建設業界であり、労働組合であり、年金基金であり、保険会社であり、ラジオ・テレビ・新聞であり、銀行であり、警察でさえあった。

誰かが病気になると、家族が看病に当たった。誰かが歳を取れば家族が世話をし、子供たちが年金の役割を果たした。誰かが亡くなると、家族が残された子供の面倒を見た。誰かが家を建てたいと思えば、家族が手伝った。誰かが新たな仕事を始めたいと思えば、家族が必要な資金を用立てた。誰かが身を固めたいと思えば、家族がその相手候補を選んだり、少なくとも厳しく審査したりした。誰かが隣人と揉《も》め事を起こせば、家族が加勢に入った。だが、病状が重すぎて家族の手には負えなくなったとき、

＊「親密な地域コミュニティ」とは、互いをよく知り、生き延びるために相互に依存している人々の集団のことをいう。

あるいは、新たな商売を起こすために大きな投資が必要なとき、さらには、近隣の揉め事が暴力沙汰にまで発展したときには、地域コミュニティが助け舟を出した。

コミュニティは、地元の伝統と互恵制度に基づいて、救済の手を差し伸べた。多くの場合、それは自由市場の需要と供給の法則とは大きく異なっていた。昔ながらの中世のコミュニティでは、助けを必要とする隣人がいれば、見返りの報酬など期待せずに、家を建てたり、ヒツジの番をしたりするのに手を貸した。そして自分が助けを必要としたときには、今度は隣人が恩を返してくれるのだった。その一方で、地域の支配者が村人を全員徴集して、一銭も支払うことなく、城館の建設に当たらせることもあった。その代わりに村人は、略奪者や蛮族から守ってくれる存在として、その支配者を頼みにできた。村の生活の中では、多くの取引がなされたが、支払いを伴うものはごくわずかだった。もちろん市場があるにはあったが、その役割は限られていた。人々はそこで、珍しい香辛料や生地、道具などを買ったり、法律家に相談したり、医師に診てもらったりすることができた。だが、日常的に利用する品物やサービスのうち、市場で購入する分は全体の一割にも満たなかった。人々が必要とするものの大半は、家族とコミュニティによって賄《まかな》われた。

それ以外に、王国や帝国もあり、戦争を遂行したり、道路を整備したり、宮殿を建造したりといった大規模な事業を行なった。そうした事業のために、君主たちは税を徴収したり、ときには兵士や労働者を徴集したりした。だが、ごくわずかな例外を別にすれば、君主は家族やコミュニティの日常の営みにはかかわりを持たないことが多かった。たとえ介入しようとしても、それにはたいてい大きな困難が伴った。伝統的な農耕経済では、政府の役人や警察官、ソーシャルワーカー、教師、医師といった人々を養うだけの余剰はほとんど存在しなかった。そのため大方の支配者は、福祉や医療、教育の広範な制度などを構築できず、そうした分野は依然として、家族やコミュニティの手に委《ゆだ》ねられていた。支配者が小作農階級の日常生活に精力的な介入を試みた稀《まれ》な事例（中国の秦《しん》帝国で起こったような事例）においても、そうした介入は、家長やコミュニティの長老を政府の役人に取り立てることを通じて行なわれた。

交通と通信の問題から、遠隔地のコミュニティの事柄に介入するのがきわめて難しい場合が多かったため、多くの王国が徴税権や処罰権などの最も基本的な君主の特権さえも、コミュニティに譲り渡すことを選んだ。たとえばオスマン帝国は、強大な直属の警察部隊を維持する代わりに、家族による復讐《ふくしゅう》で処罰を行なうことを許していた。私のいとこが誰かを殺したならば、帝国のお墨付きを得た復讐として、私が被害者の兄弟に殺されるかもしれないのだ。イスタンブールのスルタンはもちろん、地方高官でさえも、実力行使が許容範囲内にあるかぎり、こうした衝突には介入しなかった。

中国の明《みん》帝国（一三六八〜一六四四年）では、保甲《ほこう》制度と呼ばれる制度で民を組織した。一〇世帯を一まとめにして一「甲」とし、一〇「甲」で一「保」を編成した。「保」の成員の一人が罪を犯すと、同じ「保」の成員たち、とくに「保」の長老たちが罰せられた。税も「保」ごとに徴収された。各世帯の状況を査定し、税額を決めるのは、国の役人ではなく「保」の長老たちの責任だった。帝国側から見れば、この制度にはきわめて大きな利点があった。何千もの税吏や収税吏を抱えて、各世帯の収支に目を光らせておくのではなく、そうした職務をコミュニティの長老たちに任せておけたからだ。長老たちは、それぞれの村人の財力を把握しており、通常は帝国の軍隊の関与がなくても、税を取り立てることができた。

王国や帝国の多くはじつのところ、巨大な用心棒組織と大差なかった。君主はマフィアの首領《ドン》で、みかじめ料を取り立て、それと引き換えに、近隣の犯罪組織や地元のチンピラなどが、自分の庇護《ひご》下にある者たちにけっして手を出さないようにしていたのだ。それ以外には、何もしていないに等しかった。

家族やコミュニティの懐《ふところ》に抱かれた生活は、理想とはほど遠かった。家族やコミュニティもまた、近代の国家や市場と同じように、その成員を容赦なく迫害しかねず、内部のダイナミクスはしばしば、緊張関係と暴力に満ちていた。それでも、人々に選択肢はほとんどなかった。一七五〇年ごろには、家族やコミュニティを失えば、その人は死んだも同然だった。仕事もなく、教育も受けられず、病気になったり苦難に直面したりしても、支援は得られなかった。お金を貸してくれる者もなく、厄介な事態に陥っても、誰も守ってくれない。警察官もソーシャルワーカーもいなければ、義務教育もない。こうした人物が生き延びるためには、失ったものの代わりとなる家族やコミュニティをさっさと見つける必要があった。家出した少年や少女に期待できるのは、よくてもよその家族の使用人になることぐらいだった。最悪の場合、軍隊や売春宿に行き着くことになった。

こうした状況はすべて、この二世紀の間に一変した。産業革命は、市場にかつてないほど大きな力を与え、国家には新たな通信と交通の手段を提供して、事務員や教師、警察官、ソーシャルワーカーといった人々を政府が自由に活用できるようにした。ところが当初、市場や国家は自らの力を行使しようとすると、外部の介入を快く思わない伝統的な家族やコミュニティに行く手を阻《はば》まれることに気づいた。親やコミュニティの長老たちは、若い世代が国民主義的な教育制度に洗脳されたり、軍隊に徴集されたり、拠《よ》り所のない都市のプロレタリアートになったりするのを、むざむざと見過ごそうとはしなかった。

そのうち国家や市場は、強大化する自らの力を使って家族やコミュニティの絆を弱めた。国家は警察官を派遣して、家族による復讐を禁止し、それに代えて裁判所による判決を導入した。市場は行商人を送り込んで、地元の積年の伝統を一掃し、たえず変化し続ける商業の方式に置き換えた。だが、それだけでは足りなかった。家族やコミュニティの力を本当の意味で打ち砕くためには、敵方の一部を味方に引き入れる必要があった。

そこで国家と市場は、けっして拒絶できない申し出を人々に持ちかけた。「個人になるのだ」と提唱したのだ。「親の許可を求めることなく、誰でも好きな相手と結婚すればいい。地元の長老らが眉《まゆ》をひそめようとも、何でも自分に向いた仕事をすればいい。たとえ毎週家族との夕食の席に着けないとしても、どこでも好きな所に住めばいい。あなた方はもはや、家族やコミュニティに依存してはいないのだ。我々国家と市場が、代わりにあなた方の面倒を見よう。食事を、住まいを、教育を、医療を、福祉を、職を提供しよう。年金を、保険を、保護を提供しようではないか」

ロマン主義の文学ではよく、国家や市場との戦いに囚《とら》われた者として個人が描かれる。だが、その姿は真実とはかけ離れている。国家と市場は、個人の生みの親であり、この親のおかげで個人は生きていけるのだ。市場があればこそ、私たちは仕事や保険、年金を手に入れられる。専門知識を身につけたければ、公立の学校が必要な教育を提供してくれる。新たに起業したいと思えば、銀行が融資してくれる。家を建てたければ、工事は建設会社に頼めるし、銀行で住宅ローンを組むことも可能で、そのローンは国が補助金を出したり保証したりしている場合もある。暴力行為が発生したときには、警察が守ってくれる。数日間体調を崩したときには、健康保険が私たちの面倒を見てくれる。病が数か月にも及ぶと、社会保障制度が手を差し伸べてくれる。二四時間体制の介護が必要になったときには、市場で介護士を雇うこともできる。介護士はたいてい、世界の反対側から来たようなまったくの他人で、もはや我が子には期待できないほど献身的に私たちの世話をしてくれる。十分な財力があれば、晩年を老人ホームで過ごすこともできる。税務当局は、私たちを個人として扱うので、隣人の税金まで支払うよう求めはしない。裁判所もまた、私たちを個人と見なすので、いとこの犯した罪で人を罰することはけっしてない。

成人男性だけでなく、女性や子供も個人として認められる。歴史の大半を通して、女性はしばしば、家族やコミュニティの財産と見なされてきた。一方、近代国家は、家族やコミュニティとは関係なく、経済的権利と法的権利を享受する個人として、女性を捉える。女性も自分自身の銀行口座を持ち、結婚相手を決められるだけでなく、離婚したり自活したりすることさえ選択できる。

だが、個人の解放には犠牲が伴う。今では、強い絆で結ばれた家族やコミュニティの喪失を嘆き悲しみ、人間味に欠ける国家や市場が私たちの生活に及ぼす力を目の当たりにして、疎外感に苛《さいな》まれ、脅威を覚える人も多い。孤立した個人から成る国家や市場は、強い絆で結ばれた家族とコミュニティから成る国家や社会よりもはるかにたやすく、その成員の生活に介入できる。管理人に支払う額についてさえ合意できない高層マンションの住人たちが、国家に抵抗することなど、どうして期待できるだろうか?

国家と市場と個人の関係は穏やかではない。国家と市場は、相互の権利と義務に関して異議を唱え、個人は、国家も市場も求めるものは多いのに提供するものが少な過ぎると不満を漏らす。市場が個人を搾取したり、国家が軍隊や警察、官僚を動員して、個人を守るのではなく迫害したりすることも多い。ところが、三者の関係は、まがりなりにも機能しているのだから、驚かされる。というのもそれは、無数の世代にわたって続いてきた人間社会の取り決めに反するからだ。何百万年もの進化の過程で、人間はコミュニティの一員として生き、考えるよう設計されてきた。ところがわずか二世紀の間に、私たちは疎外された個人になった。文化の驚異的な力をこれほど明白に証明する例は、他にない。

それでも、近代の風景から核家族が完全に姿を消したわけではない。国家と市場は、経済的役割と政治的役割の大半を家族から取り上げたものの、感情面での重要な役割の一部には手をつけなかった。近代に入っても、家族には相変わらず、きわめて私的

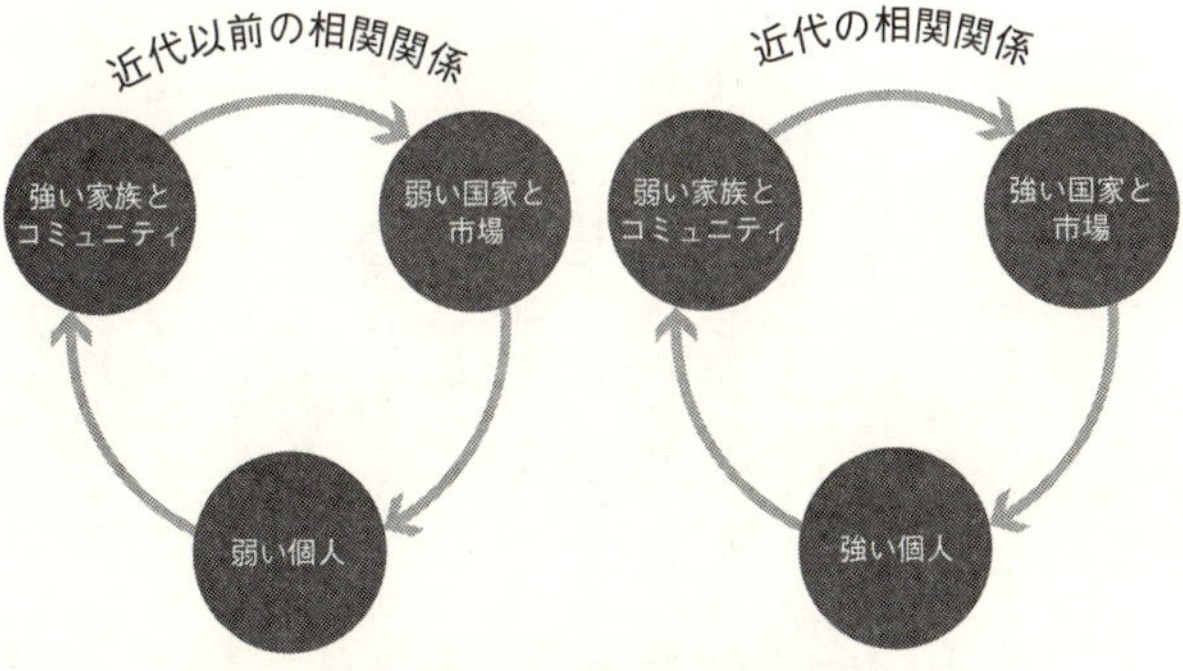

家族とコミュニティ vs. 国家と市場

な欲求を満たすことが期待されており、こうした欲求には、（今のところ）国家や市場では対応できない。とはいえこのような分野でもやはり、家族が介入を受けることが多くなっている。市場は人々の恋愛や性生活に関する行動様式の形成に、ますます大きく関与している。従来、独身者の間を取り持つのは主に家族だったが、今日では私たちの恋愛面での嗜好《しこう》や性的な嗜好を仕立て上げ、その後（高額の手数料と引き換えに）好みの相手を紹介して世話を焼くのは市場だ。以前は、未来の新郎新婦は家族が集う部屋で出会い、父親から父親へと結納《ゆいのう》金が手渡されたものだった。だが今では、愛をささやく場所はバーやカフェに移り、お金は恋人たちから接客係へと渡される。なおさら多くのお金が、ファッション・デザイナーやスポーツ・ジムの経営者、栄養士、美容師、美容整形医の銀行口座に振り込まれる。彼らは、市場の示す理想的な美にできるかぎり近い姿で私たちがバーやカフェに行かれるよう手伝う人々だ。

国家も、家族関係、とりわけ親子関係に厳しく目を光らせるようになった。親には、国家による教育を子供に受けさせる義務が課されている。子供に対して目に余る虐待をしたり、暴力を振るったりする親は、国家による制限を受ける場合がある。必要に応じて、国家はそのような親を刑務所に収監したり、子供を里親に委《ゆだ》ねたりすることさえある。つい最近までは、親が子供を殴ったり侮辱したりするのを国家がやめさせるべきだと主張しても、実効性のない馬鹿げた見解として一蹴されていただろう。たいていの社会では、親の権威は神聖視されていた。親を敬い、その言いつけに従うことは、とりわけ尊ばれる価値観であり、親はといえば、新生児を殺害することから、子供を奴隷として売る、あるいは娘を二倍以上も年嵩《としかさ》の男性に嫁《とつ》がせることまで、思いどおりにほぼ何でもできた。今日、親の権威は見る影もない。子供は年長者に対する服従を免除されることが増える一方で、子供の人生でうまくいかないことがあればすべて親のせいにされる。フロイトの学説が幅を利かせる法廷で親が無罪を勝ち取れる確率は、スターリン派による見せしめ裁判の被告人の場合と同じぐらい低いだろう。

想像上のコミュニティ

コミュニティも核家族と同じく、感情面の代替物なしに私たちの世界から完全に姿を消すわけにはいかなかった。市場や国家は今日、かつてコミュニティが満たしていた物質的必要性の大半に応えているが、部族の絆も提供する必要がある。

市場と国家はこの要求に応えるために、「想像上のコミュニティ」を育成してきた。このコミュニティは、何百万もの見ず知らずの人の集合体で、国や商業の必要性に合致するようにできている。想像上のコミュニティは、実際には互いによく知らない者どうしが想像力を働かせ、知り合いであるかのように振る舞うコミュニティだ。このようなコミュニティは、何も新奇な発明ではない。王国も、帝国も、教会も、想像上のコミュニティとして何千年にもわたって機能してきた。古代中国では、何千万もの人々が自らを、皇帝を父とする単一の家族の一員だと考えていた。中世には、何百万もの敬虔《けいけん》なイスラム教徒が、自分たちはみな、イスラムという巨大なコミュニティに属する兄弟姉妹であると想像した。だがいつの時代にも、こうした想像上のコミュニティは、実際に互いをよく知る数十人規模の親密なコミュニティを補う役割を果たしていたにすぎない。親密なコミュニティは、成員の感情面の必要性を満たし、各人の生存や福祉に欠かせない存在だった。ところが、この二世紀の間に、親密なコミュニティは衰退し、その感情的空白は想像上のコミュニティに委ねられることになった。

このような想像上のコミュニティの台頭を示す最も重要な例が二つある。国民と、消費者という部族だ。国民は各国家に特有の想像上のコミュニティであり、消費者部族は市場の想像上のコミュニティだ。これはどちらも想像上のコミュニティだ。というのも、市場のあらゆる顧客、あるいは国民の全成員が、かつて村人たちが互いに相手を知っていたように、実際に相手を知ることは不可能だからだ。一人のドイツ人が、八〇〇〇万のドイツ国民全員と親しい知り合いになることはできないし、欧州共同市場（後に欧州共同体に発展して、最終的には欧州連合となった）域内に居住する五億人の顧客と親しい知り合いになることもできない。

消費主義と国民主義は、相当な努力を払って、厖大《ぼうだい》な数の見知らぬ人々が自分と同じコミュニティに帰属し、みなが同じ過去、同じ利益、同じ未来を共有していると、私たちに想像させようとしている。それは嘘ではなく、想像だ。貨幣や有限責任会社、人権と同じように、国民と消費者部族も共同主観的現実と言える。どちらも集合的想像の中にしか存在しないが、その力は絶大だ。何千万ものドイツ人がドイツ国民の存在を信じ、ドイツ国民の象徴を目にして高揚し、ドイツの国民神話を繰り返し語り、ドイツ国民のために資産や時間、労力を惜しまず提供しているかぎり、ドイツは今後も、世界屈指の強国であり続けるだろう。

国民は、想像の産物であるという自らの特徴をできるかぎり隠そうとする。ほとんどの国民が、国民とは自然で永遠の存在であり、原初の時代に母国の土とそこに暮らしていた人々の血を混ぜ合わせて生み出されたといったことを主張する。だが、このような主張はたいてい誇張にすぎない。国民ははるか昔に存在していたが、その重要性は現在よりもずっと小さかった。というのも、国家の重要性がずっと小さかったからだ。中世のニュルンベルクの住民も、ドイツ国民に対する忠誠心をいくらかは抱いていたかもしれないが、それは、日常の必要のほぼすべてを満たしてくれる家族や地域コミュニティに対する忠誠心には遠く及ばなかった。そのうえ、かつての国民がどのような重要性を持っていたにせよ、現代まで続いているものはほとんどない。今日の国民の多くは、過去数世紀の間に融合してでき上がったものにすぎない。

中東には、そうした事例が豊富にある。シリア、レバノン、ヨルダン、イラクの各国民は、この地域の歴史や地理や経済を考慮することなく、フランスとイギリスの外交官が砂漠の中に引いたいいかげんな国境線の所産だ。両国の外交官は一九一八年に、クルディスタンとバグダード、バスラの住民は以後「イラク人」になると決定した。誰がシリア人になり、誰がレバノン人になるかという決定を主導したのは、フランス人だった。サダム・フセインとハーフェズ・アル＝アサドは、イギリスとフランスがでっち上げた国民意識を推進・強化することに全力を注いだが、永遠の存在とされるイラク国民とシリア国民に関する彼らの大仰な演説は、空々しく響いた。

　言うまでもないが、何もないところから国民を作り上げられるはずがない。イラクやシリアを必死で構築した人々は、実在の歴史的、地理的、文化的素材を活用した。そのなかには、数百年、数千年も前の事実もあった。サダム・フセインは、アッバース朝やバビロニア帝国の遺産を採り入れ、精鋭を結集した自らの機甲部隊の一つを「ハンムラビ師団」と名づけさえした。だからといって、イラク国民が古代から続く存在になるわけではない。それは、たとえ私が過去二か月間しまってあった小麦粉とオイルと砂糖を使ってケーキを焼いたからといって、ケーキそのものまで二か月前からあったことにはならないのと同じだ。

　人間の忠誠心を勝ち取るための戦いでは、国民のコミュニティは消費者部族と競わなければならない。親密な知り合いではないものの、同じ消費習慣や関心を持つ人々は、しばしば同じ部族の一員だと感じて、自分たちをそのように定義する。たとえばマドンナのファンは、一つの消費者部族を形成している。彼らは主に消費行動によって自分を定義する。マドンナのコンサートチケットやCD、ポスター、Tシャツ、携帯電話の着信メロディを購入し、それらによって自分が何者であるのかを定義する。マンチェスター・ユナイテッドのファンも、ベジタリアンも、環境保護論者も、消費者部族だ。たしかに、環境やマンチェスター・ユナイテッドのために命を捧げようという人は稀だ。だが今日、ほとんどの人は戦場よりもスーパーマーケットではるかに多くの時間を過ごすし、スーパーマーケットでは、消費者部族は国民よりも強力なことが多い。

変化し続ける近代社会

この二世紀の変革があまりに急激だったために、社会秩序の根幹を成す特徴にまで変化が起こった。社会秩序とは元来、堅固で揺るぎないものだった。「秩序」は、安定性と継続性を含意していた。急速な社会変革は例外的で、社会の変化はたいてい、無数の小さなステップを積み重ねた結果として生じた。人間には、社会構造を柔軟性のない永遠の存在と見なす傾向があった。家族やコミュニティは、秩序の範囲内において、自らの立場を変更しようと奮闘するかもしれないが、私たちは自分が秩序の基本構造を変えられるとは思いもしなかった。そこで人々はたいてい、「今までもずっとこうだったし、これからもずっとこうなのだ」と決めつけて、現状と折り合いをつけていた。

過去二世紀の間に、変化のペースがあまりに速くなった結果、社会秩序はダイナミックで順応可能な性質を獲得した。今や社会秩序は、たえず流動的な状態で存在する。

近代革命と言えば、私たちは一七八九年のフランス革命、あるいは一八四八年革命〔訳註　フランスの二月革命を皮切りに、オーストリアやプロイセンなどヨーロッパ各地で相次いだ、君主制国家に対する民衆の革命運動〕、一九一七年のロシア革命などを思い浮かべることが多い。だがじつのところ、最近は毎年のように革命的な出来事が続いている。今日では三〇歳の人が一〇代の若者たちに、「私が若かったときには、世の中はまるで違っていたんだが」などと言うことができる。もっとも、それが本当の話でも、信じてもらえないかもしれないが。たとえば、インターネットが広く利用されるようになったのは、一九九〇年代初頭、わずか二〇年ほど前にすぎない。だが今では、インターネットのない世界など考えられない。

したがって、近代社会の特徴を定義しようとするのは、カメレオンの色を定義しようとするに等しい。確信を持って語れる近代社会の唯一の特徴は、その絶え間ない変化だ。人々はこうした変化に慣れてしまい、私たちのほとんどは、社会秩序とは柔軟で、意のままに設計したり、改良したりできるものであると考えている。近代以前の支配者の主な公約は、伝統的秩序の堅持であり、彼らは、かつての失われた黄金時代への回帰を訴えることさえあった。だが、過去二世紀に政治の舞台で広く謳《うた》われてきたのは、旧来の世界を打破し、それに代わるより良い世界を構築するという約束だ。最も保守的な政党でさえも、たんに現状維持を誓うことはない。誰も彼もが社会改革や教育改革、経済改革を約束する。そして、しばしばその約束を果たす。

地殻変動が地震や火山の噴火をもたらすと地質学者が考えるのとちょうど同じように、私たちも、劇的な社会変動が血なまぐさい暴力の噴出をもたらすと考えるかもしれない。一九世紀と二〇世紀の政治史はしばしば、破壊的な戦争と大虐殺と革命の繰り返しとして語られる。新しい長靴を買ってもらった幼い子供が、水溜《た》まりから水溜まりへと跳び回るように、歴史もまた、一つの血溜まりから次の血溜まりへ、すなわち、第一次大戦から第二次大戦、冷戦へ、アルメニア人大虐殺からユダヤ人大虐殺、ルワンダでの大虐殺へ、ロベスピエールからレーニン、ヒトラーへと次々に飛び移ってきたというのだ。

そこには真実が含まれるが、このあまりにもよく知られた惨禍のリストは、いささか誤解を招きやすい。私たちは水溜まりにばかり気を取られて、それを隔てる乾いた地面には目が行かない。近代後期には、暴力と恐怖だけでなく、平和と安定も未曾有の水準にあったのだ。チャールズ・ディケンズはフランス革命について、「それはあらゆる時代のなかで最良の時代でもあり、最悪の時代でもあった」と記している。これは、フランス革命だけでなく、それに続く時代全体についても言えるかもしれない。

これはとりわけ、第二次大戦終結後の七〇年についてよく当てはまる。この間に人類は初めて、自らの手で完全に絶滅する可能性に直面し、実際に相当な数の戦争や大虐殺を経験した。だがこの七〇年は、人類史上で最も、しかも格段に平和な時代でもあった。これは瞠目《どうもく》に値する。というのも、同じ時期に私たちは過去のあらゆる時代を上回る経済的、社会的、政治的変化も経ているからだ。歴史の構造プレートは凄《すさ》まじい勢いで移動しているが、火山はおおむね静穏を保っている。新たに登場した柔軟な秩序は、激しい武力衝突に陥ることなく、抜本的な構造変化を受け容れ、さらには引き起こすことさえできるようだ。(3)

現代の平和

ほとんどの人は、自分がいかに平和な時代に生きているかを実感していない。一〇〇〇年前から生きている人間は一人もいないので、かつて世界が今よりもはるかに暴力的であったことは、あっさり忘れられてしまう。そのうえ、戦争が稀になるにつれて、個々の戦争への注目度は増す。多くの人の頭に浮かぶのは、大半のブラジル人やインド人の平和な日常のことではなく、アフガニスタンやイラクで行なわれている激しい戦闘のことだ。

さらに重要なのは、私たちが集団全体の苦しみよりも個人の苦しみに共感しやすい点だ。だが、長大な歴史展開を理解するためには、個人の話ではなく大規模な統計値を検討する必要がある。二〇〇〇年には、戦争で三一万人が亡くなり、暴力犯罪によって五二万人が命を落とした。犠牲者が一人出るたびに、一つの世界が破壊され、家庭が台無しになり、友人や親族が一生消えない傷を負う。とはいえ、巨視的な視点に立てば、この合計八三万人という犠牲者は、二〇〇〇年に死亡した五六〇〇万人のわずか一・四八パーセントを占めるにすぎない。その年に自動車事故で一二六万人が亡くなり（総死亡者数の二・二五パーセント）、八一万五〇〇〇人が自殺した（同一・四五パーセント）。[4]

二〇〇二年の数字には、さらに驚かされる。五七〇〇万人の死者のうち、戦争による死亡者は一七万二〇〇〇人、そして暴力犯罪による死亡者は五六万九〇〇〇人（つまり、人間による暴力の犠牲になった人の総数は七四万一〇〇〇人）にすぎなかったのだ。これに対して、自殺者は八七万三〇〇〇人にのぼった。[5] 二〇〇二年といえば九・一一テロの翌年であり、テロリズムや戦争が盛んに取り沙汰されていた時期であるにもかかわらず、一般の人々は、テロリストや兵士、あるいは麻薬の売人に殺されるよりも、自殺する可能性のほうが高かったことが、この結果からわかる。

世界のほとんどの地域で人々は、近隣の部族が真夜中に自分たちの村を包囲して、村人を一人残らず惨殺するのではないかとおびえることなく眠りに就いている。日々、裕福なイギリス人が大勢、シャーウッドの森を抜けてノッティンガムからロンドンへ行くが、彼らは緑色の服をまとったロビン・フッドとその愉快な仲間たちに待ち伏せされて金品を奪われ、それが貧者に施されるのではないか（というよりはむしろ、金品を奪って自分の懐に入れるために殺されてしまうのではないか）と恐れることはない。生徒が教師から鞭《むち》打たれることはないし、子供たちは、親が支払いに窮したとしても、奴隷として売られる心配をする必要はない。また女性たちも、夫が妻を殴ったり、家から出ないよう強要したりすることは、法律によって禁じられているのを承知している。こうした安心感が、世界各地でますます現実のものとなっている。

暴力の減少は主に、国家の台頭のおかげだ。いつの時代も、暴力の大部分は家族やコミュニティ間の限られた範囲で起こる不和の結果だった（前記の数字が示すように、今日でさえ、身近な犯罪のほうが国際的な紛争よりもはるかに多くの命を奪っている）。すでに見たとおり、地域コミュニティ以上に大きな政治組織を知らない初期の農民たちは、横行する暴力に苦しんでいた。(6) 権力が分散していた中世ヨーロッパの王国では、人口一〇万人当たり、毎年約二〇～四〇人が殺害されていた。王国や帝国は力を増すにつれて、コミュニティに対する統制を強めたため、暴力の水準は低下した。そして、国家と市場が全権を握り、コミュニティが消滅したこの数十年に、暴力の発生率は一段と下落している。現在の殺人の世界平均は、人口一〇万人当たり年間わずか九人で、こうした殺人の多くは、ソマリアやコロンビアのような弱小国で起こっている。中央集権化されたヨーロッパ諸国では、年間の殺人発生率は人口一〇万人当たり一人だ(7)。

国家がその権力を濫用《らんよう》して自国民を殺害する場合があることは確かで、そうした事例は私たちの記憶と恐れの中に大きな影を落とす。二〇世紀には、何億とまではいかないまでも何千万もの人が、自国の治安部隊によって殺された。それでも、巨視的な視点に立てば、国が管理する裁判所や警察はおそらく、世界中の安全水準を上げてきた。圧政を敷く独裁国家においてさえも、近代以前の社会と比べて、現代の一般人が別の人間によって殺される可能性は格段に小さい。ブラジルでは一九六四年に軍事独裁政権が樹立され、その支配は八五年まで続いた。その二〇年間に、数千人のブラジル人が政権によって殺害された。さらに何千もの人が投獄されたり拷問を受けたりした。だが、最悪の時期にあってさえ、リオデジャネイロに暮らす平均的なブラジル人は、平均的なワオラニ族やアラウェテ族、ヤノマミ族に比べれば、他人に殺される確率ははるかに低かった。ワオラニ族やアラウェテ族、ヤノマミ族は、アマゾンの密林の奥地に暮らす先住民で、軍隊も警察も監獄も持たない。人類学の研究によれば、これらの部族では男性の四分の一から半分が、財産や女性や名誉をめぐる暴力的ないさかいによって、早晩命を落とすという(8)。

帝国の撤退

一九四五年以降、国家内部での暴力が減少しているのか増加しているのかについては、見解が分かれるかもしれない。だが、国家間の武力紛争がかつてないほどまで減少していることは、誰も否定できない。最も明白な例はおそらく、ヨーロッパの諸帝国の崩壊だろう。歴史を振り返れば、帝国はつねに反乱を厳しく弾圧してきた。やがて末期を迎えると、落日の帝国は、全力で生き残りを図り、血みどろの戦いに陥る。ついに崩壊すると、その後にはたいてい無政府状態や継承権争いが続いた。だが一九四五年以降、帝国の大半は平和的な早期撤退を選択してきた。そうした国々の崩壊過程は、比較的すみやかで、平穏で、秩序立ったものになった。

イギリスは、一九四五年には世界の四分の一を支配していた。その三〇年後、同国の支配地域は、いくつかの小さな島だけになった。同国はその間に、ほとんどの植民地から平和裏に整然と撤退した。マラヤやケニアといった一部の地域では、イギリスは軍事力を頼みに居残ろうとしたが、たいていの地域では、癇癪《かんしゃく》を起こす代わりにため息をついただけで帝国の終焉《しゅうえん》を受け容れた。彼らは権力を維持することにではなく、できるかぎり円滑に移譲することにもっぱら努力を向けた。マハトマ・ガンディーは彼の非暴力の信念に対してたいてい山ほど賛辞を与えられるが、少なくともその一部は、実際には大英帝国が受けるべきものだ。長年に及ぶ激しい、そしてしばしば暴力的な闘争があったにもかかわらず、イギリスによる支配が終わりを迎えたとき、インド人はデリーやカルカッタの市街でイギリス人と戦わないで済んだ。大英帝国の占めていた地位を引き継いだのは、おびただしい数の独立国家で、その大半はそれ以降、安定した国境線に恵まれ、隣国とおおむね平和に共存してきた。たしかに、危機に瀕《ひん》した大英帝国の手によって何万という人が命を落としたし、政治的に不安定ないくつかの地域（とりわけインド）では、同国の撤退が民族紛争の勃発につながり、何十万もの死者を出した。それでも、歴史を長い目で見た場合の平均と比較すれば、イギリスの撤退は平和と秩序の模範ともいうべき事例だ。それに比べると、フランス帝国は往生際が悪かった。同帝国は崩壊の際に、ヴェトナムとアルジェリアで凄惨な最後の抵抗を試み、何十万もの犠牲者を出した。だがフランスも、その他の支配地域からは迅速かつ平和裏に撤退し、あとには無秩序な混乱状態ではなく、秩序ある国家が残された。

一九八九年のソヴィエト連邦崩壊は、バルカン半島やカフカス地方、中央アジアにおける民族紛争の勃発はあったものの、さらに平和的に進行した。これほど強大な帝国が、これほど短期間に、かつ平穏に姿を消した例は、これまで一つもない。一九八九年当時、ソヴィエト帝国はアフガニスタン以外の場所では軍事的敗北を喫しておらず、外国による侵略にも、国内の反乱にも、キング牧師流の大規模な民衆の抵抗運動にさえも悩まされていなかった。ソ連は依然として数百万の兵士を擁し、何万もの戦車や航空機、さらには人類全体を何度も絶滅させられるだけの核兵器をも保有していた。また、ソ連軍もワルシャワ条約機構に加盟する国々の軍隊も、その忠誠心に変わりはなかった。ソ連最後の支配者ミハイル・ゴルバチョフが命令を下していたなら、ソ連軍は彼の支配下の民衆に銃弾を発射していただろう。

だが、ソ連のエリート層と東欧の大部分を占めていた共産政権は（ルーマニアとセルビアを例外として）、そうした軍事力の一端さえも用いようとはしなかった。共産圏の指導者たちは、共産主義の破綻《はたん》を悟ると武力を放棄し、失敗を認め、荷物をまとめて退散した。ゴルバチョフと政権幹部は、第二次大戦でソ連が獲得した領土だけでなく、バルト海周辺やウクライナ、カフカス地方、中央アジアで帝政時代に獲得したはるか以前からの領土まで、すんなりと手放した。ゴルバチョフがセルビア指導部、あるいはアルジェリアでのフランスのような行動を取っていたらどうなったかと考えると、背筋が寒くなる。

核による平和《パクス・アトミカ》

これらの諸帝国の後を受けた独立国家は、戦争には驚くほど無関心だった。ごく少数の例外を除けば、世界の国々は一九四五年から二〇一四年まで、征服・併合を目的として他国へ侵攻することはめったになかった。こうした征服劇は、はるか昔から、政治史においては日常茶飯事だった。巨大帝国の多くは、征服によって建設されてきたのであり、大半の支配者も人民も、この状況が変わることはないと考えていた。だが今日では、ローマやモンゴル、オスマントルコのもののような征服を目的とした軍事遠征は、もはや世界のどこにおいても起こりえない。一九四五年から二〇一四年にかけて、国連の承認を受けた独立国家が征服されて地図上から消えたことは一度もない。国家間の限定戦争〔訳註　相手の殲滅《せんめつ》を目指すことなく、その目的や、攻撃の範囲や目標、手段などに一定の制限を設けた戦争〕は、今なおときおり勃発するし、何百万もの人が戦争で命を落としているが、戦争はもう、当たり前の出来事ではない。

国家間の戦争は、西ヨーロッパの豊かな民主主義国でのみ姿を消したのだと考える人が多い。だがじつのところ、ヨーロッパに平和が訪れたのは、世界各地に平和が広まった後だった。たとえば、南アメリカの国家間で生じた最後の重大な戦争は、一九四一年のエクアドル・ペルー戦争と、一九三二〜三五年にボリビアとパラグアイの間で起こったチャコ戦争だ。それ以前の南アメリカ諸国間の重大紛争となると、一八七九〜八四年にチリとボリビア・ペルー連合軍の間で行なわれた戦争にまでさかのぼる。

私たちがアラブ世界をとくに平和な地域だと考えることはほとんどない。だが、アラブ諸国が独立を果たして以降、ある国が他国に全面的な侵略を仕掛けたのは一度きりだ（一九九〇年のイラクによるクウェート侵攻）。たしかに、相当数の国境紛争（七〇年のシリアとヨルダンの衝突など）や、度重なる他国への武力介入（レバノン領内へのシリアの介入など）、数多くの内戦（アルジェリアやイエメン、リビア）、さらにはおびただしい数のクーデターや暴動は発生している。だが湾岸戦争を除けば、アラブ諸国どうしが全面的に戦火を交えたことは一度もない。イスラム教世界全体に範囲を拡げてみても、そうした事例はあと一つ、イラン・イラク戦争があるばかりだ。トルコ・イラン戦争も、パキスタン・アフガニスタン戦争も、インドネシア・マレーシア戦争もなかった。

アフリカでは、事態ははるかに深刻だ。だがそれでも、紛争の多くは内戦やクーデターだ。一九六〇年代と七〇年代にアフリカ諸国が独立を果たして以降、征服を目的として他国に侵攻した例はほとんどない。

一八七一年から一九一四年にかけてのヨーロッパのように、これまでにも比較的平穏な時期はあったが、その平和は必ず悲惨な形で終わった。今迎えている時代は、これまでとは違ってほしいものだ。というのは、真の平和とはたんに戦争のないことではなく、戦争勃発の見込みがないことを意味するからだ。これまで、世界に真の平和が訪れたことはなかった。一八七一年から一九一四年にかけても、ヨーロッパでは戦争はつねに起こりうる事態であったし、軍人も政治家も一般市民も一様に、戦争が頭の中で最大の比重を占めていた。こうした戦争の予感は、歴史上の平和な時代のどれをとっても存在していた。国際政治の鉄則によれば、「隣り合う二政体には必ず、一年以内に戦火を交えることになってもおかしくない筋書きが存在する」という。この弱肉強食の掟《おきて》は、一九世紀後半のヨーロッパにも、中世ヨーロッパにも、古代中国にも、古代ギリシアにも当てはまった。スパルタとアテネが紀元前四五〇年に友好関係にあったとしても、翌四四九年には交戦状態に陥っていてもおかしくない筋書きが存在していた。

人類は過去数十年間、この弱肉強食の掟を覆《くつがえ》している。二〇一四年現在、戦争がないだけでなく、真の平和が実現しているのだ。一年以内に全面戦争につながってもおかしくない筋書きを想定しうる政体は、ほとんどない。二〇一五年にドイツとフランスの間に全面戦争を引き起こしうるものがあるとしたら、それは何だろうか？　あるいは、中国と日本の間、ブラジルとアルゼンチンの間ではどうだろう？　小規模な国境紛争が起こる懸念は残るものの、二〇一五年に、アルゼンチンの機甲師団がリオデジャネイロに押し寄せ、ブラジル軍がブエノスアイレスの街並みを絨毯《じゅうたん》爆撃で完全に破壊するといった旧来型の全面戦争に発展しうるのは、まさしく破滅的な筋書き以外にない。こうした全面戦争が翌年に勃発する危険性は今なお、イスラエルとシリア、エチオピアとエリトリア、アメリカとイランのようないくつかの国の間には残されているが、これらは真の世界平和という原則の正しさを立証する例外にすぎない。

もちろん、こうした現状は今後変わるかもしれず、後から振り返れば今日の世界は信じ難いまでに考えが甘かったと思えるかもしれない。だが歴史的視点に立つと、私たちがこうして楽観できることこそが、素晴らしいのだ。人々が戦争を想像することすらできないほどに平和が広まった例は、これまでに一度もなかったからだ。

学者たちはこの喜ばしい展開を説明しようと、うんざりして読む気も起こらないほど多くの本や論文を書き、この展開に寄与した要因のいくつかを突き止めた。まず何をおいても、戦争の代償が劇的に大きくなったことが挙げられる。今後あらゆる平和賞を無用にするために、ノーベル平和賞は、原子爆弾を設計したロバート・オッペンハイマーとその同僚たちに贈られるべきだった。核兵器により、超大国間の戦争は集団自殺に等しいものになり、武力による世界征服をもくろむことは不可能になった。

第二に、戦争の代償が急騰する一方で、戦争で得られる利益は減少した。歴史の大半を通じて、敵の領土を略奪したり併合したりすることで、政体は富を手に入れられた。そうした富の大部分は、畑や家畜、奴隷、金《きん》などが占めていたので、略奪や接収は容易だった。今日では、富は主に、人的資源や技術的ノウハウ、あるいは銀行のような複合的な社会経済組織から成る。その結果、そうした富を奪い去ったり、自国の領土に併合したりするのは困難になっている。

カリフォルニアについて考えてみよう。その富は当初、金鉱によって築かれた。だが今では、シリコンとセルロイドによって獲得されている。すなわち、IT企業の集中するシリコンヴァレーと、ハリウッドの映画の丘《セルロイド・ヒルズ》だ。中国がカリフォルニアに軍事侵攻を開始し、サンフランシスコの海岸に一〇〇万の兵を上陸させて、内陸に向かったらどうなるか？　おそらく、得るものはごくわずかだろう。シリコンヴァレーには、シリコンの鉱脈などない。富はグーグルのエンジニアや、ハリウッドのスクリプト・ドクター〔訳註　関係者の意向を調整しつつ、外部の第三者としての視点から、脚本の問題点を指摘したり、リライトの提案をしたりする人〕、映画監督、特殊効果の技術者らの頭の中にある。こうした人々は、中国軍の戦車がサンセット大通りに侵攻するずっと前に、ベンガルール（バンガロール）かムンバイに向かう最初の飛行機に乗り込んでいるだろう。イラクのクウェート侵攻のように、数は少ないながら今なお世界で発生している国家間の全面的な戦争が、旧来の物質的な富に依存する地域で起こっているのは、けっして偶然ではない。クウェートの首長一族らは国外に逃亡できたが、油田はそのまま放置され、占領された。

戦争は採算が合わなくなる一方で、平和からはこれまでにないほどの利益があがるようになった。伝統的な農耕経済においては、遠隔地との取引や外国への投資はごくわずかだった。そのため、戦費の支出を免れることを除けば、平和にたいした得はなかった。一六世紀にもし日本と朝鮮が友好的な関係にあったなら、朝鮮の人々は戦争のために重い税を支払うことも、日本の侵略による惨禍に苦しむこともせずに済んだだろうが、それを除けば、彼らに経済的な利益はなかった。ところが、現代の資本主義経済では、対外貿易や対外投資はきわめて重要になった。したがって、平和は特別な配当をもたらす。日本と韓国が友好的な関係にあるかぎり、韓国の人々は製品を日本に売り、日本の株式を売買し、日本からの投資を受けることで、繁栄を謳歌《おうか》できる。

最後になったが、他に劣らず重要な要因として、グローバルな政治文化に構造的転換が起こったことが挙げられる。歴史上、フン族の首長やヴァイキングの王侯、アステカ帝国の神官をはじめとする多くのエリート層は、戦争を善なるものと肯定的に捉えていた。一方で、うまく利用するべき必要悪と考える指導者もいた。現代は史上初めて、平和を愛するエリート層が世界を治める時代だ。政治家も、実業家も、知識人も、芸術家も、戦争は悪であり、回避できると心底信じている（初期のキリスト教徒のように、過去にも平和主義者はいたが、そうした人が権力を手にした数少ない事例

図41・42　ゴールドラッシュ時代のカリフォルニアの金鉱労働者と、サンフランシスコ近くのフェイスブック（現メタ）の本社。1849年、カリフォルニアは金《きん》で財を成した。今日、カリフォルニアはシリコンで財を成している。だが、1849年には金が現にカリフォルニアの土の中にあったのに対して、シリコンヴァレーの真の宝はハイテク従業員の頭の中に収まっている。

を見ると、「反対の頬をも差し出す」という、仕返しを禁じる掟は忘れ去られてしまいがちだった)。

以上の四つの要因の間には、正のフィードバック・ループが形成されている。核兵器による大量虐殺の脅威は、平和主義を促進する。平和主義が広まると、戦争は影を潜め、交易が盛んになる。そして交易によって、平和の利益と戦争の代償はともに増大する。時の経過とともに、このフィードバック・ループは、戦争の歯止めをさらに生み出す。最終的にその歯止めは、あらゆる要因のなかで最大の重要性を持つことになるかもしれない。国際関係が緊密になると、多くの国の独立性が弱まり、どこかの国が単独で戦争を仕掛ける公算が低下するのだ。大半の国々が全面戦争を起こさないのはひとえに、もはや単独では国として完全には成り立ちえないという単純な理由による。イスラエルやイタリア、メキシコ、あるいはタイの市民は、自主独立の幻想を抱いているかもしれないが、実際には、そうした国々の政府も、まったく独自に経済政策や外交政策を実施することはできないし、単独で全面戦争を開始したり、遂行したりすることは、間違いなく不可能だ。どこかの主要国の支援、あるいは少なくとも暗黙の了解なしには、ほとんどの国は、全面戦争を開始して継続するのに必要な武器を生産したり財源を確保したりできない。

では、はたして近代以降は、第一次大戦の塹壕《ざんごう》戦や広島上空の核兵器によるキノコ雲、ヒトラーやスターリンの異様なまでの残忍さに代表される見境のない殺戮と戦争と迫害の時代なのだろうか？　それとも、南アメリカにけっして築かれることのなかった塹壕や、モスクワやニューヨークの上空に出現することのなかったキノコ雲、マハトマ・ガンディーやマーティン・ルーサー・キングの穏やかな表情に象徴される平和の時代なのだろうか？

その答えは、時期によって異なる。過去に対する私たちの見方が、直近の数年間の出来事によっていかに歪《ゆが》められやすいかに気づけば、はっとさせられる。仮に一九四五年か六二年にこの章が書かれていたら、おそらくはるかに陰気な内容になっていただろう。二〇一四年に書かれたからこそ、近代史へのアプローチは比較的明るいものになっているのだ。

楽観論者と悲観論者の双方を満足させるためには、こう結論するのがいいのかもしれない。私たちは天国と地獄の両方の入口に立ち、一方の玄関口と他方の控えの間とを落ち着きなく行き来している、と。私たちがどこに行き着くかについて、歴史はまだ心を決めかねており、さまざまな偶然が重なれば、私たちはまだどちらの方向にも突き進んでいきうるのだ。

第19章 文明は人間を幸福にしたのか

過去五〇〇年間には、驚くべき革命が相次いだ。地球は生態的にも歴史的にも、単一の領域に統合された。経済は指数関数的な成長を遂げ、人類は現在、かつてはおとぎ話の中にしかありえなかったほどの豊かさを享受している。科学と産業革命のおかげで、人類は超人間的な力と実質的に無限のエネルギーを手に入れた。その結果、社会秩序は根底から変容した。政治や日常生活、人間心理も同様だ。

だが、私たちは以前より幸せになっただろうか？　過去五世紀の間に人類が蓄積してきた豊かさに、私たちは新たな満足を見つけたのだろうか？　無尽蔵のエネルギー資源の発見は、私たちの目の前に、尽きることのない至福への扉を開いたのだろうか？　さらに時をさかのぼって、認知革命以降の七万年ほどの激動の時代に、世界はより暮らしやすい場所になったのだろうか？　無風の月に今も当時のままの足跡を残す故ニール・アームストロングは、三万年前にショーヴェ洞窟の壁に手形を残した名もない狩猟採集民よりも幸せだったのだろうか？　もしそうでないとすれば、農耕や都市、書記、貨幣制度、帝国、科学、産業などの発達には、いったいどのような意味があったのだろう？

歴史学者がこうした問いを投げかけることはめったにない。ウルクやバビロンの住民が狩猟採集生活をしていた祖先よりも幸せだったのか、あるいは、イスラム教の台頭によって、エジプト人は日々の暮らしに対する満足感が深まったのか、さらには、アフリカにおけるヨーロッパの諸帝国の崩壊が無数の人々の幸せに影響したのかといった問題は提起しない。だがこれらは、歴史について私たちが投げかけうる最も重要な問いだ。現在のさまざまなイデオロギーや政策は、人間の幸福の真の源に関するかなり浅薄な見解に基づいていることが多い。国民主義者は、私たちの幸福には政治的な自決権が欠かせないと考える。共産主義者は、プロレタリアート独裁の下でこそ、万人が至福を得られるだろうと訴える。資本主義者は、経済成長と物質的豊かさを実現し、人々に自立と進取の精神を教え諭すことによって、自由市場だけが最大多数の最大幸福をもたらすことができると主張する。

本格的な研究によって、こうした仮定が覆《くつがえ》されたらどうなるだろう？　経済成長と自立が人々の幸せを増大させないのなら、資本主義にはどんな利点があるのか？　巨大帝国の被支配民のほうが一般に、独立国家の市民よりも幸せで、たとえば、アルジェリア人が独立後よりも、フランスの支配下にあったときのほうが幸せだったということが判明したら、どうだろう？　それは、植民地解放の進展や国民の自決権の意義に関して、どんな意味を持つだろう？

これらはどれも、仮想の話にすぎない。というのも、これまで歴史学者は、こうした問題に答えることは言うに及ばず、問題を提起することさえも避けてきたからだ。彼らは政治や社会、経済、社会的・文化的性別（ジェンダー）、疾病、性行動、食物、衣服など、ほぼあらゆる事柄の歴史について研究してきたが、そこで一呼吸置いて、それらが人間の幸福に及ぼす影響について問うことはめったになかった。

長期にわたる幸福の歴史を研究した例はあまりないが、学者だけでなく一般の人もたいていは、幸福の歴史について何らかの漠然とした先入観を抱いている。よくある見方に、人類の能力は歴史を通じて、増大の一途をたどってきたというものがある。人間は一般に、悲惨な状況を改善したり、願望を満たしたりするために自らの能力を活用するのだから、私たちは当然、中世の祖先たちよりも幸せであり、また彼らも、石器時代の狩猟採集民よりも幸せに違いないというわけだ。

だが、この進歩主義的な見方は説得力に欠ける。すでに見たように、新たな適性や行動様式や技能が生活を向上させるとはかぎらない。農業革命で人類が農耕・牧畜の手法を習得したとき、周囲の環境を整える、集団としての能力は増大したが、多くの人間にとって、個人としての運命はより苛酷になった。農民は、種類の面でも栄養の面でも劣る食糧でなんとか生き延びていくために、狩猟採集民以上に働かなければならなかったし、病気になったり、搾取されたりする危険も格段に増した。同じように、ヨーロッパの諸帝国の拡大は、思想やテクノロジー、作物を伝播《でんぱ》させ、新たな交易の経路を切り拓《ひら》くことによって、人類全体としての力を大幅に増進させた。だがこれも、厖大《ぼうだい》な数のアフリカ人やアメリカ先住民、オーストラリアのアボリジニにとっては、とても吉報とはいえなかった。人間には明らかに権力濫用《らんよう》の嫌いがあることに照らせば、人間は力を増すほど幸せになれると考えるのは、あまりに安直だろう。

進歩主義の見方に異を唱える人の一部は、正反対の立場に立つ。彼らは、人間の能力と幸福度は反比例すると主張する。権力を持つと人は腐敗するので、人類は持てる力が大きくなるにつれて、自らの真の必要性にはそぐわない、機械的で冷たい世界を築き上げてきた、と彼らは言う。進化は、私たちの心身を狩猟採集生活に適合するように形作った。それにもかかわらず、まずは農業へ、次いで工業へと移行したせいで、人間は本来の性向や本能を存分に発揮できず、そのために最も深い渇望を満たすこともできない不自然な生活を送らざるをえなくなった。都市の中間層の快適な生活での経験はどれも、狩猟採集民の生活集団がマンモスを首尾良く仕留めたときに感じた熱狂的な興奮や純然たる喜びには及びもつかない。新たな発明がなされるたびに、私たちとエデンの園との距離は、また一段と開くのだ。

だが、あらゆる発明の背後に不吉な影を見出すこのロマン主義的な主張は、進歩を必然とする信念と同じく独善的だ。私たちは内なる狩猟採集民の姿からはかけ離れてしまったかもしれないが、それもまんざら悪いことばかりではない。たとえば、過去二世紀の間に、近代医療によって小児死亡率は、三三パーセントから五パーセント未満に低下した。これが、医療がなければ命を落としていた子供たちの幸せだけでなく、その家族や友人たちの幸せにも大きく貢献したことに、疑問を呈する人はいないだろう。

中道を行くのが、これらを微妙に修正した立場だ。科学革命まで、持てる力と幸福に明確な相関関係はなかった。中世の農民はじつのところ、狩猟採集民の祖先よりも不幸だったかもしれない。だが、この数世紀の間に、人類は自らの能力をより賢明に活用できるようになった。近代医療の勝利は、その一例にすぎない。未曾有の功績として、その他にも、暴力の激減や国家間の戦争の事実上の消滅、大規模な飢饉《ききん》がほぼ一掃されたことなどが挙げられる。

とはいえこれもまた、単純化が過ぎる。第一に、この説はごく短い期間を対象にした楽観的な評価に基づいている。人類の大多数が近代医療の恩恵を被《こうむ》るようになったのは、ようやく一八五〇年以降のことであり、小児死亡率の急激な低下は二〇世紀に入ってからの現象だ。大規模な飢饉も、二〇世紀半ばまでは人類の多くを苦しめ続けていた。一九五八～六一年に実施された中国共産党による大躍進政策の期間には、一〇〇〇万～五〇〇〇万の餓死者が出た。国家間の戦争は、一九四五年以降にようやく稀《まれ》になったのであって、それも核兵器による絶滅という新たな脅威に負うところが大きい。このように、人類にとって過去数十年は前代未聞の黄金期だったが、これが歴史の趨勢《すうせい》の抜本的転換を意味するのか、それとも一時的に流れが逆転して幸運に恵まれただけなのかを判断するのは時期尚早だ。近代を評価するにあたっては、つい二一世紀の西洋中間層の視点に立ちたくなる。だが、一九世紀のウェールズの炭鉱労働者や、アヘン中毒に陥った中国人、さらにはタスマニアのアボリジニの視点を忘れてはならない。最後の純血のタスマニア先住民となったトルガニニは、アニメ「シンプソンズ」に登場する典型的な西洋中間層の父親ホーマー・シンプソンに劣らず重要だ。

第二に、過去半世紀の束の間の黄金期でさえも、じつは将来の大惨事の種を蒔《ま》いていたことが、やがて明らかになるかもしれない。この数十年、私たちは新しい多種多様な形で地球の生態学的均衡を乱し続けており、これは深刻な結果をもたらす恐れが強いと思われる。見境のない過剰な消費によって、私たちが人類繁栄の基盤を損ないつつあることを示す多くの証拠が挙がっている。

そして最後に、近代のサピエンスが成し遂げた比類のない偉業について私たちが得意がっていられるのは、他のあらゆる動物たちの運命をまったく考慮しない場合に限られる。疾病や飢饉から私たちを守ってくれる自慢の物質的豊かさの大部分は、実験台となったサルや、乳牛、ベルトコンベヤーに乗せられたヒヨコの犠牲の上に築かれたものだ。過去二世紀にわたって、この地球という惑星の歴史上前例のない残忍さを備えた産業利用の体制に、何百億もの動物たちが従属させられてきた。動物愛護運動家の主張のわずか一〇分の一でも認めるならば、工業化された近代農業は、史上最悪の犯罪ということになるだろう。地球全体の幸福度を評価するに際しては、上流階級やヨーロッパ人、あるいは男性の幸福のみを計測材料とするのは間違いだ。おそらく、人類の幸せだけを考慮することもまた誤りだろう。

幸福度を測る

これまで私たちは、健康や食事、富など、おおむね物質的要因の産物であるかのように幸福を論じてきた。より豊かで健康になれば、人々はより幸せにもなるはずだ、と。だがこれは、本当にそれほど自明なことなのか？　哲学者や聖職者、詩人たちは、幸福の性質について何千年も思案を重ねてきた。そしてその多くが、社会的、倫理的、精神的要因も物質的な条件と同じように、幸福に重大な影響を与えるという結論に達した。ひょっとすると、豊かな近代社会に生きる人々は、繁栄を謳歌《おうか》しているにもかかわらず、疎外感や空しさに苛《さいな》まれているのではないだろうか？　そして、私たちよりも貧しかった祖先たちは、コミュニティや宗教、自然との絆に大きな満足を見出していたのではないだろうか？

この数十年、心理学者と生物学者は、何が人々を真に幸福にするかを科学的に解明するという困難な課題に取り組んでいる。それは、お金なのか、家族なのか、遺伝的特質なのか、はたまた徳なのか？　第一段階として、まずは何を計測するべきかを決める必要がある。一般に認められている定義によると、幸福とは「主観的厚生」とされる。この見方によると、幸福とは、たった今感じている快感であれ、自分の人生のあり方に対する長期にわたる満足感であれ、私が心の中で感じるものを意味する。幸福とは心の中で感じるものだとしたら、どうすれば外部から計測できるだろう？　おそらく、どう感じているのかを聞き取るという方法で、計測が可能だと思われる。そこで、人々の幸福度を評価しようとする心理学者や生物学者は、被験者に質問表を渡して記入してもらい、その回答を記録するという方法を採る。

主観的厚生について尋ねる典型的な質問表は、「今の自分に満足している」「人生を送ることには大きな価値がある」「将来について楽観的だ」「人生は良いものだ」といった記述に対して、どの程度賛同できるかを〇～一〇の段階で評価するよう回答者に求める。研究者たちはその後、すべての回答を集計し、回答者の主観的厚生の全般的水準を算出する。

このような質問表は、幸福とさまざまな客観的要素を関連づけるために使われる。たとえば、年収一〇万ドルの人一〇〇〇人と、五万ドルの人一〇〇〇人を比較することができる。研究の結果、年収の少ないグループの主観的厚生の平均的水準値が七・三にすぎなかったのに対して、年収の多いグループの平均値が八・七であることが判明すれば、研究者たちは当然、富と主観的厚生には正の相関関係があると結論できる。簡単に言えば、お金と幸せは結びついているということだ。同じ手法を用いれば、民主主義体制下で暮らす人々が独裁国家で暮らす人々よりも幸せかどうかや、既婚の人が独身者や離婚した人、あるいは配偶者を失った人よりも幸せかどうかも調べられる。

歴史学者はこうした調査結果をもとに、過去における富や政治的自由、離婚率などとの相関を検証することができる。民主主義体制下で暮らす人のほうが幸せであったり、既婚者のほうが離婚した人よりも幸せであったりするならば、この数十年における民主化の進展は人類の幸福に寄与したと言えるとともに、離婚率の上昇はその逆の傾向を示唆していると主張する論拠が得られる。

このような考え方に欠点がないわけではないが、問題点をいくつか指摘する前に、その研究成果を考察しておく価値がある。

興味深い結論の一つは、富が実際に幸福をもたらすことだ。だがそれは、一定の水準までで、そこを超えると富はほとんど意味を持たなくなる。経済階層の底辺から抜け出せない人々にとって、富の増大は幸福度の上昇を意味する。あなたがアメリカに暮らすシングルマザーで、住宅の掃除の仕事で一万二〇〇〇ドルの年収を得ているとする。ある日突然、宝くじに当籤《とうせん》して五〇万ドルを手に入れたとしたら、あなたはおそらく、主観的厚生が大幅に向上し、それが長続きするだろう。それ以上借金の深みにはまることなく、子供たちに食事や衣服を与えられるのだ。だが、あなたが年収二五万ドルの経営幹部だったとしたら、宝くじで一〇〇万ドルを獲得したり、会社の役員会が突然、あなたの報酬を二倍にすることを決定したりしたとしても、主観的厚生の向上はわずか数週間で消えてしまう可能性が高い。研究データによると、長い目で見れば、こうした要因があなたの幸福感にそれほど影響しないことは、ほぼ間違いないらしい。洒落《しゃれ》た高級車に買い替え、豪邸に引っ越し、カリフォルニア産のカベルネではなくシャトー・ペトリュスを飲むようになるだろうが、それらはどれも、ほどなくありふれた日常経験に思えてくるだろう。

興味深い発見は、まだある。病気は短期的には幸福度を下落させるが、長期的な苦悩の種となるのは、それが悪化の一途をたどったり、継続的で心身ともに消耗させるような痛みを伴ったりする場合に限られるという。糖尿病のような慢性疾患の診断を下された人々は通常、しばらく落ち込みはするものの、病状が悪化しなければ、この新たな状況に適応して、健康な人々と変わらないほど高い評価を自分の幸福度につける。ここで次のような筋書きを想像してほしい。ルーシーとルークは中間層で育った双子で、主観的厚生の研究へ参加することにした。心理学の研究室からの帰り道、ルーシーの自動車がバスに衝突され、ルーシーはあちこち骨折して、片脚に一生障害が残ることになる。壊れた車体から救助隊がルーシーを救出しているちょうどそのとき、携帯電話が鳴り、宝くじで一〇〇〇万ドルの賞金を手に入れたぞ、と叫ぶルークの声が聞こえる。二年後、ルーシーは足を引きずっており、ルークは格段に羽振りが良くなっているが、心理学者が追跡調査のために二人のもとを訪ねると、どちらもあの運命の日の午前と同じ回答をする可能性が高い。

家族やコミュニティは、富や健康よりも幸福感に大きな影響を及ぼすようだ。緊密で協力的なコミュニティに暮らし、強い絆で結ばれた家族を持つ人々は、家庭が崩壊し、コミュニティの一員にもなれない（もしくは、なろうとしたことのない）人々よりも、はるかに幸せだという。結婚生活はとりわけ重要だ。良好な結婚生活と高い主観的厚生、そして劣悪な結婚生活と不幸の間に、きわめて密接な相関関係があることは、研究によって繰り返し示されている。この相関は、経済状況ばかりか健康状態とさえ関係がない。貧しい上に病に臥《ふ》せっていても、愛情深い配偶者や献身的な家族、温かいコミュニティに恵まれた人は、その貧しさの程度があまりにひどかったり、病が悪化する一方だったり、痛みが強かったりするのでなければ、孤独な億万長者よりも幸せだろう。

以上から、過去二世紀の物質面における劇的な状況改善は、家族やコミュニティの崩壊によって相殺《そうさい》されてしまった可能性が浮上する。となると、現在の平均的な人の幸福度は、一八〇〇年の幸福度と変わらないのかもしれない。非常に重視されている自由でさえも、私たちに不利に働いている可能性がある。私たちは配偶者や友人や隣人を選択できるが、相手も私たちと訣別《けつべつ》することを選択できる。自分自身の人生の進路に関してかつてない絶大な決定権を各人が行使するようになるにつれて、深いかかわりを持つことがますます難しくなっているのを私たちは実感している。このように、コミュニティと家族が破綻《はたん》を来《きた》し、しだいに孤独感の深まる世界に、私たちは暮らしているのだ。

だが、何にも増して重要な発見は、幸福は客観的な条件、すなわち富や健康、さらにはコミュニティにさえも、それほど左右されないということだ。幸福はむしろ、客観的条件と主観的な期待との相関関係によって決まる。あなたが牛に引かせる荷車が欲しいと思っていて、それが手に入ったとしたら、満足が得られるだろう。だが、フェラーリの新車が欲しかったのに、フィアットの中古車しか手に入らなかったら、自分は惨《みじ》めだと感じる。宝くじの当籤が人々の幸福感に与える影響が、身体に障害を残すことになる自動車事故の影響と長期的には変わらない理由もここにある。状況が改善すると期待も膨《ふく》らむので、結果として客観的条件が劇的に改善してもなお、満足が得られないこともある。状況が悪化すると期待もしぼむので、結果として大病を患ってもなお、それまでとほとんど変わらず幸せでいる場合もあるのだ。

そんなことは、多くの心理学者が質問表を使って発見するまでもないと言う人がいるかもしれない。たしかに、預言者や詩人や哲学者は何千年も前に、持てるものに満足するほうが、欲しいものをより多く手に入れるよりもはるかに重要なことを見抜いていた。それでもやはり、(数多くの数値と図表に裏打ちされた)現代の研究が昔の人々と同じ結論に達するのは喜ばしいものだ。

人間の期待が決定的に重要であることは、幸福の歴史を理解する上で広範な意味合いを持つ。幸福が富や健康や社会的関係といった客観的な条件だけに基づいて決まるのだとしたら、その歴史を調査するのは比較的容易だっただろう。幸福が主観的な期待に基づくという知見を得たことで、歴史学者の仕事は格段に難しくなった。私たち現代人は、鎮静剤や鎮痛剤を必要に応じて自由に使えるものの、苦痛の軽減や快楽に対する期待があまりに膨らみ、不便さや不快感に対する耐性がはなはだ弱まったために、おそらくいつの時代の祖先よりも強い苦痛を感じていると思われる。

このような考え方には、すんなりとは承服し難い。問題は、私たちの心理の奥底に根づいている推論のやり方の誤りにある。他の人々が現在どれほど幸せであるか、あるいは過去の人々がどれほど幸せだったかを、推察したり想像したりしようとするとき、私たちは必ず相手の立場に立って考えようとする。だがこの方法は、他人の物質的な諸条件に自分の期待を押しつけてしまうため、うまくいかない。豊かな現代社会では、毎日シャワーを浴びて衣服を着替えることが慣習となっている。だが、中世の農民たちは、何か月にもわたって身体を洗わずに済ませていたし、衣服を着替えることもほとんどなかった。身体の芯《しん》まで汚れて悪臭の漂うそうした生活を想像するだけで、私たちは吐き気を催す。だが、中世の農民たちは気にも留めなかったらしい。彼らは長い間洗っていない衣類の感触や臭いに慣れていた。彼らは服を取り替えたかったのに、着替えがなかったわけではない――欲しいものは持っていたのだ。そのため、衣服に関するかぎり、彼らは満足していた。

考えてみれば、これは少しも不思議なことではない。なにしろ、私たちの類縁であるチンパンジーも、めったに身体を洗わず、けっして服を着替えない。また私たちも、ペットの犬や猫が毎日シャワーを浴びず、毛皮を取り替えないからといって、嫌悪感を抱いたりはしない。それどころか、そうしたペットを撫《な》でたり抱き締めたりもすれば、彼らにキスをしたりもする。豊かな社会で暮らす幼い子供にも、シャワー嫌いは多く、何年もの教育と親による躾《しつけ》を経てようやく、心地好いものとされるこの習慣を受け容れられるようになる。つまり、すべては期待の問題なのだ。

幸せかどうかが期待によって決まるのなら、私たちの社会の二本柱、すなわちマスメディアと広告産業は、世界中の満足の蓄えを図らずも枯渇させつつあるのかもしれない。もしあなたが五〇〇〇年前の小さな村落で暮らす一八歳の青年だったら、自分はなかなか器量が良いと思っていただろう。というのも、村には他に男性が五〇人ほどしかおらず、その大半は年老いて傷跡や皺《しわ》の刻まれた人たちか、まだほんの子供だったからだ。だが、あなたが現代のティーンエイジャーだとしたら、自分に満足できない可能性がはるかに高い。同じ学校の生徒は醜い連中だったとしても、あなたの比較の対象は彼らではなく、テレビやフェイスブック（現メタ）や巨大な屋外広告で四六時中目にする映画スターや運動選手、スーパーモデルだからだ。

となると、第三世界における不満はおそらく、貧困や疾病、腐敗、政治的抑圧ばかりでなく、先進国の標準に接することによっても助長されうるのではないだろうか？ホスニ・ムバラク政権下の平均的エジプト人は、ラムセス二世やクレオパトラの統治下のエジプト人に比べて、飢餓や疫病、あるいは暴力によって命を落とす可能性は格段に低い。大半のエジプト人の物質的な状況は、かつてないほどに良好だ。二〇一一年にはエジプト人たちは通りに繰り出して踊り回り、そんな幸運をアッラーに感謝していたことだろうと、あなたが考えたとしても無理はない。ところが、彼らは感謝するどころか怒りに燃えて蜂起し、ムバラク政権を打倒したのだ。彼らが比較対象にしていたのは、ファラオ治世下の祖先ではなく、オバマ政権下のアメリカで暮らす同時代人だった。

だとすれば、不老不死さえ不満につながるかもしれない。科学があらゆる疾病の治療法や効果的なアンチエイジング療法、再生医療を編み出し、人々がいつまでも若くいられるとしたらどうなるか？　おそらく即座に、かつてないほどの怒りと不安が蔓《まん》延《えん》するだろう。

新たな奇跡の治療法を受ける余裕のない人々、つまり人類の大部分は、怒りに我を忘れるだろう。歴史上つねに、貧しい人や迫害された人は、少なくとも死だけは平等だ、金持ちも権力者もみな死ぬのだと考えて、自らを慰めてきた。貧しい者は、自分は死を免れないのに、金持ちは永遠に若くて、美しいままでいられるという考えには、とうてい納得できないだろう。

だが、新たな医療を受ける余裕のあるごくわずかな人々も、幸せに酔いしれてはいられない。彼らには、悩みの種がたっぷり生じるだろう。新しい治療法は、生命と若さを保つことを可能にするとはいえ、死体を生き返らせることはできない。愛する者たちと自分は永遠に生きられるけれど、それはトラックに轢《ひ》かれたり、テロリストの爆弾で木っ端微塵《こっぱみじん》にされたりしない場合に限られるのだとしたら、これほど恐ろしいことはないではないか！　非死《アモータル》でいる可能性のある人たちはおそらく、ごくわずかな危険を冒すことさえも避けるようになり、配偶者や子供や親しい友人を失う苦悩は、耐え難いほど深まるだろう。

化学から見た幸福

社会科学者たちは主観的厚生について尋ねる質問表を配布し、その結果を富や政治的自由といった社会経済的要因と関連づける。生物学者も同じ質問表を活用するが、得られた回答を生化学的要因や遺伝的要因と結びつける。そこから判明した事実は衝撃的だ。

生物学者の主張によると、私たちの精神的・感情的世界は、何百万年もの進化の過程で形成された生化学的な仕組みによって支配されているという。他のあらゆる精神状態と同じく、主観的厚生も給与や社会的関係、あるいは政治的権利のような外部要因によって決まるのではない。そうではなく、神経やニューロン、シナプス、さらにはセロトニンやドーパミン、オキシトシンのようなさまざまな生化学物質から成る複雑なシステムによって決定される。

宝くじに当籤したり、家を買ったり、昇進したり、真実の愛を見つけたりしたとしても、幸せになれる人は誰一人いない。人間を幸せにするのは、ある一つの要因、しかもたった一つの要因だけであり、それは体内に生じる快感だ。たった今、宝くじが当たって、あるいは新しい愛を見出して、嬉《うれ》しくて跳び上がった人は、じつのところ、お金や恋人に反応しているわけではない。その人は、血流に乗って全身を駆け巡っているさまざまなホルモンや、脳内のあちこちで激しくやりとりされている電気信号に反応しているのだ。

地上に楽園を実現したいと望む人全員にとっては気の毒な話だが、人間の体内の生化学システムは、幸福の水準を比較的安定した状態に保つようにプログラムされているらしい。幸福そのものが選ばれるような自然選択はけっしてない。満ち足りた隠遁《いんとん》者の遺伝系列がやがて消滅するかたわら、ともに心配性の両親の遺伝子は次世代に受け継がれる。幸福と不幸は進化の過程において、生存と繁殖を促すか、妨げるかという程度の役割しか担っていない。それならば、進化によって私たちが極端に不幸にも、極端に幸福にもならないように形作られていても、不思議はないかもしれない。私たちはあふれんばかりの快感を一時的に味わえるものの、そうした快感は永続しない。それは遅かれ早かれ薄まっていき、不快感に取って代わられる。

たとえば進化は、妊娠可能な女性と性交して自分の遺伝子を広める男性には、報奨として快感を与えた。もしそのような快感が伴わなかったら、わざわざ性交しようという男性は、ほとんどいないだろう。その一方で、進化によってこうした快感は必ず、すみやかに薄まるようにできている。もしオーガズムが永遠に続くとしたら、幸福の絶頂にある男性たちは、食べ物に対する興味を失くして飢え死にしたり、別の妊娠可能な女性をわざわざ探し求めなくなったりするだろう。

学者のなかには、人間の生化学的特性を、酷暑になろうと吹雪が来ようと室温を一定に保つ空調システムになぞらえる人もいる。状況によって、室温は一時的に変化するが、空調システムは必ず室温をもとの設定温度に戻すのだ。

設定温度が二五度の空調システムもあれば、二〇度のものもある。人間の幸福度調節システムの設定も、一人ひとり異なる。幸福度に一〜一〇の段階があるとすると、陽気な生化学システムを生まれ持ち、その気分がレベル六〜一〇の間で揺れ動き、時とともにレベル八に落ち着く人もいる。こうした人は、人を疎外する大都会で暮らしていても、株式市場の暴落で一文無しになっても、糖尿病の診断を受けても、十分に幸せでいられる。一方、運悪く陰鬱《いんうつ》な生化学システムを生まれ持つ人もいて、その気分はレベル三〜七の間を揺れ動き、レベル五に落ち着く。このように不幸な人は、緊密なコミュニティの支援を受けていても、宝くじで何百万ドル手に入れても、オリンピック選手のように健康であっても、気分は沈んだままだ。実際、こうしたふさぎ込みがちな人は、午前中に五〇〇〇万ドルを手に入れ、昼時にエイズと癌《がん》の治療法を発見し、午後にはイスラエルとパレスティナの和平を実現した上、夕刻には長年生き別れになっていた子供と再会したとしても、レベル七以上の幸福感を味わうことはできない。その人の脳はそもそも、何が起こっても心が浮き立つようにはできていないのだ。

ここでしばらく、あなたの家族や友人のことを思い浮かべてほしい。おそらくあなたの周囲にも、どんなことが降りかかろうと、つねに比較的楽しそうにしている人もいれば、どれほど素晴らしい巡り合わせに恵まれても、いつも不機嫌な人もいるだろう。私たちは職場を変えたり、結婚したり、書きかけの小説を書き終えたり、新しい車を買ったり、住宅ローンを完済したりさえできれば、最高の気分が味わえるだろうと考えがちだ。だが、実際にそうした望みがかなったとしても、私たちの幸福感は少しも増さないようだ。自動車を買ったり、小説を書いたりしても、私たちの生化学的特性は変わらない。そうしたことは、ほんの束の間、生化学的状態を変動させることはできるが、体内のシステムはすぐに元の設定点に戻ってしまうのだ。

これと、既婚者は概して独身者よりも幸せだといったような、これまでに述べた心理学的知見や社会学的知見とを、どう考え合わせれば矛盾しないで済むだろう？　第一に、そうした知見は相関関係なので、因果の方向が一部の研究者の想定とは反対である可能性がある。既婚者が独身者や離婚した人たちよりも幸せであるのは事実だが、それは必ずしも結婚が幸福をもたらすことを意味しない。幸せだからこそ、結婚できたのかもしれない。より正確に言えば、セロトニンやドーパミン、オキシトシンが婚姻関係を生み出し、維持するのだ。陽気な生化学的特性を持って生まれた人は、一般に幸せで満足している。そうした人々は配偶者として魅力的であり、その結果、結婚できる可能性も高い。逆に、彼らは離婚する可能性が低い。というのも、生活を共にするなら、幸せで満足している配偶者とのほうが、沈みがちで不満を抱えた配偶者とよりも、はるかに楽だからだ。したがって、既婚者のほうが概して独身者よりも幸せであるのは事実だが、生化学的特性のせいで陰鬱になりがちな独身者は、たとえ結婚したとしても、今より幸せになれるとはかぎらない。

さらに、生物学者の大部分は狂信的な主張をしているわけではない。彼らは、幸福は主に生化学によって決定されると述べており、心理学的要因や社会学的要因にもそれぞれの役割があることを認めている。私たちの心の空調システムは、あらかじめ設定された範囲内で自由に推移できる。感情の振り幅の上限あるいは下限を超えることはほぼ不可能だが、結婚や離婚はその限度の範囲内で影響を及ぼしうる。生来の平均的な幸福度がレベル五の人は、通りで有頂天になって踊り回ることはないだろう。だが、良い結婚生活に恵まれればきっと、ときおりレベル七の幸福感を味わえ、レベル三にまで気分がふさぎ込むことは避けられるだろう。

幸福に対する生物学的なアプローチを認めると、歴史にはさほど重要性がないことになる。というのも、歴史上のほとんどの出来事は、私たちの生化学的特性に何一つ影響してこなかったからだ。歴史はセロトニンの分泌を促す外的刺激は変更できるが、その結果分泌されたセロトニンが達する濃度は変えられないため、人々の幸福感を増大させえない。

中世フランスの農民と現代のパリの銀行家を比べてみよう。農民は近くのブタ小屋を見下ろす、暖房もない泥壁の小屋に暮らしていた。一方、銀行家が帰るのは、テクノロジーを駆使した最新機器を備え、シャンゼリゼ通りが見える豪華なペントハウスだ。私たちは直感的に、銀行家のほうが農民よりもずっと幸せだろうと考える。だが、泥壁の小屋やペントハウス、シャンゼリゼ通りが私たちの気分を本当に決めることはない。セロトニンが決めるのだ。中世の農民が泥壁の小屋を建て終えたとき、脳内のニューロンがセロトニンを分泌させ、その濃度をXにまで上昇させた。二〇一四年に銀行家が素晴らしいペントハウスの代金の最後の支払いを終えたときにも、脳内のニューロンは同量のセロトニンを分泌させ、同じようにその濃度をXにまで上昇させた。

脳には、ペントハウスが泥壁の小屋よりもはるかに快適であることは関係ない。肝心なのは、セロトニンの濃度が現在Xであるという事実だけだ。そのため、銀行家の幸福感は、はるか昔の祖先である中世の貧しい農民の幸福感を微塵《みじん》も上回らないだろう。

これは個人の生活についてだけでなく、集団に生じる大事件についても言える。フランス革命を例に取ろう。革命派は精力的に動いた。王を処刑し、農民たちに土地を分配し、人権を宣言し、貴族の特権を廃止し、全ヨーロッパに対して戦争を仕掛けた。だがこうしたことはどれも、フランス人それぞれの生化学的特性までは変えなかった。そのため、革命は政治的にも、社会的にも、イデオロギー的にも、経済的にも激変を起こしたにもかかわらず、それがフランス人の幸福に及ぼした影響は小さかった。遺伝の宝くじで運良く陽気な生化学的特性を引き当てた人は、革命前も、革命後と同じように幸せだった。陰鬱な生化学的特性を生まれ持った人は、かつてルイ一六世やマリー・アントワネットについて愚痴をこぼしていたのと同じぐらい苦々しく、ロベスピエールやナポレオンについて不平を並べたのだ。

それでは、フランス革命は何の役に立ったのか？　民衆の幸福感が少しも増さなかったのだとしたら、あの混乱や恐怖、流血、戦争にはどのような意味があったのか？　生物学者なら、バスティーユをけっして襲撃しなかっただろう。一方、民衆はこの政治革命、あるいはあの社会改革はきっと幸せをもたらすと信じているが、生化学的特性によってその期待を繰り返し裏切られる。

ただし、きわめて大きな重要性を持つ歴史的な展開が一つだけ存在する。その展開とは、今日《こんにち》、幸せへのカギが生化学システムの手中にあることがついに判明し、私たちは政治や社会改革、反乱やイデオロギーに無駄な時間を費やすのをやめ、人間を真の意味で幸せにできる唯一の方法、すなわち生化学的状態の操作に集中できるようになったことだ。何十億ドルもの資金を脳の化学的特性の理解と適切な治療の開発に投じれば、革命などいっさい起こさずに、人々をこれまでより格段に幸せにすることができる。たとえば抗鬱《こううつ》薬のプロザックは、政権を交代させはしないが、セロトニンの濃度を上昇させて、人々を抑鬱《よくうつ》状態から救い出す。

この生化学に基づく主張を何よりもうまく捉えているのが、ニューエイジのよく知られたスローガン「幸せは身の内より発する」だ。お金や社会的地位、美容整形、壮麗な邸宅、権力の座などはどれも、あなたを幸せにすることはできない。[1] 永続する幸福感は、セロトニンやドーパミン、オキシトシンからのみ生じるのだ。

世界恐慌のさなか、一九三二年に出版されたオルダス・ハクスリーのディストピア小説『すばらしい新世界』（黒原敏行訳、光文社古典新訳文庫、二〇一三年、他）では、幸福に至上の価値が置かれ、精神に作用する薬物が警察や投票に取って代わって政治の基礎を成している。そこでは誰もが毎日、「ソーマ」という合成薬を服用する。この薬は、生産性と効率性を損なわずに、人々に幸福感を与える。地球全体を統治する「世界国家」は、戦争や革命、ストライキやデモに脅《おびや》かされることはけっしてない。なぜなら、何者であろうとも、誰もが自らの現状にこの上なく満足しているからだ。ハクスリーの未来像は、ジョージ・オーウェルの『一九八四年』(高橋和久訳、ハヤカワepi文庫、二〇〇九年、他)よりもはるかに不穏だ。ハクスリーの描く世界は、多くの読者にとって恐ろしく感じられるが、その理由を説明するのは難しい。誰もがつねにとても幸せであるというのに、そのどこが問題だというのだろうか?

人生の意義

私たちを当惑させるハクスリーの世界は、幸せと快感は等しいという生物学的前提に基づいている。幸せであるとは、肉体的な快感を経験することにほかならない。そうした快感の強度や持続時間が生化学によって制限されていることを思えば、人々が長期にわたって高い水準の幸福を経験するためには、生化学システムを操作する以外に方策はない。

だが、この幸せの定義に異議を唱える学者もいる。ノーベル経済学賞を受賞したダニエル・カーネマンは、ある有名な研究で、人々に典型的な平日について、具体的な出来事を順番に挙げて説明し、それぞれの瞬間がどれだけ楽しかったか、あるいは嫌だったかを評価するように求めた。すると、自分の日常生活について、多くの人々の見方の中に一見矛盾しているように思われる点が見つかった。子供の養育にまつわる労働を例に取ろう。カーネマンの研究から、喜びを感じるときと単調な苦役だと感じるときを数え上げてみると、子育ては相当に不快な仕事であることが判明した。労働の大半は、おむつを替えたり、食器を洗ったり、癇癪《かんしゃく》を宥《なだ》めたりすることが占めており、そのようなことを好んでやる人などいない。だが大多数の親は、子供こそ自分の幸福の一番の源泉であると断言する。これはつまり、人間には自分にとって何が良いのかがよくわかっていないことを意味するのだろうか？

　そういう見方もできるだろう。だがこの発見は、幸福とは不快な時間を快い時間が上回ることではないのを立証しているとも考えられる。幸せかどうかはむしろ、ある人の人生全体が有意義で価値あるものと見なせるかどうかにかかっているというのだ。幸福には、重要な認知的・倫理的側面がある。各人の価値観次第で天地の差がつき、自分を「赤ん坊という独裁者に仕える惨めな奴隷」[2]と見なすことにもなれば、「新たな命を愛情深く育《はぐく》んでいる」と見なすことにもなる。ニーチェの言葉にもあるように、あなたに生きる理由があるのならば、どのような生き方にもたいてい耐えられる。有意義な人生は、困難のただ中にあってさえもきわめて満足のいくものであるのに対して、無意味な人生は、どれだけ快適な環境に囲まれていても厳しい試練にほかならない。

文化や時代を問わず、人々は同じような喜びや苦しみを味わってきたが、そうした経験に認める意味合いには、おそらく大きな違いがあっただろう。となると、幸福の歴史は、生物学者の想定よりもはるかに振幅の大きいものだったかもしれない。この結論は、近代を必ずしも高く評価しない。人生を分刻みで逐一査定すれば、中世の人々はたしかに悲惨な状況にあった。ところが、死後には永遠の至福が訪れると信じていたのならば、彼らは信仰を持たない現代人よりもずっと大きな意義と価値を、自らの人生に見出していただろう。なにしろ、現代人ははるか先を見通したときに、何ら意義を持ちえない完全な忘却しか期待できないのだから。主観的厚生を問う質問表で「あなたは自分の人生におおむね満足ですか？」と訊かれたら、中世の人々はかなり良い成績を収めたかもしれない。

では、中世の祖先たちは、死後の世界についての集団的妄想の中に人生の意味を見出していたおかげで、幸せだったのだろうか？　まさにそのとおりだ。そうした空想を打ち破る者が出ないかぎりは、幸せだったに違いない。これまでにわかっているところでは、純粋に科学的な視点から言えば、人生にはまったく何の意味もない。人類は、目的も持たずにやみくもに展開する進化の過程の所産だ。私たちの行動は、神による宇宙の究極の計画の一部などではなく、もし明朝、地球という惑星が吹き飛んだとしても、おそらく宇宙は何事もなかったかのように続いていくだろう。現時点の知見から判断すると、人間の主観性の喪失が惜しまれることはなさそうだ。したがって、人々が自分の人生に認める意義は、いかなるものもたんなる妄想にすぎない。中世の人々が人生に見出した死後の世界における意義も妄想であり、現代人が人生に見出す人間至上主義的意義や、国民主義的意義、資本主義的意義もまた妄想だ。人類の知識量を増大させる自分の人生には意義があると言う科学者も、祖国を守るために戦う自分の人生には意義があると断言する兵士も、新たに会社を設立することに人生の意義を見出す起業家も、聖書を読んだり、十字軍に参加したり、新たな大聖堂を建造したりすることに人生の意義を見つけていた中世の人々に劣らず、妄想に取り憑《つ》かれているのだ。

それならば、幸福は人生の意義についての個人的な妄想を、その時々の支配的な集団的妄想に一致させることなのかもしれない。私個人の物語《ナラティブ》が周囲の人々のナラティブに沿うものであるかぎり、私は自分の人生には意義があると確信し、その確信に幸せを見出すことができるというわけだ。

これはなんとも気の滅入る結論ではないか。幸福は本当に、自己欺瞞《ぎまん》あってのものなのだろうか？

汝《なんじ》自身を知れ

幸福が快感を覚えることに基づくのなら、より幸せになるためには、生化学システムを再構築する必要がある。幸福が人生には意義があると感じることに基づくのならば、より幸せになるためには、私たちはより効果的に自分自身を欺《あざむ》く必要がある。この他に、第三の道はあるだろうか？

前述の二つの見方には、共通の前提がある。それは、幸福とは（快感であれ、意義であれ）ある種の主観的感情であり、ある人の幸福度を判断するためには、どう感じているのかを尋ねるだけで足りるというものだ。多くの現代人にとって、これは理に適《かな》っているように思われる。というのも、現代の最も支配的な宗教は自由主義だからだ。自由主義が神聖視するのは、個人の主観的感情だ。自由主義は、こうした感情を権力の至上の源泉と見なす。物事の善悪、美醜、是非はみな、私たち一人ひとりが何を感じるかによって決定される。

自由主義の政治は、最も賢明なのは有権者なので、私たちにとって何が良いことなのかを「ビッグ・ブラザー」〔訳註　オーウェルの『一九八四年』に登場する、全体主義国家オセアニアを統治する独裁者〕に教えてもらう必要はないという考えに基づいている。自由主義の経済は、消費者はつねに正しいという前提に基づく。自由主義の芸術は、美の基準は見る人によって異なると謳《うた》う。自由主義の学校の生徒や学生は、自分自身で考えるよう教え込まれる。コマーシャルは「ジャスト・ドゥー・イット！」と私たちを急き立てる。アクション映画や舞台劇、メロドラマ、小説、人の気を惹《ひ》くポップスなどは、たえずこう吹き込む。「自分に正直であれ」「心の声に耳を傾けろ」「心の命じるままに行動するのだ」と。この見方を最も端的に言い表しているのがジャン＝ジャック・ルソーだ。ルソー曰《いわ》く、「私が良いと感じるものは良い。私が良くないと感じるものは良くない」。

幼児期からこのようなスローガンを糧《かて》に育てられた人間は、幸福は主観的感情であり、自分が幸せであるか、不幸であるかは、本人がいちばんよくわかっていると考える傾向にある。だがこれは、自由主義に特有の見方だ。歴史上、大半の宗教やイデオロギーは、善や美、正義については、客観的な尺度があると主張してきた。そして、凡人の感情や嗜好《しこう》には信用を置いていなかった。デルポイのアポロン神殿の入口では、「汝《なんじ》自身を知れ」という碑文が巡礼者たちを迎えた。これは暗に、普通の人は自分自身の真の姿を知らず、それゆえに真の幸福についてもおそらく無知であることを示唆していた。フロイトもきっと、この見解に賛同するだろう。*

キリスト教の神学者も同じ意見だと思われる。ほとんどの人は、どちらを選ぶかと問われれば、神に祈りを捧げるよりも、セックスをするほうがいいと答えるだろうということを、聖パウロと聖アウグスティヌスはじつによく承知していた。それでは、セックスこそが幸せを手に入れるためのカギであると言えるだろうか？　聖パウロと聖アウグスティヌスは、そうは考えなかった。これはたんに、人間は生まれながらにして罪深く、簡単に悪魔に誘惑されうることを証明しているにすぎない。キリスト教の立場からすれば、大多数の人間は、程度の差こそあれ、ヘロイン中毒者と同じ状況にある。ある心理学者が薬物常用者を対象に幸福の研究を始めたとしよう。心理学者が質問して回ったところ、誰もが口を揃《そろ》えて、麻薬を注射したときは、最高に幸せだと答えることが判明する。この心理学者は、ヘロインこそが幸せを手に入れるためのカギだと説く論文を発表するだろうか？

感情は当てにならないと考えるのは、キリスト教だけではない。少なくとも感情の価値に関するかぎり、ダーウィンやドーキンスでさえも、聖パウロや聖アウグスティヌスと見解を同じくするかもしれない。利己的な遺伝子説によれば、人間も他の生物と同じで、自分の遺伝子の複製に有利な選択をするように自然選択によって仕向けられるという。たとえそれが、個人としての自分にとって良くない選択だとしても、だ。ほとんどの男性は、穏やかな至福を味わいもせずに、あくせくと働いたり、気を揉《も》んだり、競い合ったり、戦ったりして一生を送る。というのも、彼らのＤＮＡが自らの身勝手な目的のために、彼らを操っているからだ。ＤＮＡは、悪魔と同じように、束の間の快楽を餌《えさ》にして人々を誘惑し、その支配下に置いているのだ。

以上のような立場から、宗教や哲学の多くは、幸福に対して自由主義とはまったく異なる探究方法をとってきた。(3)なかでもとくに興味深いのが、仏教の立場だ。仏教はおそらく、人間の奉じる他のどんな信条と比べても、幸福の問題を重要視していると考えられる。二五〇〇年にわたって、仏教は幸福の本質と根源について、体系的に研究してきた。科学界で仏教哲学とその瞑想《めいそう》の実践の双方に関心が高まっている理由もそこにある。

幸福に対する生物学的な探究方法から得られた基本的見識を、仏教も受け容れている。すなわち、幸せは外の世界の出来事ではなく身体の内で起こっている過程に起因するという見識だ。だが仏教は、この共通の見識を出発点としながらも、まったく異なる結論に行き着く。

仏教によれば、たいていの人は快い感情を幸福とし、不快な感情を苦痛と考えると

＊矛盾するようだが、主観的厚生に関する心理学の研究が、人間は自らの幸福感を正しく評価できるという前提に立脚する一方で、心理療法の根本的な存在意義は、人々は自分自身のことがよくわからないので、自己破壊的な行動から抜け出すためには、ときに専門家による支援を必要とするという点にある。

いう。その結果、自分の感情に非常な重要性を認め、ますます多くの喜びを経験することを渇愛《かつあい》し、苦痛を避けるようになる。脚を掻《か》くことであれ、椅子で少しもじもじすることであれ、世界大戦を行なうことであれ、生涯のうちに何をしようと、私たちはただ快い感情を得ようとしているにすぎない。

だが仏教によれば、そこには問題があるという。私たちの感情は、海の波のように刻一刻と変化する、束の間の心の揺らぎにすぎない。五分前に喜びや人生の意義を感じていても、今はそうした感情は消え去り、悲しくなって意気消沈しているかもしれない。だから快い感情を経験したければ、たえずそれを追い求めるとともに、不快な感情を追い払わなければならない。だが、仮にそれに成功したとしても、ただちに一からやり直さなければならず、自分の苦労に対する永続的な報いはけっして得られない。

そのような儚《はかな》い褒賞《ほうしょう》を獲得するのが、なぜそこまで重要なのか？　現れたが早いか消えてなくなるものを達成するために、なぜそれほど苦労するのか？　仏教によれば、苦しみの根源は苦痛の感情でも、悲しみの感情でもなければ、無意味さの感情でさえないという。むしろ苦しみの真の根源は、束の間の感情をこのように果てしなく、空しく求め続けることなのだ。そして感情を追い求めれば、私たちはつねに緊張し、混乱し、不満を抱くことになる。この追求のせいで、心はけっして満たされることはない。喜びを経験しているときにさえ、心は満足できない。なぜなら心は、この感情がすぐに消えてしまうことを恐れると同時に、この感情が持続し、強まることを渇愛するからだ。

人間は、あれやこれやの儚い感情を経験したときではなく、自分の感情はすべて束の間のものであることを理解し、そうした感情を渇愛することをやめたときに初めて、苦しみから解放される。それが仏教で瞑想の修練を積む目的だ。瞑想するときには、自分の心身を念入りに観察し、自分の感情がすべて絶え間なく湧き起こっては消えていくのを目の当たりにし、そうした感情を追い求めるのがいかに無意味かを悟るものとされている。感情の追求をやめると、心は緊張が解け、澄み渡り、満足する。喜びや怒り、退屈、情欲など、ありとあらゆる感情が現れては消えることを繰り返すが、特定の感情を渇愛するのをやめさえすれば、どんな感情もあるがままに受け容れられるようになる。ああだったかもしれない、こうだったかもしれないなどという空想をやめて、今この瞬間を生きることができるようになるのだ。

そうして得られた安らぎはとてつもなく深く、喜びの感情を必死で追い求めることに人生を費やしている人々には皆目見当もつかない。一生喜びの感情を追求するというのは、何十年も浜辺に立ち、「良い」波を腕に抱きかかえて崩れないようにしつつ、「悪い」波を押し返して近づけまいと奮闘するのに等しい。来る日も来る日も、人は浜辺に立ち、狂ったようにこの不毛な行ないを繰り返す。だがついに、砂の上に腰を下ろし、波が好きなように寄せては返すのに任せる。何と静穏なことだろう!

このような考え方は、現代の自由主義の文化とはかけ離れているため、仏教の見識に初めて接した西洋のニューエイジ運動は、それを自由主義の文脈に置き換え、その内容を一転させてしまった。ニューエイジの諸カルトは、しばしばこう主張する。「幸せかどうかは、外部の条件によって決まるのではない。心の中で何を感じるかによってのみ決まるのだ。富や地位のような外部の成果を追い求めるのをやめ、内なる感情に耳を傾けるべきなのだ」。簡潔に言えば、「幸せは身の内に発す」ということだ。これこそまさに生物学者の主張だが、ブッダの教えとはほぼ正反対だと言える。

幸福が外部の条件とは無関係であるという点については、ブッダも現代の生物学やニューエイジ運動と意見を同じくしていた。とはいえ、ブッダの見識のうち、より重要性が高く、はるかに深遠なのは、真の幸福とは私たちの内なる感情とも無関係であるというものだ。事実、自分の感情に重きを置くほど、私たちはそうした感情をいっそう強く渇愛するようになり、苦しみも増す。ブッダが教え諭したのは、外部の成果の追求のみならず、内なる感情の追求をもやめることだった。

以上を要約すると、主観的厚生を計測する質問表では、私たちの幸福は主観的感情と同一視され、幸せの追求は特定の感情状態の追求と見なされる。対照的に、仏教をはじめとする多くの伝統的な哲学や宗教では、幸せへのカギは真の自分を知る、すなわち自分が本当は何者なのか、あるいは何であるのかを理解することだとされる。たいていの人は、自分の感情や思考、好き嫌いと自分自身を混同している。彼らは怒りを感じると、「私は怒っている。これは私の怒りだ」と考える。その結果、ある種の感情を避け、ある種の感情を追い求めることに人生を費やす。感情は自分自身とは別のもので、特定の感情を執拗に追い求めても、不幸に囚《とら》われるだけであることに、彼らはけっして気づかない。

もしこれが事実ならば、幸福の歴史に関して私たちが理解していることのすべてが、じつは間違っている可能性もある。ひょっとすると、期待が満たされるかどうかや、快い感情を味わえるかどうかは、たいして重要ではないのかもしれない。最大の問題は、自分の真の姿を見抜けるかどうかだ。古代の狩猟採集民や中世の農民よりも、現代人のほうが真の自分を少しでもよく理解していることを示す証拠など存在するだろうか?

学者たちが幸福の歴史を研究し始めたのは、ほんの数年前のことで、現在私たちはまだ初期仮説を立てたり、適切な研究方法を模索したりしている段階にある。そのため、確たる結論を出し、始まったばかりの議論に終止符を打つのは、あまりにも時期尚早だ。異なる探究方法をできるだけ多く見出し、適切な問いを投げかけることが重要だ。

歴史書のほとんどは、偉大な思想家の考えや、戦士たちの勇敢さ、聖人たちの慈愛に満ちた行ない、芸術家の創造性に注目する。彼らには、社会構造の形成と解体、帝国の勃興と滅亡、テクノロジーの発見と伝播についても、語るべきことが多々ある。だが彼らは、それらが各人の幸せや苦しみにどのような影響を与えたのかについては、何一つ言及していない。これは、人類の歴史理解にとって最大の欠落と言える。私たちは、この欠落を埋める努力を始めるべきだろう。

第20章　超ホモ・サピエンスの時代へ

本書は歴史を、物理的現象から化学的現象、生物学的現象へと連なる連続体の次なる段階として提示するところから始まった。サピエンスは、他のあらゆる生物を支配するのと同じ物理的力や化学反応、自然選択の過程に支配されている。自然選択はホモ・サピエンスに、他のどの生き物よりもはるかに広い活動領域を与えたかもしれないが、これまでその領域にもやはり限度があった。サピエンスは、どれだけ努力しようと、どれだけ達成しようと、生物学的に定められた限界を突破できないというのが、これまで暗黙の了解だった。

だが二一世紀の幕が開いた今、これはもはや真実ではない。ホモ・サピエンスはそうした限界を超えつつある。ホモ・サピエンスは、自然選択の法則を打ち破り始めており、知的設計の法則をその後釜《あとがま》に据えようとしているのだ。

過去四〇億年近くにわたって、地球上の生物は一つ残らず、自然選択の影響下で進化してきた。知的な創造者によって設計されたものは一つとしてなかった。たとえばキリンが長い首を持つに至ったのは、超知的存在の気まぐれではなく、太古のキリンどうしの競争のおかげだ。首の長い原初のキリンは、首の短い原初のキリンよりも多くの食べ物にありつけたので、より多くの子孫を残せた。「首が長ければキリンは梢《こずえ》の葉を食べられるだろう。それならば、首をもっと長くしよう」などと誰かが言ったわけではない。むろん、キリン自身がそんなことを言うはずがない。ダーウィンの理論が素晴らしいのは、キリンの首が長くなった理由を説明するにあたって、知的設計者の存在を想定する必要がない点だ。

何十億年もの間、知的設計などという選択肢は存在しなかった。なぜなら、ものを設計できるだけの知性が存在しなかったからだ。つい最近まで、地球に唯一存在する生き物だった微生物は、驚くべき偉業を達成できる。一つの種《しゅ》に属する微生物が、まったく別の種に由来する遺伝子コードを自分の細胞内に取り込んで、抗生物質への耐性といった新たな能力を獲得できる。とはいえ、私たちの知識の限りでは、微生物には意識も、生きる目的も、前もって計画を立てる能力もない。

ある段階で、キリンやイルカ、チンパンジー、ネアンデルタール人のような生き物は、意識と前もって計画を立てる能力を進化させた。だが、たとえネアンデルタール人が、空腹のときにはいつでもさっと捕まえて抱き上げられるほど動きの遅い肥えた鳥のことを空想したとしても、その空想を現実に変える手立てはなかった。だから彼らは、自然選択の産物である鳥たちを狩るしかなかった。

この古来の自然選択の体制に最初の亀裂が生じたのは、農業革命の間の、今からおよそ一万年前のことだった。動きの遅い肥えたニワトリを夢見たサピエンスは、いちばん肥えたメンドリといちばん動きの遅いオンドリをつがわせれば、生まれた子供のうちには、肥えていて、しかも動きの遅いものが出ることを発見した。そうした子供どうしをつがわせれば、肥えていて動きの遅い血統が生み出せる。それは、自然界には存在しないニワトリの血統で、神ではなく人類の知的設計の産物だった。

それでも、全能の神と比べれば、ホモ・サピエンスの設計技能は限られていた。サピエンスは選抜育種を行ない、通常ニワトリに影響を与えている自然選択の過程を迂《う》回《かい》したり加速させたりできたが、野生のニワトリの遺伝子プールには含まれない完全に新しい特徴は導入できなかった。ある意味で、人間とニワトリの関係は、黙っていても自然界で頻繁《ひんぱん》に発生する、他の多くの共生関係と似ていた。サピエンスは、肥えていて動きの遅いものが増殖するような特異な選択圧をニワトリにかけた。花粉を媒介するミツバチが花を選び、色鮮やかな花を増殖させるのとちょうど同じようなものだった。

四〇億年の歴史を持つ自然選択の体制は、今日《こんにち》、それとはまったく異なる形で変えられようとしている。世界中の研究室で、科学者たちが遺伝子工学を使って生き物を操作しているのだ。彼らは何ら罰せられることなく、生物の本来の特徴にさえ束縛されずに、自然選択の法則を破っている。ブラジルの「バイオアーティスト」のエドゥアルド・カッツは二〇〇〇年に、斬新な芸術作品を創造することにした。蛍光性の緑色のウサギだ。カッツはあるフランスの研究室に声をかけ、謝礼を払うので、自分の指定どおりに輝くウサギを遺伝子工学で作ってほしいと依頼した。その研究室のフランス人科学者たちは、ごく普通のウサギの胚を取り出し、そのDNAに緑色の蛍光性のクラゲから採った遺伝子を移植した。すると、お見事！　注文どおり、緑色の蛍光性のウサギが完成したではないか。カッツはそのウサギをアルバと名づけた。

　自然選択の法則でアルバの存在を説明することはできない。このウサギは知的設計の産物だからだ。アルバは今後起こることの前触れでもある。アルバが明らかにした可能性が完全に実現され、もしその間に人類が自らを絶滅させることがなければ、科学革命はただの歴史的革命以上のものとなるかもしれない。地上に生命が誕生して以来最も重要な生物学的革命となりうるのだ。四〇億年の自然選択の後、アルバは、生命が知的設計に支配される新しい宇宙の時代の黎明《れいめい》に立っている。もしその支配が行なわれたなら、それまでの人類史全体が、振り返ってみれば、生命のゲームに革命を起こした実験と実習の過程だったというふうに解釈し直されかねない。そのような過程は、数千年という単位の人類の視点ではなく、何十億年という宇宙の視点から理解されるべきだ。

世界中の生物学者は、インテリジェント・デザイン運動との戦いを展開している〔訳註　インテリジェント・デザインとは、知性を持つ存在によって生命や宇宙が設計されたという説〕。インテリジェント・デザイン運動は、学校でダーウィンの進化論を教えることに反対し、生物の複雑さは、あらかじめ生物学的詳細のいっさいを考案した造物主が存在するに違いないことを立証していると主張する。過去について生物学者は正しいが、皮肉にも、未来についてはインテリジェント・デザインの提唱者が正しいのかもしれない。

本書の執筆の時点で、知的設計は以下の三つのどの形でも自然選択に取って代わりうる。すなわち、生物工学、サイボーグ工学（サイボーグとは、有機的器官と非有機的器官を組み合わせた生き物のこと）、非有機的生命工学だ。

マウスとヒトの合成

生物工学とは、エドゥアルド・カッツの芸術面での好みのような、人間文化に由来する、あらかじめ抱いていた何らかの概念を実現するために、生物の形態や能力、欲求、欲望の改変を目指す、生物学的なレベルでの人間の意図的な介入（たとえば、遺伝子の移植）のことをいう。

生物工学そのものには、何一つ目新しいところはない。人々は、自分自身や他の生き物を造り変えるために、何千年にもわたって生物工学を利用してきた。単純な例が去勢だ。人類はおそらく一万年前から雄牛を去勢している。去勢した雄牛は攻撃性が弱まるので、鋤を引くように訓練しやすい。人類は幼い人間の男の子も去勢し、魅惑的な声を持ったソプラノ歌手や、スルタンのハーレムの監督を安心して任せられる宦官を生み出した。

だが近年、細胞や核のレベルに至るまで、生物の仕組みの理解が深まったため、かつては想像もできなかった可能性が拓かれた。たとえば私たちは今日、人間の男性を去勢するだけでなく、外科的手段とホルモンを使った処置で性転換することもできる。だが、それだけではない。一九九六年に左の写真が新聞やテレビに登場した後に湧き起こった驚きと嫌悪と不安を考えてほしい。

いや、これは画像編集ソフトを使って加工した写真ではない。科学者たちが牛の軟骨細胞を背中に移植した本物のマウスの無修正の写真だ。これらの科学者は、新しい組織の成長を背中に移植して、この場合には人間の耳に似たものにすることができた。この手法を使えば、科学者は間もなく、人工的な耳を製造し、それを人間に移植すること

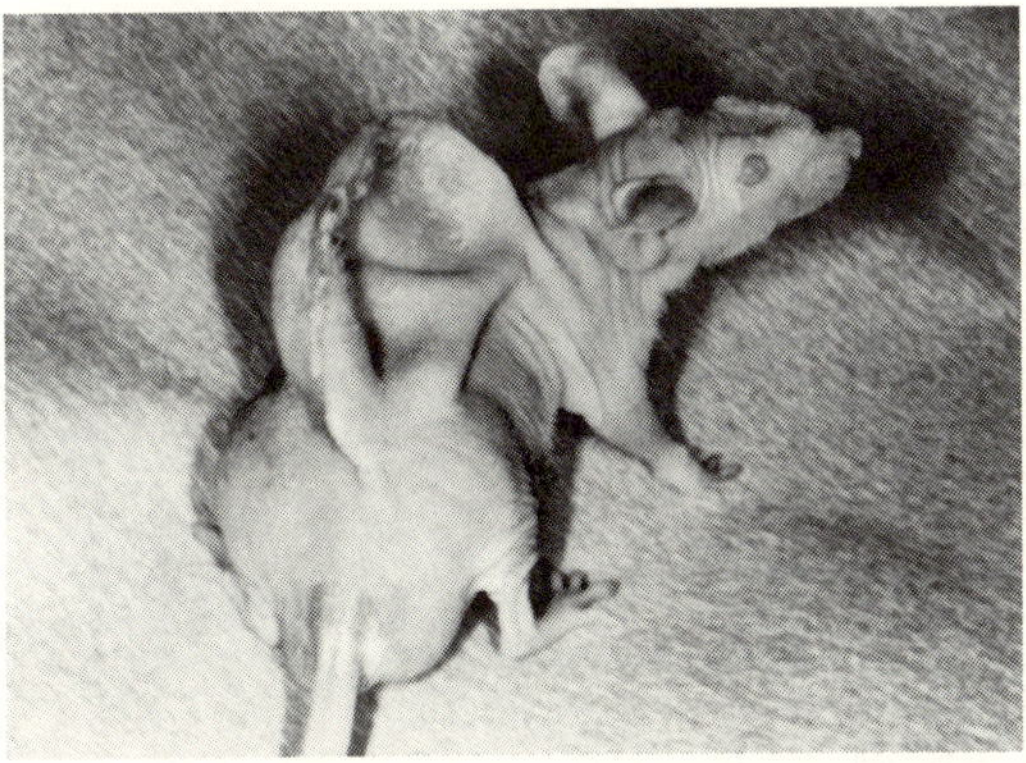

図43　科学者が牛の軟骨細胞から作った「耳」を背中に生やしたマウス。シュターデル洞窟のライオン人間像の不気味な模倣と言える。3万年前、人類は異なる種を組み合わせることをすでに夢見ていた。今日、私たちはそのような複合生物を実際に生み出せる。

が可能になるだろう[1]。

遺伝子工学によって、さらに驚くべきことができるかもしれない。だからこそ、倫理、政治、イデオロギー上の問題が多数発生しているのだ。しかも、人類が神の役割を強奪するのに異を唱えるのは、敬虔《けいけん》な一神教信者ばかりではない。多くの根っからの無神論者も、科学者が自然に取って代わるという発想に衝撃を受けている。動物愛護運動家は、遺伝子工学実験によって実験動物たちを苦しめたり、欲求や欲望を完全に無視して遺伝子工学で家畜を操作して彼らに苦痛を味わわせたりすることを非難する。人権擁護運動家は、超人を生み出して人間たちを奴隷にするのに遺伝子工学が使われることを恐れる。現代の悲観的な予言者たちは、恐れを知らない兵士や従順な労働者のクローンを作る独裁政権の出現という、悲惨な事態が起こる展望を提示する。あまりに多くの機会があまりに急速に拓かれ、遺伝子を改変する私たちの能力が、その技能を先見の明を持って賢く行使する能力を凌駕しているというのが、一般的な印象だろう。

そのため私たちは現在、遺伝子工学の可能性のうち、ほんの一部しか利用していない。遺伝子工学で操作されている生物のほとんどは、植物や菌類、昆虫といった、政治的なロビー活動があまり行なわれない弱者たちだ。たとえば人間の消化管の中で共生的に生きている（そして、消化管から抜け出して致死的な感染を引き起こしたときにはニュースになる）大腸菌の菌株は、生物燃料を生産するように遺伝子工学によって操作されている。大腸菌や数種の菌類は、インシュリンを生産するようにも改変されており、そのおかげで糖尿病の治療費が下がった。また、北極海の魚から抽出された遺伝子がジャガイモに注入され、耐寒性が増進された。

哺乳動物も数種が遺伝子工学の対象にされてきた。酪農業界は毎年、乳牛の乳房を襲う乳腺炎のせいで、何十億ドルもの損害を出している。科学者たちは現在、乳腺炎を引き起こす細菌を攻撃する、リソスタフィンという生化学物質が乳に含まれるよう牛を遺伝子操作する実験を行なっている。ハムやベーコンに含まれる健康に良くない脂肪を消費者が警戒するせいで売上が落ちている豚肉業界は、線虫の遺伝物質を移植した、まだ実験段階のブタの系統に期待をかけている。この新しい遺伝子はブタに、悪玉のオメガ6脂肪酸を善玉のオメガ3脂肪酸に変えさせる。(6)

次世代の遺伝子工学を前にしたなら、善玉の脂肪酸を持ったブタなど、子供騙《だま》しに見えることだろう。遺伝学者たちは、線虫の平均寿命を六倍に延ばしてのけただけでなく、格段に進歩した記憶力と学習技能を示す天才マウスも遺伝子工学で創り出した。(7)ハタネズミはマウスに似た、小さなずんぐりした齧歯《げっし》類で、そのほとんどの種類が乱交型だ。だが、オスとメスが永続的な一夫一婦関係を結ぶ種が一つある。遺伝学者たちは、ハタネズミの一夫一婦制の原因となる遺伝子を単離したと主張している。遺伝子を一つ加えただけで、ハタネズミのドン・ファンを誠実で愛情深い夫に変えられるのなら、齧歯類動物（と人類）の個々の能力だけでなく、社会構造も遺伝子工学で改変できる日は、遠くないのではないだろうか?(8)

ネアンデルタール人の復活

とはいえ、遺伝学者の願いは、今生きている生物を改変することにとどまらない。彼らは絶滅した生物を蘇《よみがえ》らせることも目指している。それも、『ジュラシック・パーク』の中でのように恐竜を復活させるだけではない。ロシアと日本と韓国の科学者から成るチームが最近、シベリアの氷の中で発見された凍った古代のマンモスのゲノムを解析した。そして今度は、今日のゾウの受精卵を取り出し、ゾウのDNAに代えて復元したマンモスのDNAを移植し、その卵細胞をゾウの子宮に着床させることを計画している。彼らは着床からおよそ一年一〇か月後に、マンモスが五〇〇〇年ぶりに誕生することを見込んでいる。(9)

だが、マンモスで終わりにする必要があるだろうか？　ハーヴァード大学のジョージ・チャーチ教授は最近、ネアンデルタール人ゲノム計画が完了したので、今や私たちは復元したネアンデルタール人のDNAをサピエンスの卵子に移植し、三万年ぶりにネアンデルタール人の子供を誕生させられると述べた。チャーチは、自分ならこの課題は、わずか三〇〇〇万ドルでできると主張している。代理母になることを申し出た女性も、すでに数人いるそうだ。(10)

では、どのような目的にネアンデルタール人が必要なのか？　生きたネアンデルタール人を研究できれば、ホモ・サピエンスの起源と独自性にまつわる厄介きわまりない疑問のいくつかに答えられると主張する人もいる。ネアンデルタール人とホモ・サピエンスの脳を比較し、構造の違いを洗い出していけば、どのような生物学的変化が、今、私たちの経験しているような意識を生み出したかを突き止められるかもしれない。

倫理的な理由もある。ネアンデルタール人が絶滅したのはホモ・サピエンスのせいなら、私たちには彼らを再生させる道徳的義務があると言う人もいるのだ。そして、ネアンデルタール人がいれば、役に立つかもしれない。一人のネアンデルタール人を喜んで雇い、サピエンス二人分のつまらない仕事をさせたがる実業家は大勢いるだろう。

だが、ネアンデルタール人で終わりにする必要さえないのではないか？　神の製図版にまでさかのぼって、もっと優れたサピエンスを設計すればいいではないか。ホモ・サピエンスの能力や欲求、欲望には遺伝的基盤があるし、サピエンスのゲノムはハタネズミやマウスのゲノムより複雑なわけではない（マウスのゲノムには約二五億個の核酸塩基が含まれているのに対して、サピエンスのゲノムには約二九億個の核酸塩基が含まれている。つまり、サピエンスのほうが、わずか一六パーセント多いにすぎない[11]）。中期的（数十年後）には、遺伝子工学やその他の形態の生物工学のおかげで、私たちの生理機能や免疫系、寿命だけではなく、知的能力や情緒的能力にまで多大な改変が行なえるようになるかもしれない。もし遺伝子工学で天才マウスを創り出せるのなら、天才人間も創り出せないはずがない。もし一夫一婦制のハタネズミを生み出せるのなら、パートナーに誠実であり続けるように行動様式が固定された人間も生み出せない道理があるだろうか？

ホモ・サピエンスを取るに足りない霊長類から世界の支配者に変えた認知革命は、

サピエンスの脳の生理機能にとくに目立った変化を必要としなかった。大きさや外形にさえも、格別の変化は不要だった。どうやら、脳の内部構造に小さな変化がいくつかあっただけらしい。したがって、ひょっとすると再びわずかな変化がありさえすれば、第二次認知革命を引き起こして、完全に新しい種類の意識を生み出し、ホモ・サピエンスを何かまったく違うものに変容させることになるかもしれない。

たしかに、それを成し遂げるだけの才覚を私たちはまだ持ち合わせていないが、私たちが超人を生み出すのを妨げる、克服不可能な技術的障害はないように見える。主な障害は、倫理的な異議や政治的な異議であり、そのせいで人間についての研究の進展が遅れている。そして、倫理的な主張は、たとえどれほど説得力を持っていても、次の段階に進むのをあまり長く防げるとは思えない。人間の寿命を際限なく引き延ばしたり、不治の病に打ち勝ったり、認知的な能力や情緒的な能力を向上させたりする可能性がかかっている場合には、なおさらだ。

たとえば、健康な人の記憶力を劇的に高める余禄《よろく》まで伴うアルツハイマー病の治療法を開発するとしたら、どうなるか？　それに必要な研究を止められる人などいるだろうか？　そして、その治療法が開発された暁には、その使用をアルツハイマー病の患者だけに限り、健康な人がそれを使って超人的な記憶力を獲得するのを防ぐことのできる法執行機関など、あるだろうか？

生物工学で本当にネアンデルタール人を再生できるかどうかははっきりしないが、ホモ・サピエンスという存在に幕が下りる可能性は非常に高い。私たちの遺伝子をいじくり回しても、必ずしも私たちの命が奪われるとはかぎらない。だが、あまりにホモ・サピエンスに手を加え過ぎて、私たちがもはやホモ・サピエンスではなくなる可能性はある。

バイオニック生命体

生命の法則を変えうる新しいテクノロジーは他にもある。サイボーグ工学もその一つだ。サイボーグは有機的な器官と非有機的な器官を組み合わせた生物で、たとえば、バイオニック・ハンド〔訳註　生体工学を利用して造った義手〕を装着した人間がそれに当たる。ある意味で、現代人のほぼ全員がバイオニックだ。なぜなら私たちの生来の感覚や機能は、眼鏡やペースメーカー、矯正《きょうせい》器具、果てはコンピューターや携帯電話（この二つは、脳によるデータの保存と処理の負担を軽減してくれる）まで、さまざまな装置によって補強されているからだ。私たちは、自分の身体と一体不可分の非有機的な器官を備えた、正真正銘のサイボーグに変身する瀬戸際にある。そうした器官は、私たちの能力や欲望、人格、アイデンティティを改変することになる。

アメリカ軍の研究機関である国防高等研究計画局（DARPA）は、昆虫のサイボーグを開発している。電子チップや探知器、プロセッサーをハエかゴキブリの体内に埋め込み、それを使って人間あるいは自動オペレーターが動きを遠隔操作し、情報を収集・送信できるようにするという発想だ。そのようなハエは、敵の本部の壁に止まって、極秘の会話を盗み聞きし、クモに捕まったりしなければ、敵が何をたくらんでいるかをそっくり私たちに通報できる。[12] 二〇〇六年、アメリカの海軍水中戦センター（NUWC）は、サメのサイボーグを開発する意図を発表し、「NUWCは、神経インプラントを介して動物の行動を制御する目的の魚類用タグを開発中」であることを表明した。開発者たちは、サメが生まれつき備えている磁気検知能力を利用し、潜水艦や機雷の周囲に生じる水中の電磁場を検知することをもくろんでいる。[13] サメの検知能力のほうが、人間の手になるどんな検知器よりも優れているからだ。

サピエンスもサイボーグに改造されつつある。最新世代の補聴器は、「バイオニック・イヤー」と呼ばれることがある。この種の補聴器は埋め込み式で、耳の外側の部分に取りつけたマイクで音を拾う。インプラント（埋め込まれた部分）が音をフィルターにかけ、人間の声を識別し、電気信号に変え、主要な聴覚神経に直接送り込み、そこから脳へ伝える。[14]

政府が資金提供しているドイツのレティナ・インプラント社は、目の不自由な人が

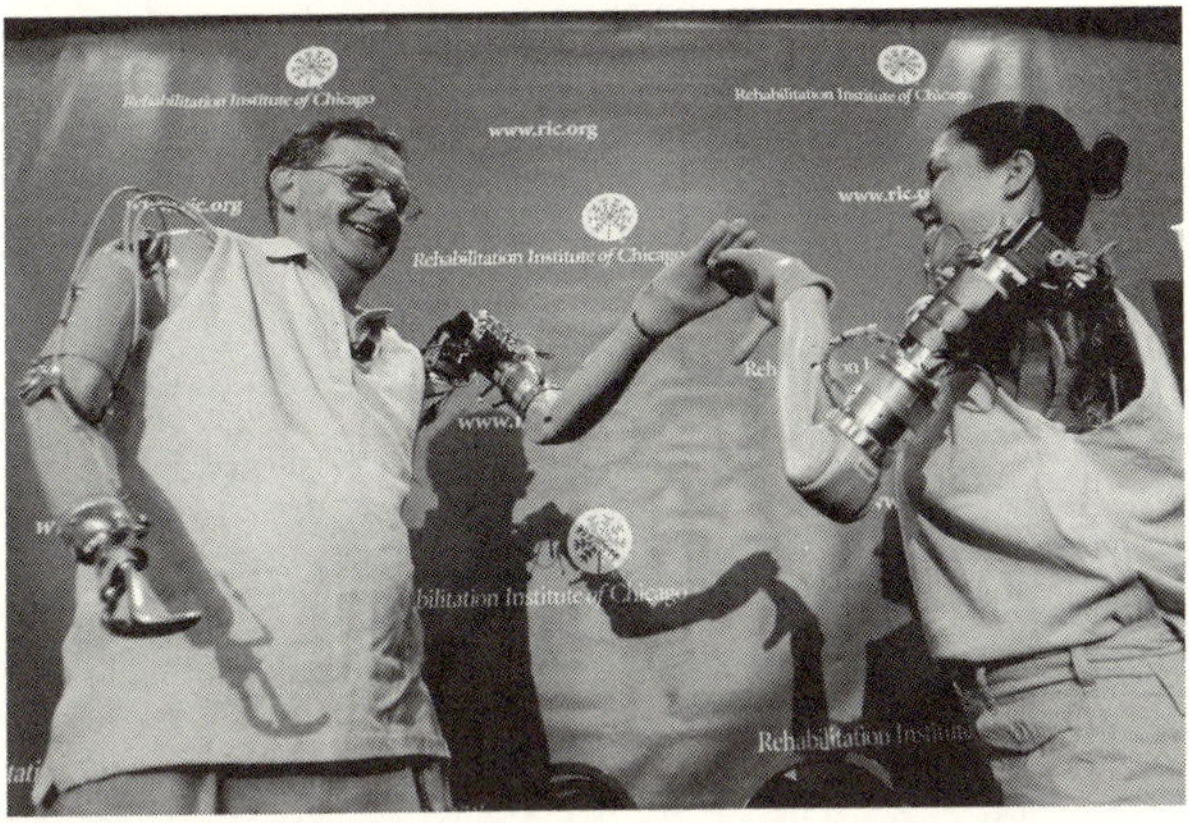

図44　手を取り合うジェシー・サリヴァンとクローディア・ミッチェル。バイオニック・アームのどこが驚異的かといえば、それは思考で動くところだ。

部分的に視力を獲得することを可能にする網膜プロテーゼを開発している。まず、目の不自由な人の目の内部に小さなマイクロチップを埋め込む。目に当たる光を光電池が吸収して電気エネルギーに変換し、それで網膜に残っている健全な細胞を刺激する。刺激を受けた細胞の神経インパルスが脳を刺激し、それが視覚に変換される。現時点で、このテクノロジーを使うと、目が不自由だった人は自分の向きを見定めたり、文字を判読したり、さらには顔を認識したりさえできる[15]。

　アメリカの電気技師ジェシー・サリヴァンは二〇〇一年に事故で両腕を付け根から失った。彼は今ではシカゴ・リハビリテーションセンターの厚意で、二本のバイオニック・アームを使っている。ジェシーの新しい腕には際立った特徴がある。思考だけで操作できるのだ。ジェシーの脳から届いた神経信号をマイクロコンピューターが電気的な指令に変換し、腕を動かす。たとえば、腕を挙げたいときには、ジェシーは健常者なら誰もが無意識にすることをする。すると、腕が挙がる。本物の腕と比べれば、ごく限られた範囲の動きしかできないが、この腕のおかげで、ジェシーは日常の単純な機能を果たすことができる。オートバイ事故で片腕を失ったアメリカ兵クローディア・ミッチェルにも、最近同じようなバイオニック・アームが取りつけられた。腕を失った人が動かそうと思ったときに動くだけでなく、信号を脳に送り返して、触覚を取り戻すことさえ可能にするようなバイオニック・アームが、ほどなくでき上がるだろうと科学者たちは考えている![16]

現時点でバイオニック・アームは本物の腕には遠く及ばないが、今後際限なく発達する可能性を秘めている。たとえば、バイオニック・アームは本物の腕よりも段違いに強力にできるので、ボクシングのチャンピオンでさえ、か弱く見えるだろう。そのうえ、バイオニック・アームには、数年ごとに取り換えたり、体から取り外して遠隔操作したりできるという利点もある。

ノースカロライナ州のデューク大学の科学者たちは最近、脳に電極を埋め込んだアカゲザルでこの利点を実証した。電極で脳の信号を拾い、それを体外の装置に伝達する。サルたちは、離れた所にあるバイオニック・アームやバイオニック・レッグを思考だけで操作するよう、訓練されていた。オーロラという名のメスのサルは、離れた所にあるバイオニック・アームを思考で操作しながら、同時に自分の二本の腕を動かすことを覚えた。オーロラはまるでヒンドゥー教の女神か何かのように、今や三本の腕を持っている。しかも、バイオニック・アームは別の部屋、いや、別の町にさえあってもいいのだ。彼女はノースカロライナ州の研究室に座って、片手で自分の背中を搔《か》き、もう一方の手で頭を搔き、同時に、ニューヨーク州でバナナを失敬することができる（もっとも、盗んだ果物を離れた場所で食べるのは、今なお夢にすぎない）。イドヤという別のアカゲザルは二〇〇八年、ノースカロライナ州で椅子に座ったまま、日本の京都にある一対のバイオニック・レッグを思考で制御して世界的な名声を博した。その脚は、イドヤの体重の二〇倍の重さがあった[17]。

閉じ込め症候群という病態がある。ある人が体の各部を動かす能力をすべて、あるいはほぼすべて失いながらも、認知的能力は無傷で残っている状態だ。この症候群の患者は、今のところ、かすかな目の動きでしか、外の世界と意思を疎通させることができない。だが、患者の何人かは、脳内の信号を拾う電極を脳に埋め込んだ。その信号を動きばかりか言葉にも変換する努力がなされている。実験が成功すれば、この症候群の患者は、外の世界とようやく直接言葉を交わせるようになる。さらにはいずれ、このテクノロジーを使って、他者の心を読めるようにさえなるかもしれない。(18)

だが、現在進行中のあらゆるプロジェクトのうちで最も革命的なのは、脳とコンピューターを直接結ぶ双方向型のインターフェイスを発明する試みだ。それが成功すれば、コンピューターで人間の脳の電気信号を読み取ると同時に、脳が解読できる信号を脳に送り込むことができる。そのようなインターフェイスを使って脳を直接インターネットにつないだらどうなるか？　あるいは、複数の脳を結びつけ、いわば「インター・ブレイン・ネット」を生み出したらどうなるか？　もし脳が集合的なメモリー・バンクに直接アクセスできたら、人間の記憶や意識やアイデンティティに何が起こるのだろう？　そのような場合には、一人のサイボーグが、たとえば別のサイボーグの記憶を検索できる。記憶の内容を耳で聞くのではなく、自伝に書かれているのを読むのでもなく、想像するのでもなく、まるで自分自身の記憶であるかのように、直接思い出せるのだ。心が集合的なものになったら、自己や性別のアイデンティティなどの概念はどうなるのか？　どうしたら、汝《なんじ》自身を知ることができるのだろう？　あるいは、夢が自分の頭の中ではなく、多くの人の熱望の集積の中に存在するのであれば、どのようにして自分の夢を追えばいいのか？

そのようなサイボーグはもはや人間ではなく、生物でさえなくなるだろう。何か完全に異なるものなのだ。あまりに根本的に違い過ぎて、それが持つ哲学的意味合いも、心理的意味合いも、政治的意味合いも、私たちにはとうてい把握できない。

別の生命

生命の法則を変える第三の方法は、完全に非有機的な存在を造り出すことだ。その最も明白な例は、独自に進化を遂げられるコンピュータープログラムだろう。

機械学習における最近の進歩のおかげで、すでに今日のコンピュータープログラムは、自力で進化できる。プログラムは最初エンジニアによって書かれるとはいえ、その後は独自に新しい情報を獲得し、新しい技能を独習し、人間の作り手のものに優る見識を得る。したがって、コンピュータープログラムは、作り手が想像すらしえなかっただろう方向へと、自由に進化できる。

そのようなコンピュータープログラムは、学習によって、チェスを指したり、自動車を運転したり、疾患を診断したり、株式市場でお金を投資したりできるようになる。そして、これらの分野のすべてで、旧態依然とした人間をしだいに凌《しの》ぐようになるかもしれないが、互いに競い合わざるをえないだろう。そのため、新しい形の進化圧に直面する。一〇〇〇のコンピュータープログラムが、それぞれ異なる戦略を採用して株式市場に投資すれば、多くが破産するが、億万長者になるものも出てくる。その過程で、人間には肩も並べられなければ理解もできない、驚異的な技能を進化させるだろう。おそらくそうしたプログラムは、自分の投資戦略をサピエンスには説明できない。サピエンスがウォール街についてチンパンジーに説明のしようがないのと同じことだ。私たちの多くが、いずれその手のプログラムの下で働くようになりかねない。そしてそのプログラムが、どこに投資するかだけでなく、特定の仕事のために誰を雇い、誰に融資し、誰を刑務所に送り込むかまで決めるようになる。

それらは生き物なのだろうか？　それは「生物」という言葉で何を意味するか次第だ。いずれにしてもそれらは、有機的な進化の法則や制約とは完全に無関係に、新たな進化の過程によって生み出されたことは間違いない。

別の可能性も想像してほしい。持ち運びのできるハードディスクにあなたの脳のバックアップを作り、ノートパソコンでそれを実行したとしよう。そのノートパソコンは、サピエンスとまったく同じように考えたり感じたりできるだろうか？　できるとしたら、それはあなたなのか、それとも誰か別の人なのか？　コンピュータープログラマーたちが、コンピューターコードから成る、まったく新しいデジタル方式の心を創り出し、それに自己感覚や意識、記憶を持たせられたら、どうなるのか？　そのプログラムをコンピューターで実行したら、それは人なのか？　もしそれを消去したら、あなたは殺人罪で告発されるのか？

もちろん、そのようなことが可能かどうかは、まだわからない。コンピューターは毎年知能が高くなっているものの、これまでのところ、意識を持つには至っていない。知能と意識は別物だ。知能とは問題を解決する能力を指すのに対して、意識は痛みや喜び、愛、憎しみといったものを感じる能力のことをいう。人間や他の哺乳動物では、知能と意識は切っても切れない関係にある。私たちは、感情を拠りどころにして問題を解決する。ところがコンピューターは、それとはまったく違う方法を取る。だから、けっして感情を発達させないまま、私たちよりもはるかに高い知能を獲得するかもしれない。

そうはいっても、いつの日かコンピューターが意識を発達させる可能性を、あっさり退けることはできない。意識はつねに有機体だけのものと考える理由が、どこにあるだろう？　炭素ベースの生命体には、シリコンベースの存在には永遠に手の届かないような、何か摩訶不思議《まかふしぎ》なものがあるのか？　こうした疑問には、ほどなく答えが出るかもしれない。生命は四〇億年にわたって有機化合物の小さな世界の中で動き回ってきた後、突如、広大な非有機的領域に飛び出し、私たちには想像もつかないような形を取るかもしれない。

特異点《シンギュラリティ》

現時点では、これらの新しい可能性のうち、ほんの一部しか実現していない。だが二〇一四年の世界では、文化がすでに生物学の軛《くびき》から自らを解き放ちつつある。周囲の世界ばかりか、ほかならぬ自分の身体や心の内側にある世界さえも操作する私たちの能力は、猛烈な速さで発達している。ますます多くの活動分野が、現状で満足してはいられなくなっている。法律家はプライバシーとアイデンティティの問題を考え直さなければならず、政府は医療と平等の問題の再考を迫られ、スポーツ団体や教育機関はフェアプレイと成績を再定義する必要があり、年金基金と労働市場は六〇歳がかつての三〇歳に相当しうる世界に適合するように再調整せざるをえない。誰もが生物工学やサイボーグ、非有機的生命の難問に対処しなくてはならないのだ。

ヒトゲノムを初めて解析したときには、一五年の月日と三〇億ドルの費用がかかった。今日では、人間一人のDNAを解析するのには、数週間と数百ドルしかかからない。[19] 個別化医療（各自のDNAに適合した治療を行なう医療）は、すでに始まっている。ほどなく家庭医は、たとえばあなたが肝臓癌《がん》にかかる可能性は高いが心臓発作はあまり心配しなくていいと、前よりも自信を持って言えるようになるかもしれない。あるいは、九二パーセントの人に効果がある評判の薬が、あなたには役に立たないとか、多くの人には致命的だがあなたには打ってつけの別の薬を服用するようにとか言えるかもしれない。ほぼ完璧な医療へと続く道が、私たちの前に開けているのだ。

だが、医学の知識が向上するとともに、新たな倫理的難問が発生する。すでに倫理学者と法律の専門家は、プライバシーの厄介な問題に手を焼いている。DNAと関係しているからだ。保険会社は私たちのDNAのスキャンを求め、無謀な行動をする遺伝的傾向が見つかれば、料金を値上げする権利があるのだろうか？　就職を希望するときには雇用主に履歴書ではなくDNAをファックスすることを求められるのだろうか？　雇用主はDNAが良さそうに見える就職希望者を選ぶことが許されるのか？　あるいは、そんな場合に私たちは「遺伝的差別」を理由に告訴できるのか？　新しい生き物や器官を開発した企業は、そのDNA配列の特許を登録できるのか？　人が特定のニワトリを所有しうることは明らかだが、ある種をそっくり所有できるのだろうか？

こうした難問も、不死の探究や超人を創り出す私たちの新しい潜在能力の持つ倫理的、社会的、政治的意味合いの前では霞《かす》んでしまう。世界人権宣言や、世界中の政府の医療制度、国民健康保険制度、世界各国の憲法は、人間社会はその成員全員に公正な医療を提供し、彼らを比較的良好な健康状態に保たなくてはならないことを認めている。これは、医療が主に病気の予防と病人の治療にかかわっているかぎり、何の問題もなかった。だが、医療が人間の能力を高めることに専心するようになったら、何が起こりかねないのか？　全人類にそのように能力を高める権利があるのか、それとも、新しい超人エリート層が誕生するのか？

現代世界は、歴史上初めて全人類の基本的平等性を認めたことを誇りとしているが、これまでで最も不平等な社会を生み出そうとしているところなのかもしれない。歴史を通して、上流階級はつねに底辺層よりも賢く、強く、全般的に優れていると主張してきた。彼らはたいてい自分を欺《あざむ》いていた。貧しい農家に生まれた赤ん坊も、おそらく皇太子と同じぐらい知能が高かった。だが、新たな医学の力を借りれば、上流階級のうぬぼれも、間もなく客観的現実となるかもしれない。

これはサイエンス・フィクションではない。ほとんどのサイエンス・フィクションの筋書きは、私たちとそっくりのサピエンスが光速の宇宙船やレーザーガンといった優れたテクノロジーを享受する世界を描いている。これらの筋書きの核心を成す倫理的ジレンマや政治的ジレンマは、私たち自身の世界から取り出されたもので、未来を背景にして私たちの感情的緊張や社会的緊張を再現しているにすぎない。だが、未来のテクノロジーの持つ真の可能性は、乗り物や武器だけではなく、感情や欲望も含めて、ホモ・サピエンスそのものを変えることなのだ。子供をもうけず、性行動も取らず、思考を他者と共有でき、私たちの一〇〇〇倍も優れた集中力と記憶力を持ち、けって怒りもしなければ悲しみもしないものの、私たちには想像の糸口もつかめない感情と欲望を持ち、永遠に若さを保つサイボーグと比べれば、宇宙船など物の数にも入らないではないか。

サイエンス・フィクションがそのような未来を描くことはめったにない。なぜなら、正確に描こうとしても、当然ながらそれは私たちの理解を超えているからだ。スーパーサイボーグの生活についての映画を制作するのは、ネアンデルタール人の観客を相手に『ハムレット』を上演するのに等しい。それどころか、おそらく未来の世界の支配者は、ネアンデルタール人から私たちがかけ離れている以上に、私たちとは違った存在となるだろう。私たちとネアンデルタール人は、少なくとも同じ人類であるのに対して、私たちの後継者は、神のような存在となるだろうから。

物理学者はビッグバンを特異点としている。それは、既知の自然法則がいっさい存在していなかった時点だ。時間も存在しなかった。したがって、何であれビッグバンの「前」に存在していたと言うのは意味がない。私たちは新たな特異点に急速に近づいているのかもしれない。その時点では、私、あなた、男性、女性、愛、憎しみといった、私たちの世界に意義を与えているもののいっさいが、意味を持たなくなる。何であれその時点以降に起こることは、私たちにとって無意味なのだ。

フランケンシュタインの予言

一八一八年、メアリー・シェリーは『フランケンシュタインあるいは現代のプロメシュース』（菅沼慶一訳、共同文化社、二〇〇三年、他）を発表した。ある科学者が人造人間を生み出すが、それが言うことを聞かなくなって惨事を引き起こすという物語だ。過去二世紀の間、同じ物語が形を変えて何度となく語られてきた。それは私たちの新しい科学神話にとって、重要な柱となった。一見するとフランケンシュタインの物語は、もし私たちが神の真似をして生命を創り出そうとしたら、厳しい罰を受けるだろうと警告しているように思える。だが、この物語にはもっと深い意味がある。

フランケンシュタイン神話は、終末が急速に近づいているという事実をホモ・サピエンスに突きつける。核の大惨事、あるいは生態学的な大惨事といった番狂わせで私たちが先に滅んでしまわなければ、テクノロジーがこのまま発展を続け、ホモ・サピエンスは異なる体形だけでなく非常に異なる認知的世界や情緒的世界をも持った、まったく異質の存在に取って代わられるだろう。これは、ほとんどのサピエンスには非常に不穏なことに感じられるだろう。私たちは、将来まさに自分と同じような人々が、高速の宇宙船で恒星から恒星へと旅すると考えたがる。将来、私たちのような感情とアイデンティティを持った生き物がもはや存在しなくなり、私たちの能力の影が薄くなるほど優れた能力を備えた、馴染《なじ》みのない生命体に取って代わられる可能性など、考える気がしないのだ。

フランケンシュタイン博士が恐ろしい怪物を生み出し、自らを救うために私たちがその怪物を抹殺しなければならなかったという発想に、私たちはなぜかほっとする。私たちがそういう形でこの物語を語りたがるのは、私たちこそが最高の存在で、自分たちに優る存在はかつてなかったし、今後もけっして現れないだろうことを、それが意味しているからだ。私たちを改良しようとする試みは必ずや失敗に終わる、なぜなら、たとえ私たちの肉体は改良できても、人間の精神には手をつけられないから、というわけだ。

だから、科学者が肉体ばかりでなく精神も操作でき、したがって未来のフランケンシュタイン博士は、真に私たちを凌駕するもの、私たちがネアンデルタール人を見るのと同じぐらい相手を見下した目で、私たちのことを見るものを生み出しうるという事実を、人間はなかなか受け容れられないだろう。

今日のフランケンシュタインたちがこの予言を本当に実現するかどうか、私たちにははっきりとはわからない。未来は未知であり、ここまでの数ページの予想がすべて実現したとしたら驚きだ。目前に迫っていると思われたことが、想定外の障壁のせいで実現しなかったり、想像もしていなかった他の筋書きがじつは現実のものになったりしうることを、歴史は私たちに教えてくれる。一九四〇年代に原子力の時代が突然幕を開けたときには、西暦二〇〇〇年の原子力の未来世界について、多くの予想がなされた。スプートニクとアポロ一一号が世界中の想像力を掻き立てたときには、世紀末までには火星や冥王星の宇宙植民地に人々が暮らしているだろうと、誰もが予想し始めた。こうした予測のうち、実現したものはほとんどない。その一方、インターネット時代の到来を予見した人は誰もいなかった。

　というわけで、デジタル生物に訴えられたときの費用を補償する責任保険には、まだ加入しに行く必要はない。これまで述べてきたような空想（あるいは悪夢）は、あなたの想像力を刺激するためのものにすぎないのだ。私たちが真剣に受け止めなければいけないのは、歴史の次の段階には、テクノロジーや組織の変化だけではなく、人間の意識とアイデンティティの根本的な変化も含まれるという考えだ。そして、それらの変化は真に根源的なものとなりうるので、「人類」という言葉そのものがその妥当性を問われる。それまでに、あとどれだけ時間が残っているのか？　実際のところは誰にもわからない。すでに述べたとおり、二〇五〇年までにはすでに非死《アモータル》になっている人も何人かいると見る向きもある。そこまで極端ではない人は、次の世紀、あるいは次の一〇〇〇年紀には、と言う。だが、七万年に及ぶサピエンスの歴史を考えれば、数世紀という年月もたいしたことがないではないか。

もし本当にサピエンスの歴史に幕が下りようとしているのだとしたら、その終末期の一世代に属する私たちは、最後にもう一つだけ疑問に答えるために時間を割くべきだろう。その疑問とは、私たちは何になりたいのか、だ。「人間強化問題」と呼ばれることもあるこの疑問は、現在、政治家や哲学者、学者、一般人がしきりに行なっているさまざまな議論とは桁違《けたちが》いに重要だ。なにしろ、今日の宗教やイデオロギー、国民、階級それぞれの間で戦わされる今日の議論は、ほぼ間違いなくホモ・サピエンスとともに消滅するのだから。もし私たちの後継者が本当に、異なる意識の次元で機能する（あるいはひょっとして、私たちには思い描くことさえできないような、何か意識を超えたものを持っている）としたら、彼らがキリスト教あるいはイスラム教に興味を抱いたり、彼らの社会の構成が共産主義あるいは資本主義に基づいていたり、彼らの社会的・文化的性別が男性あるいは女性になりえたりするとは思えない。

そうは言うものの、歴史についての大きな議論の数々は、重要だ。なぜなら、少なくともこれらの神々のような存在の第一世代は、彼らを設計した人間の文化的発想によって形作られているだろうからだ。彼らは資本主義、あるいはイスラム教、フェミニズムを雛型《ひながた》にして生み出されるのだろうか？　この疑問に対する答え次第で、彼らはまったく異なる方向へと突き進んでいくかもしれない。

ほとんどの人は、それについて考える気になれない。生命倫理の分野でさえ、「何をすることが禁じられているか？」という別の疑問に取り組むことのほうを好む。生きた人間を使って遺伝にかかわる実験をすることは許容できるのか？　中絶した胎児は？　幹細胞は？　ヒツジのクローンを作るのは倫理に適《かな》うのか？　チンパンジーのクローンは？　人間のクローンはどうなのか？　これらはすべて重要な疑問だが、私たちがあっさりブレーキを踏んで、ホモ・サピエンスの性能を高めて異なる種類の存在にしようとしているさまざまな科学のプロジェクトを中止するかもしれないなどと想像するのは甘過ぎる。なぜならそうしたプロジェクトは、ギルガメシュ・プロジェクトと分かち難く結びついているからだ。なぜゲノムを研究するのか、あるいはなぜ脳をコンピューターとつなごうとするのか、コンピューターの内部に心を生み出そうとするのかと、科学者に訊いてみるといい。十中八九、同じ紋切り型の答えが返ってくるだろう。私たちは病気を治療し、人命を救うためにやっているのだ、と。コンピューターの中に心を生み出すことの意味合いは、精神疾患を治すよりもはるかに劇的ではあるものの、そのような紋切り型の答えが、正当化の根拠として返ってくる。なぜなら、それに異論を挟める人はいないからだ。だからこそ、ギルガメシュ・プロジェクトは科学の大黒柱なのだ。このプロジェクトは、科学のすることのいっさいを正当化してくれる。フランケンシュタイン博士はギルガメシュに便乗している。ギルガメシュを止めるのが不可能である以上、フランケンシュタイン博士を止めることもできない。

唯一私たちに試みられるのは、科学が進もうとしている方向に影響を与えることだ。私たちが自分の欲望を操作できるようになる日は近いかもしれないので、ひょっとすると、私たちが直面している真の疑問は、「私たちは何になりたいのか？」ではなく、「私たちは何を望みたいのか？」かもしれない。この疑問に思わず頭を抱えない人は、おそらくまだ、それについて十分考えていないのだろう。

あとがき——神になった動物

七万年前、ホモ・サピエンスはまだ、アフリカの片隅で生きていくのに精一杯の、取るに足りない動物だった。ところがその後の年月に、全地球の主となり、生態系を脅《おびや》かすに至った。今日《こんにち》、ホモ・サピエンスは、神になる寸前で、永遠の若さばかりか、創造と破壊の神聖な能力さえも手に入れかけている。

不幸にも、サピエンスによる地球支配はこれまで、私たちが誇れるようなものをほとんど生み出していない。私たちは環境を征服し、食物の生産量を増やし、都市を築き、帝国を打ち立て、広大な交易ネットワークを作り上げた。だが、世の中の苦しみの量を減らしただろうか？　人間の力は再三にわたって大幅に増したが、個々のサピエンスの幸福は必ずしも増進しなかったし、他の動物たちにはたいてい甚大な災禍を招いた。

過去数十年間、私たちは飢饉《ききん》や疫病、戦争を減らし、人間の境遇に関しては、ようやく多少なりとも真の進歩を遂げた。とはいえ、他の動物たちの境遇はかつてないほどの速さで悪化の一途をたどっているし、人類の境遇の改善はあまりに最近の薄弱な現象であり、けっして確実なものではない。

　そのうえ、人間には数々の驚くべきことができるものの、私たちは自分の目的が不確かなままで、相変わらず不満に見える。カヌーからガレー船、蒸気船、スペースシャトルへと進歩してきたが、どこへ向かっているのかは誰にもわからない。私たちはかつてなかったほど強力だが、それほどの力を何に使えばいいかは、ほとんど見当もつかない。人類は今までになく無責任になっているようだから、なおさら良くない。物理の法則しか連れ合いがなく、自ら神にのし上がった私たちが責任を取らなければならない相手はいない。その結果、私たちは仲間の動物たちや周囲の生態系を悲惨な目に遭わせ、自分自身の快適さや楽しみ以外はほとんど追い求めないが、それでもけっして満足できずにいる。

　自分が何を望んでいるかもわからない、不満で無責任な神々ほど危険なものがあるだろうか？

文庫版　あとがき——AIと人類

『サピエンス全史——文明の構造と人類の幸福』の英語版が刊行されたのは二〇一四年のことだ。それ以降も、ホモ・サピエンスは盛んに活動してきた。人類学者と遺伝学者は私たちの過去に新たな光を当て続け、たとえば、二〇一四年にはまだ知られていなかったホモ・ナレディ[1]やホモ・ルゾネンシス[2]のような人類種《しゅ》が、かつて存在していたことを明らかにした。その一方で、グローバルな生態学的危機の深刻化が加速した。過去一〇年間に、四九五の動植物の種が公式に絶滅を宣言された[3]が、これはおそらく、失われた種の実数と比べれば、ほんの一部にすぎないだろう[4]。人間の文明そのものも、気候変動のせいでしだいに危うさを増している。私が『サピエンス全史』を書いてからの期間だけで、これまで産業用に化石燃料を燃やすことで排出された炭素累積量のおよそ二〇パーセントに当たる量が、大気中に放出された[5]。そして、人間が生態系の分かちがたい一部分であることに、根強い疑問を抱いていた人がいたとしても、ＣＯＶＩＤ－19（新型コロナウイルス感染症）のパンデミックによって、私たちが動物であり、ホモ・サピエンスという種は自らを有機体の世界から隔離できないことを誰もが思い知らされた。

不幸にも、人類はパンデミックや気候変動のようなグローバルな脅威に直面してさえ団結することができず、二〇一四年以降、国際的な緊張は劇的な高まりを見せている。私は『サピエンス全史』で国際的な暴力の相対的な減少について書いたとき、「もちろん、こうした現状は今後変わるかもしれず、後から振り返れば今日〔二〇一四年〕の世界は信じ難いまでに考えが甘かったと思えるかもしれない」と述べた。そして、こうつけ加えた。「過去に対する私たちの見方が、直近の数年間の出来事によっていかに歪められやすいかに気づけば、はっとさせられる。仮に一九四五年か六二年にこの章が書かれていたら、おそらくはるかに陰気な内容になっていただろう。二〇一四年に書かれたからこそ、近代史へのアプローチは比較的明るいものになっているのだ。

楽観論者と悲観論者の双方を満足させるためには、こう結論するのがいいのかもしれない。私たちは天国と地獄の両方の入口に立ち、一方の玄関口と他方の控えの間とを落ち着きなく行き来している、と。私たちがどこに行き着くかについて、歴史はまだ心を決めかねており、さまざまな偶然が重なれば、私たちはまだどちらの方向にも突き進んでいきうるのだ」

それから一〇年がたとうとしている今、私たちは陰気にならざるをえない。人類は過去一〇年間に、地獄の門に向かって恐ろしいほど歩を進めてしまった。ロシアがウクライナに侵攻し、米中間の緊張が高まったせいで、突如、第三次世界大戦の勃発が現実味を帯びてきた。当然ながら、歴史はこれからの年月にも私たちを驚かせ続けるだろう。人類が今後、もっと賢明な決定を下し、この破滅の瀬戸際から遠ざかることが願われる。私は二〇一四年に、未来が未知であることを指摘し、「目前に迫っていると思われたことが……実現しなかったり、想像もしていなかった他の筋書きがじつは現実のものになったりしうる」とも記した。

だが、二〇一四年以降に起こったことのなかで最も重要なのは、人工知能（AI）の急激な発展かもしれない。私は『サピエンス全史』を書いているときに、AIには少し触れたものの、たいして興味深いテーマだとは思わなかった。ところが、二〇一六年に第二作『ホモ・デウス――テクノロジーとサピエンスの未来』を刊行したときには、AIがにわかに舞台の中央に躍り出た。私は人類の遠い将来について書きながら、私たちがこれまで他の動物たちにしてきたのと同じ仕打ちを、AIがいずれホモ・サピエンスにしかねないことを心配した。『ホモ・デウス』は次のような問いで終わる。「意識は持たないものの高度な知能を備えたアルゴリズムが、私たちが自分自身を知るよりもよく私たちのことを知るようになったとき、社会や政治や日常生活はどうなるのか?」この作品は、AIが力をつけるにつれ、私たちサピエンスは「その構築者からチップへ、さらにはデータへと落ちぶれ、ついには急流に呑まれた土塊《つちくれ》のように、データの奔流《ほんりゅう》に溶けて消えかねない」と警告した。

『ホモ・デウス』を書いていた当時、私は数世紀後、あるいは少なくとも数十年後の未来に起こるかもしれない展開についての警告を発しているつもりだった。ところが、それから一〇年もしないうちに、その未来が来てしまった。高度な知能を備えたさまざまなアルゴリズムが、すでに、私たちが自分自身を知るよりもよく私たちのことを知るようになっており、私たちはデータの奔流に呑《の》まれてあがき、社会はその奔流に溶けて消えかねないところまできている。

AIはまだその揺籃《ようらん》期にあるが、赤ん坊のような現時点のAIでさえ、これまでに人類史を飾ってきたどんな発明とも根本的に異なる。ナイフ形の石器や原子爆弾は、人間に力を与えた。なぜなら、石器や爆弾をどのように使うかを決める権限は、いつも人間の掌中に残っていたからだ。燧石《ひうちいし》のナイフは、誰かを殺すために使われるか、それとも棘《とげ》を抜き取るために使われるかを自ら決められなかったし、核ミサイルは、どこを攻撃するかを自ら決められなかった。それに引き換え、AIは自ら決定を下すことのできる最初のツールとなった。そしてそれゆえ、私たちから権限を奪う恐れがある。

ＡＩはまた、新しいアイデアを生み出したり、まったく新しい物語の数々を自分で考え出したりすることさえできる、最初のツールでもある。私は『サピエンス全史』で、歴史の中で物語が果たしてきた重要な役割を強調した。物語を創作する能力こそがこれまで、大勢のサピエンスが協力することを可能にする強大な力だった。プジョーのような企業や、ハンムラビ法典のような法律、さらには、人権やお金、神、国民もすべて、何十億もの人が協力するのを可能にするために私たちが創作した虚構の物語だ。これらの物語のおかげで、ネアンデルタール人やチンパンジーではなく私たちが、この地球という惑星を支配している。これまで、私たちサピエンス以外に虚構の物語を創作できる者は誰もいなかった。だが今や、ＡＩにはそれがやってのけられる。ＡＩがどのような物語を考えつくか、知れたものではない。そして、それらの物語が世界をどう変えるのか、誰にわかるだろうか？　ＡＩは新しい企業や新しい金融の仕組み、新しい法的権利、新しい神々を生み出すのだろうか？

ＡＩは、物語を語る技を身につけることで、人間の文明のオペレーティングシステムをハッキングした。これが、人間の歴史の終わりにつながる可能性は十分考えられる。歴史の終わりではない――人間が支配してきた時代が終わるにすぎない。歴史とは、生物学的特性と文化の間の相互作用、すなわち、食べ物やセックスのようなものへの私たちの生物学的欲求や願望と、宗教や法律のような私たちの文化的創造物との間の相互作用だ。歴史とは、宗教や法律が食べ物やセックスのあり方を決める過程と言える。

ＡＩが文化を引き継ぎ、物語やメロディ、画像、法律、宗教などを生み出し始めたら、歴史の行方はどうなるだろう？　ＡＩは数年のうちに、人間の文化全体——シュタ―デル洞窟のライオン人間やショーヴェの洞窟壁画以来、私たちが創造したもののいっさい——を食べ尽くし、消化し、新たな文化的所産を大量に吐き出し始めることになるかもしれない。最初、ＡＩはおそらく人間文化を手本として模倣するだろう。だが、月日が過ぎるうちに、ＡＩの文化は人間が行ったこともない所まで大胆に歩を進めるだろう。とくに、コンピューターは、進化と生化学が人間の想像力に課した制約を免れる点が強みなので。人間は何千年にもわたって、他の人間の夢の中で生きてきた。私たちは、どこかの預言者や詩人や政治家の想像に端を発する神を崇拝し、美の理想を追求し、大義に人生を捧げてきた。だが、今後の数十年間には、気がつくと人間以外の知能が抱く夢の中に閉じ込められているなどという羽目になりかねない。

もちろん、それまでには時間がかかるから、あと数年はサピエンスが主導権を握り続けられるだろう。現時点では、物語を語っているのは私たちであり、私たちはこの強大な力を使って、その物語のこれから先の各章にも影響を与えるよう試みることができる。テクノロジーはどれもみな、多くの異なる目的で利用可能であり、私たちはまだ、自らが生み出しているテクノロジーを思いどおりに形作ることができる。一世紀か二世紀後の地球は、ネアンデルタール人やチンパンジーから私たちがかけ離れている以上に、私たちとは違った存在によって支配されているだろう。だが、私たちサピエンスには、二〇一四年に私が本書の本文を結んだ問いに答える時間が、依然として残っている――私たちは何を望みたいのか？

ユヴァル・ノア・ハラリ

二〇二三年八月

謝辞

以下の方々の助言と力添えに感謝したい。サライ・アハロニ、ドリット・アハラノフ、エイモス・アヴィサル、ツァフリル・バルジライ、ノア・ベニンガ、スザンヌ・ディーン、カスピアン・デニス、ティルツァ・アイゼンバーグ、アミル・フィンク、サラ・ホロウェイ、ベンヤミン・Z・ケダル、ヨッシ・モーリー、エイアル・ミラー、デイヴィッド・ミルナー、ジョン・パーセル、サイモン・ローズ、シュムエル・ローズナー、ラミ・ロソルズ、ミカル・シャヴィット、マイケル・シェンカー、アイダン・シェレール、エリー・スティール、オファー・シュタイニッツ、ハイム・ヴァッツマン、ガイ・ザスラフスキー、ヘブライ大学世界史プログラムの全教員・学生のみなさん。

全体像をつかむことを教えてくれたジャレド・ダイアモンド、物語を書く気にさせてくれたディエゴ・オルシュタイン、その物語を広めるのを手助けしてくれたイツィク・ヤハヴとデボラ・ハリスには、心からお礼を申し上げる。

訳者あとがき

読書の醍醐味《だいごみ》の一つは、自分の先入観や固定観念、常識を覆《くつがえ》され、視野が拡がり、新しい目で物事を眺められるようになること、いわゆる「目から鱗《うろこ》が落ちる」体験をすることだろう。読んでいる本が、難しい言葉で書かれた抽象論だらけではなく、一般人でも隔たりを感じずにすっと入っていける内容が、わかりやすい言葉で綴《つづ》られているものだと、なおありがたい。まさにそのような醍醐味を満喫させてくれるのが本書『サピエンス全史』だ。

だからこそ、本書は三〇か国以上で刊行されて世界的なベストセラーとなり、「ウォールストリート・ジャーナル」「ガーディアン」「フィナンシャル・タイムズ」「ワシントン・ポスト」などの主要紙が称賛し、『銃・病原菌・鉄』の著者ジャレド・ダイアモンドも推薦しているのだろう。ノーベル賞を受賞した行動経済学者のダニエル・カーネマンは感銘を受けて二度も読み、フェイスブック（現メタ）のマーク・ザッカーバーグも「今年の一冊」に選んだそうだ。

著者のユヴァル・ノア・ハラリは、一九七六年、イスラエルのハイファ生まれ。オックスフォード大学で博士号を取得し、現在はエルサレムのヘブライ大学歴史学教授で、マクロ歴史学に焦点を当てた研究に取り組みつつ、旺盛な執筆活動も展開している。そのハラリが本書では、かつてアフリカ大陸の一隅で捕食者を恐れてほそぼそと暮らしていた取るに足りない動物がこの二一世紀までたどってきた道のりを振り返り、将来を見据える。

「取るに足りない動物」というのは、私たち現生人類にほかならない。ホモ属の多くの人類種の一つで、「取るに足りない動物」だったその私たちが、いったいどうやって食物連鎖の頂点に立ち、万物の霊長を自称し、自らを（厚かましくも）「ホモ・サピエンス（「賢いヒト」の意）」と名づけ、地球を支配するに至ったのか？

それは、多数の見知らぬ者どうしが協力し、柔軟に物事に対処する能力をサピエンス（著者は他の人類種と区別するために、現生人類であるホモ・サピエンスを「サピエンス」と呼んでいる）だけが身につけたからだ、と著者は言う。ハチやアリも多数が協力するが、それは近親者に限られ、彼らの行動はＤＮＡによってプログラムされており、柔軟性を欠く。オオカミやチンパンジーはある程度の柔軟性を持っているが、ごく親しい少数の仲間としか協力しない。

このサピエンスならではの能力を可能にしたのが、想像力だ。サピエンスだけが、約七万年前の「認知革命（新しい思考と意思疎通の方法の登場）」を経て、虚構、すなわち架空の事物について語れるようになった。客観的な現実の世界だけでなく、主観的な世界、それも大勢の人が共有する「共同主観的」な想像の世界にも暮らせるようになった。伝説や神話、神々、宗教を生み出し、それを共有する者なら誰もが柔軟に協働する能力を獲得した。虚構を作り変えればすぐに行動パターンや社会構造も変えられるので、サピエンスは遺伝子や進化の束縛を脱し、変化を加速させ、他の生物を凌《しの》げたのだ。

なお、こうした虚構は、伝説や神話にとどまらない。企業や法制度、国家や国民、さらには人権や平等や自由までもが虚構だというから驚く。こうしたものに、あまりに慣れ切っている私たちには意外かもしれないが、やはりこれらはすべて虚構なのだと著者は指摘し、私たちの価値観を根底から揺るがす。

さて、サピエンスの歴史は、約一万年前に始まった「農業革命」で新たな局面を迎える。農耕によって単位面積当たりに暮らせる人の数が爆発的に増加し、かつて狩猟採集をしながら小集団で暮らしていたサピエンスは定住し、統合への道を歩み始める。やがてその動きを速める原動力となったのが、貨幣と帝国と宗教（イデオロギー）という三つの普遍的秩序だった。とくに、「これまで考案されたもののうちで、貨幣はいちばん普遍的で、最も効率的な相互信頼の制度なのだ」と著者は言う。これまで、お金については悪いことが多々言われてきたが、たとえばアメリカと政治、軍事、イデオロギー、宗教などの面で対立している国や個人でさえ、ドルは受け容れている例を考えれば、その普遍性は認めざるをえない。「貨幣は人類の寛容性の極みでもある」わけだ。

やがてサピエンスは、人類の運命だけではなく、おそらく地上のあらゆる生命の運命をも変えることになる革命を起こした。約五〇〇年前に始まった「科学革命」だ。サピエンスが空前の力を獲得し始めるきっかけが、自らの無知を認めることだったというのだから面白い。それまでは、知るべきことはすべて神や賢者によって知られているという考え方が主流で、ほとんどの文化は進歩というものを信じていなかった。一方、科学は自らの無知を前提に、貪欲に知識を求めていった。

知識の追求には費用がかかる。したがって、科学がどの道を進むかは、イデオロギーと政治と経済の力に影響される。そのうちでも、とくに注意を向けるべきなのが、帝国主義と資本主義で、科学と帝国と資本の間のフィードバック・ループが、過去五〇〇年にわたって歴史を動かす最大のエンジンだった、と著者は主張する。進歩は、科学と政治と経済の相互支援に依存しており、政治と経済の機関が資源を提供し、そのお返しとして、科学研究は新しい力を提供する。政治と経済の機関はその力を使って、新しい資源を獲得し、その一部が、またしても科学研究に投資される、というループだ。アジアが後れを取ったのは、テクノロジーが欠けていたからではなく、西洋のような「探検と征服」の精神構造と、それを支える価値観や神話、司法の組織、社会政治体制を持たなかったためだ。

進歩の概念は資本主義とも相性が良かった。将来は富の総量としてのパイが拡大すると信じることで投資に弾みがつき、それが劇的な経済発展につながり、無尽蔵ともいえるエネルギーと原材料が手に入るようになり、物質的に豊かな社会が実現した。

このように述べると、サピエンスの歴史は良いことずくめだったように見えるが、はたして、そうだろうか？　地球上の生物の幸福という尺度で評価をすると、様相は一変する。「私たちの祖先は自然と調和して暮らしていたと主張する環境保護運動家を信じてはならない」と著者は警告する。サピエンスはあらゆる生物のうちで、最も多くの動植物種を絶滅に追い込んだ、生物史上最も危険な種《しゅ》なのだ。そして、サピエンスが直接あるいは間接的に絶滅に追い込んだ可能性のある種には、ネアンデルタール人など、私たち以外の人類種も含まれている。こうした生物や、家畜化されて不自由で短い生涯を送っている動物の幸福度の観点からは、サピエンスの歴史は惨事の連続となる。

サピエンス自身にとっては、どうなのか？　たしかにサピエンスは、かつてないほどの数に増えているのだから、生物種としては大成功だが、個々のサピエンスの幸福が増したとはけっして言えない。人口の爆発的増大を可能にした農業革命のせいで、サピエンスの暮らしの質は、狩猟採集時代よりも落ち、未来への不安も招いたというのが実情だ。大規模な協力を可能にした虚構は、人種や性別などに基づく格差や差別、搾取も生んだ。また、進歩や物質的な豊かさと幸福が相関するという証拠もない。国家や市場の台頭は、家族とコミュニティの衰退を招いた。「進歩」に伴って起こった地球の温暖化や広範な汚染が、自らの生息環境を悪化させている可能性も高い。

もっとも、著者は時とともにすべて悪くなる一方だといった極端な見方は取らない。近代に入り、小児死亡率は大幅に低下したし、大規模な飢饉《ききん》もほぼ一掃された。現代は暴力に満ちた時代などという言説は、歴史的事実に反する。もちろん、暴力は今もあるが、これほど安全な時代はかつてなかった。国家間の武力紛争も、これまでになく減少している。戦争は採算が合わず、平和の利益はあまりに大きく、国際関係の緊密化によって、各国の独立性が弱まっているから、そして、しだいに多くの人が、特定の民族や国籍の人ではなく全人類が政治的権力の正当な源泉であると信じ、人権を擁護して全人類の利益を守ることが政治の指針であるべきだと考えるようになってきているからだ。たとえ虚構ではあっても、自由や平等、人権の概念が以前より受け容れられて差別や搾取が減っている。

いずれにしても、過去の出来事が、他の生物種や個々のサピエンスの幸せや苦しみにどのような影響を与えたのかについては、これまでほとんど顧みられなかった。著者はこれを「人類の歴史理解にとって最大の欠落」とし、「この欠落を埋める努力を始めるべきだ」と提案する。至言だろう。

それでは、サピエンスは今後、どのような世界へと向かうのか？　著者は最後にもう一つ驚きを用意していた。サピエンスの未来は、これまでの延長線上にはない。なぜならサピエンスは、自然選択の法則を打ち破り、生物学的に定められた限界を突破し始めているからだ。著者は、サピエンスが生物工学、サイボーグ工学、非有機的生命工学の三つのどれをも、自然選択の代替としうるとしている。

その結果、サピエンスはいずれ特異点《シンギュラリティ》に至る。それは、私たちの世界に意義を与えているもののいっさいが、意味を持たなくなる時点、テクノロジーや組織の変化だけではなく、人間の意識とアイデンティティの根本的な変化も起こる段階だ。そして、それはサピエンスが再び唯一の人類種ではなくなる時代の幕開けかもしれない。

ほとんどのサイエンス・フィクションは、私たち自身の世界から取り出した倫理的ジレンマや政治的ジレンマを筋書きの核心に据え、未来を背景にして私たちの感情的緊張や社会的緊張を再現しているにすぎない。だが、未来のテクノロジーはサピエンスそのものを変え、私たちには想像の糸口もつかめない感情と欲望を持たせうる。

著者は、サピエンスにはそうした流れを止めることはできず、唯一私たちに試みられるのは、科学が進もうとしている方向に影響を与えることだと見ている。そして、最終章を次のように結んでいる。「私たちが自分の欲望を操作できるようになる日は近いかもしれないので、ひょっとすると、私たちが直面している真の疑問は、『私たちは何になりたいのか？』ではなく、『私たちは何を望みたいのか？』かもしれない。この疑問に思わず頭を抱えない人は、おそらくまだ、それについて十分考えていないのだろう」

なんとも含蓄のある言葉ではないか。

著者は、歴史とその研究については、こう述べている。「すべての大陸の事実上すべてのサピエンスは最終的に、今日《こんにち》私たちが暮らすグローバルな世界に到達した。ただし、この拡大と統一の過程は一本道ではなかったし、中断がなかったわけでもない。とはいえ全体像を眺めると、多数の小さな文化から少数の大きな文化へ、ついには単一のグローバルな社会へというこの変遷はおそらく、人類史のダイナミクスの必然的結果だったのだろう。

だが、グローバルな社会の出現が必然的だというのは、その最終産物が、今私たちが手にしたような特定の種類のグローバルな社会でなくてはならなかったということではない」

「歴史の選択は人間の利益のためになされるわけではない（中略）。歴史が歩を進めるにつれて、人類の境遇が必然的に改善されるという証拠はまったくない」「歴史を研究するのは、未来を知るためではなく、視野を拡げ、現在の私たちの状況は自然なものでも必然的なものでもなく、したがって私たちの前には、想像しているよりもずっと多くの可能性があることを理解するためなのだ」

読者のみなさまも本書を読むことで、冒頭に書いたような、先入観や固定観念、常識を覆され、視野が拡がり、新しい目で物事を眺められるようになるという体験を楽しんでいただけたなら幸いだ。

なお、本書はヘブライ語初版（二〇一一年）の英訳版（二〇一四年）からの翻訳で、本文中に二〇一四年と注記があるのは英訳版の際の追加と思われる〔その後の随時の訂正・変更や、二〇一八年になされた原書の改訂が、この文庫版に反映されている〕。

最後に謝辞を。日本版の刊行にあたり、日本に関連した記述を加えてくださった上、本書の翻訳に関する私の質問に毎回丁寧に答えてくださった著者に、深く感謝したい。

また、編集を担当してくださった河出書房新社の九法崇さん、デザイナーの木庭貴信さんをはじめ、刊行までにお世話になった大勢の方々に、心からお礼を申し上げる。

二〇一六年六月

柴田裕之

Rob Waters, 'Complete Genomics Gets Gene Sequencing under $5000 (Update 1)', *Bloomberg,* 5 November 2009, accessed 10 December 2010; http://www.bloomberg.com/apps/news?pid=newsarchive&sid=aWutnyE4SoWw; Fergus Walsh, 'Era of Personalized Medicine Awaits', *BBC News,* last updated 8 April 2009, accessed 22 March 2012, http://news.bbc.co.uk/2/hi/health/7954968.stm; Leena Rao, 'PayPal Co-Founder And Founders Fund Partner Joins DNA Sequencing Firm Halcyon Molecular', *TechCrunch,* 24 September 2009, accessed 10 December 2010, http://techcrunch.com/2009/09/24/paypal-co-founder-and-founders-fund-partner-joins-dna-sequencing-firm-halcyon-molecular/.

文庫版 あとがき —— AIと人類

1. Lee R. Berger, et al., '*Homo naledi,* A New Species of the Genus *Homo* from the Dinaledi Chamber, South Africa', *eLife* 4:e09560 (2015).
2. Florent Détroit, Armand Salvador Mijares, Julien Corny et al., 'A New Species of *Homo* from the Late Pleistocene of the Philippines', *Nature* 568, 181-6 (2019).
3. IUCN Red List, accessed 13 June 2023.
4. 'Secretariat of the Convention on Biological Diversity: Message from Mr. Ahmed Djoghlaf, Executive Secretary, on the Occasion of the International Day for Biological Diversity', 22 May 2007; Edward O. Wilson, *The Diversity of Life,* (Cambridge, Mass.: The Belknap Press, 1992), p. 280.
5. Pierre Friedlingstein, Michael O'Sullivan, Matthew Jones et al., 'Global Carbon Budget 2022', *Earth Syst. Sci. Data*, 14, 4811-4900, 2022; Hannah Ritchie and Max Roser and Pablo Rosado, 'CO2 and Greenhouse Gas Emissions', published online at ourworldindata.org (2020).

12. 'Hybrid Insect Micro Electromechanical Systems (HI-MEMS)', Microsystems Technology Office, DARPA, accessed 22 March 2012, http://www.darpa.mil/Our_Work/MTO/Programs/Hybrid_Insect_Micro_Electromechanical_Systems_percent28HI-MEMSpercent29.aspx. 以下も参照のこと。Sally Adee, 'Nuclear-Powered Transponder for Cyborg Insect', *IEEE Spectrum,* December 2009, accessed 10 December 2010, http://spectrum.ieee.org/semiconductors/devices/nuclearpowered-transponder-for-cyborg-insect?utm_source=feedburner&utm_medium=feed&utm_campaign=Feedpercent3A+IeeeSpectrum+percent28IEEE+Spectrumpercent29&utm_content=Google+Reader; Jessica Marshall, 'The Fly Who Bugged Me', *New Scientist* 197: 2646 (2008), 40-3; Emily Singer, 'Send In the Rescue Rats', *New Scientist* 183: 2466 (2004), 21-2; Susan Brown, 'Stealth Sharks to Patrol the High Seas', *New Scientist* 189: 2541 (2006), 30-1.
13. Bill Christensen, 'Military Plans Cyborg Sharks', *Live Science,* 7 March 2006, accessed 10 December 2010, http://www.livescience.com/technology/060307_shark_implant.html.
14. 'Cochlear Implants', National Institute on Deafness and Other Communication Disorders, accessed 22 March 2012, http://www.nidcd.nih.gov/health/hearing/pages/coch.aspx
15. Retina Implant, http://www.retina-implant.de/en/doctors/technology/default.aspx.
16. David Brown, 'For 1st Woman With Bionic Arm, a New Life Is Within Reach', *The Washington Post,* 14 September 2006, accessed 10 December 2010, http://www.washingtonpost.com/wp-dyn/content/article/2006/09/13/AR2006091302271.html?nav=E8.
17. Miguel Nicolelis, *Beyond Boundaries: The New Neuroscience of Connecting Brains and Machines-and How It Will Change Our Lives* (New York: Times Books, 2011). (『越境する脳――ブレイン・マシン・インターフェースの最前線』ミゲル・ニコレリス著、鍛原多惠子訳、早川書房、2011年)
18. Chris Berdik, 'Turning Thought into Words', *BU Today,* 15 October 2008, accessed 22 March 2012, http://www.bu.edu/today/2008/turning-thoughts-into-words/
19. Radoje Drmanac et al., 'Human Genome Sequencing Using Unchained Base Reads on Self-Assembling DNA Nanoarrays', *Science* 327: 5961 (2010), 78-81; 'Complete Genomics' website: http://www.completegenomics.com/;

168-78.

2. David Biello, 'Bacteria Transformed into Biofuels Refineries', *Scientific American,* 27 January 2010, accessed 10 December 2010, http://www.scientificamerican.com/article.cfm?id=bacteria-transformed-into-biofuel-refineries.
3. Gary Walsh, 'Therapeutic Insulins and Their Large-Scale Manufacture', *Applied Microbiology and Biotechnology* 67: 2 (2005), 151-9.
4. James G. Wallis et al., 'Expression of a Synthetic Antifreeze Protein in Potato Reduces Electrolyte Release at Freezing Temperatures', *Plant Molecular Biology* 35: 3 (1997), 323-30.
5. Robert J. Wall et al., 'Genetically Enhanced Cows Resist Intramammary *Staphylococcus Aureus* Infection', *Nature Biotechnology* 23: 4 (2005), 445-51.
6. Liangxue Lai et al., 'Generation of Cloned Transgenic Pigs Rich in Omega-3 Fatty Acids', *Nature Biotechnology* 24: 4 (2006), 435-6.
7. Ya-Ping Tang et al., 'Genetic Enhancement of Learning and Memory in Mice', *Nature* 401 (1999), 63-9.
8. Zoe R. Donaldson and Larry J. Young, 'Oxytocin, Vasopressin, and the Neurogenetics of Sociality', *Science* 322: 5903 (2008), 900-904; Zoe R. Donaldson, 'Production of Germline Transgenic Prairie Voles (Microtus Ochrogaster) Using Lentiviral Vectors', *Biology of Reproduction* 81: 6 (2009), 1,189-95.
9. Terri Pous, 'Siberian Discovery Could Bring Scientists Closer to Cloning Woolly Mammoth', *Time,* 17 September 2012, accessed 19 February 2013; Pasqualino Loi et al, 'Biological time machines: a realistic approach for cloning an extinct mammal', *Endangered Species Research* 14 (2011), 227-33; Leon Huynen, Craig D. Millar and David M. Lambert, 'Resurrecting ancient animal genomes: The extinct moa and more', *Bioessays* 34 (2012), 661-9.
10. Nicholas Wade, 'Scientists in Germany Draft Neanderthal Genome', *New York Times,* 12 February 2009, accessed 10 December 2010, http://www.nytimes.com/2009/02/13/science/13neanderthal.html?_r=2&ref=science; Zack Zorich, 'Should We Clone Neanderthals?', *Archaeology* 63: 2 (2009), accessed 10 December 2010, http://www.archaeology.org/1003/etc/neanderthals.html.
11. Robert H. Waterston et al., 'Initial Sequencing and Comparative Analysis of the Mouse Genome', *Nature* 420: 6915 (2002), 520.

who.int/whr/2004/en/report04_en.pdf.
8. Walker and Bailey, 'Body Counts in Lowland South American Violence,' 30.

第19章　文明は人間を幸福にしたのか

1. 幸福の心理学と生化学の両方については、手始めに以下を参照するといい。Jonathan Haidt, *The Happiness Hypothesis: Finding Modern Truth in Ancient Wisdom* (New York: Basic Books, 2006)（『しあわせ仮説——古代の知恵と現代科学の知恵』ジョナサン・ハイト著、藤澤隆史／藤澤玲子訳、新曜社、2011年）; R. Wright, *The Moral Animal: Evolutionary Psychology and Everyday Life* (New York: Vintage Books, 1994)（『モラル・アニマル』上下、ロバート・ライト著、竹内久美子監訳、小川敏子訳、講談社、1995年）; M. Csikszentmihalyi, 'If We Are So Rich, Why Aren't We Happy?', *American Psychologist* 54: 10 (1999): 821-7; F. A. Huppert, N. Baylis and B. Keverne (eds.), *The Science of Well-Being* (Oxford: Oxford University Press, 2005); Michael Argyle, *The Psychology of Happiness,* 2nd edition (New York: Routledge, 2001)（『幸福の心理学』マイケル・アーガイル著、石田梅男訳、誠信書房、1994年）; Ed Diener (ed.), *Assessing Well-Being: The Collected Works of Ed Diener* (New York: Springer, 2009); Michael Eid and Randy J. Larsen (eds.), *The Science of Subjective Well-Being* (New York: Guilford Press, 2008); Richard A. Easterlin (ed.), *Happiness in Economics* (Cheltenham: Edward Elgar Publishing, 2002); Richard Layard, *Happiness: Lessons from a New Science* (New York: Penguin, 2005).
2. Daniel Kahneman, *Thinking, Fast and Slow* (New York: Farrar, Straus and Giroux, 2011)（『ファスト＆スロー——あなたの意思はどのように決まるか？』上下、ダニエル・カーネマン著、村井章子訳、ハヤカワ文庫、2014年）; Inglehart et al., "Development, Freedom, and Rising Happiness," 278-81.
3. D. M. McMahon, *The Pursuit of Happiness: A History from the Greeks to the Present* (London: Allen Lane, 2006).

第20章　超ホモ・サピエンスの時代へ

1. Keith T. Paige et al., 'De Novo Cartilage Generation Using Calcium Alginate-Chondrocyte Constructs', *Plastic and Reconstructive Surgery* 97: 1 (1996),

(Cambridge, Mass.: MIT Press, 2002); Sarah Catherine Walpole et al., 'The Weight of Nations: An Estimation of Adult Human Biomass', *BMC Public Health* 12: 439 (2012), http://www.biomedcentral.com/1471-2458/12/439

2. William T. Jackman, *The Development of Transportation in Modern England* (London: Frank Cass & Co., 1966), 324-7; H. J. Dyos and D. H. Aldcroft, *British Transport — An Economic Survey From the Seventeenth Century to the Twentieth* (Leicester: Leicester University Press, 1969), 124-31; Wolfgang Schivelbusch, *The Railway Journey: The Industrialization of Time and Space in the 19th Century* (Berkeley: Univeristy of California Press, 1986).（『鉄道旅行の歴史——19世紀における空間と時間の工業化』ヴォルフガング・シヴェルブシュ著、加藤二郎訳、法政大学出版局、2011年）
3. 過去数十年にわたる前例のない平和に関する詳細な考察については、とくに以下を参照のこと。Steven Pinker, *The Better Angels of Our Nature: Why Violence Has Declined* (New York: Viking, 2011); Joshua S. Goldstein, *Winning the War on War: The Decline of Armed Conflict Worldwide* (New York, N.Y.: Dutton, 2011); Gat, *War in Human Civilization.*（『文明と戦争』アザー・ガット著、歴史と戦争研究会訳、中央公論新社、2012年）
4. 'World Report on Violence and Health: Summary, Geneva 2002', World Health Organization, accessed 10 December 2010, http://www.who.int/whr/2001/en/whr01_annex_en.pdf. 以前の時代の死亡率については、以下を参照のこと。Lawrence H. Keeley, *War before Civilization: The Myth of the Peaceful Savage* (New York: Oxford University Press, 1996).
5. 'World Health Report, 2004', World Health Organization, 124, accessed 10 December 2010, http://www.who.int/whr/2004/en/report04_en.pdf.
6. Raymond C. Kelly, *Warless Societies and the Origin of War* (Ann Arbor: University of Michigan Press, 2000), 21. 以下も参照のこと。Gat, *War in Human Civilization,* 129-31（『文明と戦争』アザー・ガット著、歴史と戦争研究会訳、中央公論新社、2012年）; Keeley, *War before Civilization.*
7. Manuel Eisner, 'Modernization, Self-Control and Lethal Violence', *British Journal of Criminology* 41: 4 (2001), 618-638; Manuel Eisner, 'Long-Term Historical Trends in Violent Crime', *Crime and Justice: A Review of Research* 30 (2003), 83-142; 'World Report on Violence and Health: Summary, Geneva 2002', World Health Organization, accessed 10 December 2010, http://www.who.int/whr/2001/en/whr01_annex_en.pdf; 'World Health Report, 2004', World Health Organization, 124, accessed 10 December 2010, http://www.

Administration, 9, accessed 10 December 2010, http://www.eia.doe.gov/oiaf/ieo/pdf/0484(2010).pdf.

5. S. Venetsky, '"Silver" from Clay', *Metallurgist* 13: 7 (1969), 451; Fred Aftalion, *A History of the International Chemical Industry* (Philadelphia: University of Pennsylvania Press, 1991), 64（『国際化学産業史』フレッド・アフタリオン著、柳田博明監訳、日経サイエンス社、1993年）; A. J. Downs, *Chemistry of Aluminum, Gallium, Indium and Thallium* (Glasgow: Blackie Academic & Professional, 1993), 15.
6. Jan Willem Erisman et al, 'How a Century of Ammonia Synthesis Changed the World', *Nature Geoscience* 1 (2008), 637.
7. G. J. Benson and B. E. Rollin (eds.), *The Well-Being of Farm Animals: Challenges and Solutions* (Ames, IA: Blackwell, 2004); M .C. Appleby, J. A. Mench, and B. O. Hughes, *Poultry Behaviour and Welfare* (Wallingford: CABI Publishing, 2004); J. Webster, *Animal Welfare: Limping Towards Eden* (Oxford: Blackwell Publishing, 2005); C. Druce and P. Lymbery, *Outlawed in Europe: How America Is Falling Behind Europe in Farm Animal Welfare* (New York: Archimedean Press, 2002).
8. Harry Harlow and Robert Zimmermann, 'Affectional Responses in the Infant Monkey', *Science* 130: 3373 (1959), 421-32; Harry Harlow, 'The Nature of Love', *American Psychologist* 13 (1958), 673-85; Laurens D. Young et al., 'Early stress and later response to separation in rhesus monkeys', *American Journal of Psychiatry* 130: 4 (1973), 400-5; K. D. Broad, J. P. Curley and E. B. Keverne, 'Mother-infant bonding and the evolution of mammalian social relationships', *Philosophical Transactions of the Royal Society B* 361: 1476 (2006), 2,199-214; Florent Pittet et al., 'Effects of maternal experience on fearfulness and maternal behaviour in a precocial bird', *Animal Behavior* (March 2013), In Press-available online at: http://www.sciencedirect.com/science/article/pii/S0003347213000547
9. "National Institute of Food and Agriculture", United States Department of Agriculture, accessed 10 December 2010, http://www.csrees.usda.gov/qlinks/extension.html.

第18章　国家と市場経済がもたらした世界平和

1. Vaclav Smil, *The Earth's Biosphere: Evolution, Dynamics, and Change*

York: Oxford University Press, 1999), 442.
10. Vinita Damodaran, 'Famine in Bengal: A Comparison of the 1770 Famine in Bengal and the 1897 Famine in Chotanagpur', *The Medieval History Journal* 10: 1-2 (2007), 151.

第16章　拡大するパイという資本主義のマジック

1. Maddison, *The World Economy,* vol. 1, 261, 264; 'Gross National Income Per Capita 2009, Atlas Method and PPP', The World Bank, accessed 10 December 2010, http://siteresources.worldbank.org/DATASTATISTICS/Resources/GNIPC.pdf.
2. 私が挙げたベーカリーの例の数値は厳密なものではない。銀行は手元に置いておく1ドルにつき10ドルを貸し出すことを許されているため、起業家に貸せるお金は、100万ドルの預金につき、およそ90万9000ドルだけで、9万1000ドルは金庫に残しておかなければならない。だが、読者が理解しやすくするために、ここでは切りの良い数を使った。それに、銀行はつねに規則を守るわけではない。
3. Carl Trocki, *Opium, Empire and the Global Political Economy* (New York: Routledge, 1999), 91.
4. Georges Nzongola-Ntalaja, *The Congo from Leopold to Kabila: A People's History* (London: Zed Books, 2002), 22.

第17章　産業の推進力

1. Mark, *Origins of the Modern World,* 109.
2. Nathan S. Lewis and Daniel G. Nocera, 'Powering the Planet: Chemical Challenges in Solar Energy Utilization', *Proceedings of the National Academy of Sciences* 103: 43 (2006), 15, 731.
3. Kazuhisa Miyamoto (ed.), 'Renewable Biological Systems for Alternative Sustainable Energy Production', *FAO Agricultural Services Bulletin* 128 (Osaka: Osaka University, 1997), Chapter 2.1.1, accessed 10 December 2010, http://www.fao.org/docrep/W7241E/w7241e06.htm#2.1.1percent20solarpercent20energy; James Barber, 'Biological Solar Energy', *Philosophical Transactions of the Royal Society A* 365: 1853 (2007), 1007.
4. 'International Energy Outlook 2010', U.S. Energy Information

'Systemic Leukocyte-Directed siRNA Delivery Revealing Cyclin D1 as an Anti-Inflammatory Target', *Science* 319: 5863 (2008): 627-30.

第15章　科学と帝国の融合

1. Stephen R. Bown, *Scurvy: How a Surgeon, a Mariner, and a Gentleman Solved the Greatest Medical Mystery of the Age of Sail* (New York: Thomas Dunne Books, St. Matin's Press, 2004)（『壊血病――医学の謎に挑んだ男たち』スティーブン・R・バウン著、中村哲也監修、小林政子訳、国書刊行会、2014年）; Kenneth John Carpenter, *The History of Scurvy and Vitamin C* (Cambridge: Cambridge University Press, 1986).
2. James Cook, *The Explorations of Captain James Cook in the Pacific, as Told by Selections of his Own Journals 1768-1779,* ed. Archibald Grenfell Price (New York: Dover Publications, 1971), 16-17; Gananath Obeyesekere, *The Apotheosis of Captain Cook: European Mythmaking in the Pacific* (Princeton: Princeton University Press, 1992), 5; J. C. Beaglehole, ed., *The Journals of Captain James Cook on His Voyages of Discovery,* vol. 1 (Cambridge: Cambridge University Press, 1968), 588.（『南半球周航記』上下、クック著、原田範行訳、岩波書店、2006年）
3. Mark, *Origins of the Modern World,* 81.
4. Christian, *Maps of Time,* 436.
5. John Darwin, *After Tamerlane: The Global History of Empire Since 1405* (London: Allen Lane, 2007), 239.
6. Soli Shahvar, 'Railroads i. The First Railroad Built and Operated in Persia', in the Online Edition of *Encyclopaedia Iranica,* last modified 7 April 2008, http://www.iranicaonline.org/articles/railroads-i; Charles Issawi, 'The Iranian Economy 1925-1975: Fifty Years of Economic Development', in *Iran under the Pahlavis,* ed. George Lenczowski (Stanford: Hoover Institution Press, 1978), 156.
7. Mark, *The Origins of the Modern World,* 46.
8. Kirkpatrik Sale, *Christopher Columbus and the Conquest of Paradise* (London: Tauris Parke Paperbacks, 2006), 7-13.
9. Edward M. Spiers, *The Army and Society: 1815-1914* (London: Longman, 1980), 121; Robin Moore, 'Imperial India, 1858-1914', in *The Oxford History of the British Empire: The Nineteenth Century,* vol. 3, ed. Andrew Porter (New

DATASTATISTICS/Resources/GDP.pdf.
4. Christian, *Maps of Time,* 141.
5. 今日、世界最大の貨物船は、約10万トンの貨物を積載できる。1470年当時、世界中の船舶を合わせても、せいぜい32万トンしか運べなかった。それが1570年には、73万トンに増えていた (Maddison, *The World Economy,* vol. 1, 97)。
6. 世界最大の銀行であるロイヤル・バンク・オブ・スコットランドは2007年、1兆3000億ドル相当の預金高を報告している。これは1500年当時の世界の年間生産高の5倍に当たる。以下を参照のこと。'Annual Report and Accounts 2008', The Royal Bank of Scotland, 35, accessed 10 December 2010, http://files.shareholder.com/downloads/RBS/626570033x0x278481/eb7a003a-5c9b-41ef-bad3-81fb98a6c823/RBS_GRA_2008_09_03_09.pdf.
7. Ferguson, *Ascent of Money,* 185-98.（『マネーの進化史』ニーアル・ファーガソン著、仙名紀訳、早川書房、2009年）
8. Maddison, *The World Economy,* vol. 1, 31（『経済統計で見る　世界経済2000年史』アンガス・マディソン著、政治経済研究所訳、柏書房、2004年）; Wrigley, *English Population History,* 295; Christian, *Maps of Time,* 450, 452; 'World Health Statistic Report 2009', 35-45, World Health Organization, accessed 10 December 2010, http://www.who.int/whosis/whostat/EN_WHS09_Full.pdf.
9 Wrigley, *English Population History,* 296.
10. 'England, Interim Life Tables, 1980 82 to 2007-09', Office for National Statistics, accessed 22 March 2012, http://www.ons.gov.uk/ons/publications/re-reference-tables.html?edition=tcm%3A77-61850.
11. Michael Prestwich, *Edward I* (Berkley: University of California Press, 1988), 125-6.
12. Jennie B. Dorman et al., 'The *age-1* and *daf-2* Genes Function in a Common Pathway to Control the Lifespan of *Caenorhabditis elegans*', *Genetics* 141: 4 (1995), 1,399-406; Koen Houthoofd et al., 'Life Extension via Dietary Restriction is Independent of the Ins/IGF-1 Signaling Pathway in *Caenorhabditis elegans*', *Experimental Gerontology* 38: 9 (2003), 947-54.
13. Shawn M. Douglas, Ido Bachelet, and George M. Church, 'A Logic-Gated Nanorobot for Targeted Transport of Molecular Payloads', *Science* 335: 6070 (2012): 831-4; Dan Peer et al., 'Nanocarriers As An Emerging Platform for Cancer Therapy', *Nature Nanotechnology* 2 (2007): 751-60; Dan Peer et al.,

原　註

紙幅に限りがあるため、本書が依拠する情報源のほんの一部しかこの原註の項には収められていない。情報源と参考文献の全容を知りたい方は、以下のサイトを参照のこと。

https://www.ynharari.com/sapiens-references/

第12章　宗教という超人間的秩序

1. W. H. C. Frend, *Martyrdom and Persecution in the Early Church* (Cambridge: James Clarke & Co., 2008), 536-7.
2. Robert Jean Knecht, *The Rise and Fall of Renaissance France, 1483-1610* (London: Fontana Press, 1996), 424.

第13章　歴史の必然と謎めいた選択

1. Susan Blackmore, *The Meme Machine* (Oxford: Oxford University Press, 1999).(『ミーム・マシーンとしての私』上下、スーザン・ブラックモア著、垂水雄二訳、草思社、2000年)

第14章　無知の発見と近代科学の成立

1. David Christian, *Maps of Time: An Introduction to Big History* (Berkeley: University of California Press, 2004), 344-5; Angus Maddison, *The World Economy,* vol. 2 (Paris: Development Centre of the Organization of Economic Co-operation and Development, 2001), 636; 'Historical Estimates of World Population', U.S. Census Bureau, accessed 10 December, 2010, http://www.census.gov/ipc/www/worldhis.html.
2. Maddison, *The World Economy,* vol. 1, 261.(『経済統計で見る 世界経済2000年史』アンガス・マディソン著、政治経済研究所訳、柏書房、2004年)
3. "Gross Domestic Product 2009", The World Bank, Data and Statistics, accessed 10 December, 2010, http://siteresources.worldbank.org/

図版出典

図 30　© Visual/Corbis.

図 31　© Getty Images.

図 32　Paintings: *Franklin's Experiment,* June 1752, published by Currier & Ives © Museum of the City of New York/Corbis/amanaimages.

図 33　Portrait: C. A. Woolley, 1866, National Library of Australia (ref: an23378504).

図 34　© British Library Board (shelfmark add. 11267).

図 35　© Firenze, Biblioteca Medicea Laurenziana, Ms. Laur. Med. Palat. 249 (mappa Salviati).

図 36　© Getty Images.

図 37　© Getty Images.

図 38　Photo and © Anonymous for Animal Rights (Israel).

図 39　© Photo Researchers/Visualphotos.com.

図 40　© Getty Images.

図 41　Lithograph from a photo by Fishbourne & Gow, San Francisco, 1850s © Corbis/amanaimages.

図 42　© Proehl Studios/Corbis/amanaimages.

図 43　Photo and © Charles Vacanti.

図 44　© ImageBank/Getty Images Israel.

【ラ・リ・ル】

ラスコー洞窟　上 101, 172
ラテン語　上 19, 21, 60-61, 99, 142, 211, 214, 274, 311, 328, 333,　下 76, 157-158, 162
リビア　上 64, 330, 下 274
リュウチョウ　上 131
リュディア　上 300-301, 303
量子力学　上 222, 下 80, 85, 89, 91
リンド，ジェイムズ　下 119-120
ルイ14世　上 252
ルイ15世　下 197-198
ルイ16世　上 191, 下 98, 199, 304
ルソー，ジャン＝ジャック　下 311
ル・ペン，マリーヌ　下 163

【レ】

レヴァント地方　上 43, 137-138, 149, 330
レオポルド2世（ベルギー王）　下 211
歴史
　後知恵の誤謬　下 56-62
　生物学と――　上 71-75
　人間の幸福と――　下 66, →幸福
　――年表　上 11-13
　――の次の段階　下 346-347
　――の始まり　上 11, 16-17, 71-75
　――の方向　上 268, 273-274, 下 56-67
　――の予想　下 56, 59-62
レーニン，ウラジーミル・イリイチ　下 42, 81, 265
レバノン　下 261, 274

【ロ】

ロー，ジョン　下 197-198
ロシア　上 104, 277, 下 59, 98, 127, 130, 264, 328, 353
ローマ帝国　上 13, 40, 102, 167, 176, 178-179, 256, 275, 302-303, 309-313, 316-319, 323, 325-330, 333, 338, 下 20, 22, 24-26, 31, 56-59, 67, 97, 123, 132, 138, 140-142, 162, 273
ローリンソン，ヘンリー　下 155-156, 158

【ワ】

矮小化　上 22
ワーテルローの戦い　下 106
湾岸戦争　下 274

マルクス，カール　上 41, 下 42, 43, 64, 81, 110, 130, 200
マルサス，ロバート　下 89
マンハッタン計画　下 94, 98
マンハッタン島　下 190, 195
マンモス　上 19, 89, 104-105, 111, 120, 125-128, 133, 139, 158, 下 285, 328

【ミ】

未開人　上 282, 311, 325, 327-328, 331, 下 16
ミシシッピ川デルタ地帯　上 126
ミシシッピ大学　上 241
ミシシッピ・バブル　下 196, 198, 206
ミッチェル，クローディア　下 333-334
ミツバチ　上 46, 51, 204-205, 282, 下 321
南アフリカ　上 138, 228, 319, 329, 下 25, 118
南アメリカ　上 127, 138, 213, 276, 下 133, 143, 273-274, 281
ミーム学　下 64-66
明《みん》帝国　下 124, 141, 251

【ム・メ・モ】

ムガル帝国　上 318, 336, 下 124, 150, 154
無知の発見　上 13, 242, 下 70, 76-82, 100, 110
ムッソリーニ，ベニート　下 94
ムバラク，ホスニ　下 61-62, 296-297
瞑想　下 38, 313, 315
メキシコ　上 102, 126, 138, 280-281, 285-286, 304, 314, 下 143-145, 149-150, 280
メソアメリカ世界　上 276-277
メソポタミア　上 179-181, 208, 214, 216, 218, 275, 299, 320, 331, 下 11
メネス（ファラオ）　上 282
メラネシア　上 37
『モダン・タイムス』（映画）　下 243
モヘンジョ・ダロ　下 154
モンゴル帝国　上 273-274, 327, 下 10, 96, 98, 132, 273
モンテスマ2世　下 147-148, 152

【ユ・ヨ】

有機体　上 11, 16, 278
有限責任会社　上 59-60, 62, 64, 69, 188, 下 187, 260
有神論　上 102, 下 42, 44
有袋類　上 117, 122
ユダヤ教　上 102, 下 23-24, 31-32, 57
ユダヤ人　上 234, 317, 321, 下 24, 225, 265
ユピック族　上 322
ユーフラテス川　上 174, 224
ユーラシア大陸　上 11, 22, 34-35, 113, 120, 下 125
ヨルダン　上 303, 314,下 261, 274
ヨルバ族　下 18
ヨーロッパ　上 11, 13, 21, 23, 34, 36-37, 44, 57, 68, 83, 107, 136, 194, 221, 230, 236-237, 243, 252, 269-277, 280-281, 303-304, 317, 331-333, 下 10, 21, 25, 62, 67, 75, 79, 89, 105, 107, 112, 118-119, 121, 123-132, 135-142, 146, 150-165, 184-190, 193-196, 207-213, 227, 237, 246, 264, 268-270, 273-275, 283, 285, 288, 304

文明の衝突　上 278, 下 164
歴史と——　上 71-72, 269, 273-274, 下 55, 63-67, 82, →ミーム学

【ヘ】

兵器　上 13, 下 93-94, 97-98, 113, 120, 125, 201, 241, 272, 276, 280-281, 287
平均寿命　上 93, 下 107, 110, 213, 327
平和な時代　下 265-266, 270-281
ベーコン，フランシス　下 91-92
ベヒストゥン碑文　下 155
ヘファイスティオン　上 247
ペルシア帝国　上 12, 177-178, 256, 320-323, 327, 下 31, 63, 96, 124, 127-128, 131, 141-142, 152, 154-158, 161-162
ベルヌーイ，ヤコブ　下 87
ベルベル人　上 330-331, 333

【ホ】

法的虚構（法的擬制）　上 58-59
北欧人の神々　下 18
ポストモダニズム　下 65-66
北極　上 71, 106, 120, 124-126, 131, 下 187, 326
ボノボ　上 65, 78, 104, 250, 264
ホモ・エルガステル　上 23-24, 136
ホモ・エレクトス　上 21-22, 24, 31, 35, 66, 136
ホモ・サピエンス
アフリカにおける——の登場　上 11-12, 22-23, 33-42
科学革命と——　→科学革命
神になる——　下 343-344, 347
人類の統一と——　上 267-340, 下 10-13, 55-56
地球規模の移動　上 11-12, 34-35, 43-44, 83, 88, 136-138
認知革命と——　→認知革命
農業革命と——　→農業革命
他の人類種と——　上 33-42
——の終わり　下 319-349
ホモ属の進化　上 20, 23, 25, →人類
よそ者を嫌う——　上 285, 322
ホモ・ソロエンシス　上 22, 41
ホモ・デニソワ　上 23, 37, 42
ホモ・ネアンデルターレンシス　上 21-22, →ネアンデルタール人
ホモ・フローレシエンシス　上 12, 22
ホモ・ルドルフェンシス　上 21, 23
ポリネシア人　上 131,　下 130
ポルトガル　上 108, 110, 319, 326, 下 130, 132, 152, 186, 188
香港　下 201

【マ】

マウリヤ帝国　上 326, 336, 下 154
マオリ人　上 120, 332, 下 121
マクローリン，コリン　下 86-87
マケドニア　上 247, 256, 303, 309, 下 97
マジャパヒト海軍帝国　下 141
マゼラン，フェルディナンド　上 277, 下 72, 132
マダガスカル島　上 113, 130-131, 下 118, 142
マニ教　下 31-32, 55-56, 63, 84
マヌス島　上 115
マヤ　上 275, 下 143
マリ（アフリカの王国）　下 11
マリ（メソポタミアの国家）　上 216
マルキーズ諸島　上 131

ヒエラルキーの原理　上 183, 190
東アジア　上 21, 35, 44, 236, 292, 304, 319, 下 25-26, 40, 136, 138, 185
東アフリカ　上 11, 17, 21, 23, 33-34, 36, 43, 89, 136, 下 141, 151
ビーグル号　下 133
ピサロ，フランシスコ　下 143, 150
ビザンティン帝国　下 59, 96
微生物　下 73-74, 320
ビッグバン　上 16, 下 80, 343
ヒッタイト　上 320
ヒトラー，アドルフ　下 265, 281
火の使用　上 11, 31-34, 56, 170
氷河期　上 119, 148
平等, 平等主義　上 41, 65, 79, 178, 185-189, 193, 226, 238, 271-272, 下 163, 297, 340, 342
ピリップス（皇帝）　上 330
貧困　上 60, 171, 223, 226-227, 230, 232, 238-240, 242, 260, 271, 下 18, 35, 99-103, 124, 175, 178, 204, 211-212, 237, 268, 289, 292-293, 296-297, 304, 342
ヒンドゥー教　上 81, 215, 229, 233-236, 242, 下 18-19, 40, 44, 69, 77, 115, 157-158, 335
ビンラディン，ウサマ　上 284, 下 95

【フ】

ファン・レーウェンフック，アントニ　下 73
フィジー　上 131
フィリップ（マケドニア王）　上 247
フィリピン　下 132, 188
ブーカ島　上 115
プジョー　上 52, 57-63, 179, 201-202, 下 356
プジョー，アルマン　上 60-62
フセイン，サダム　下 261-262
武則天（中国の女帝）　上 255
仏教　上 12, 28, 66, 81, 215, 283, 下 13, 34-35, 38-44, 57, 77, 238, 313-317
物理的現象の始まり　上 11, 201
フビライ・ハン　下 10
普遍的秩序　上 281, 283, →貨幣や帝国, 宗教
フランクリン，ベンジャミン　下 100-101
フランケンシュタイン　下 344-345, 348
フランス　上 15, 59-62, 65, 202, 252, 260-261, 313, 316-317, 319, 332-333, 下 22, 27, 109, 126, 128, 130, 152, 157, 162-163, 173, 186, 190-191, 196-201, 224, 261, 264-265, 271-272, 275, 284, 303-304, 322
フランス革命　上 72, 176, 270, 下 199, 264-265, 304
フランス帝国　上 260, 316, 下 271
プルシャ　上 229
プロテスタント　下 21-22, 188
フローレス島（インドネシア）　上 22, 42, 113
文化
　共通の――を広めた帝国　上 325, 338, 下 52
　「純正」の――　上 279, 281
　生物学の法則と――　上 72, 245, 247-248, 250-254
　単一のグローバル――の誕生　上 278
　普遍的秩序と――　上 281, 283, 下 12-13, 23, 39
　――における矛盾　上 269-272
　――の誕生　上 16, 268-269

128, 136, 142, 151, 194, 227, 275, 278, 328, 335
ニューアイルランド島　上 69, 115
ニューアムステルダム　下 195-196
ニューカレドニア島　上 131
ニューギニア　上 69, 138, 144-145, 164
ニュージーランド　上 85, 113, 120, 131, 276, 下 118, 121
ニュートン，アイザック　下 84-85, 89, 130
『自然哲学の数学的諸原理』　下 84
ニューブリテン島　上 69, 115
「人間強化問題」　下 347
人間至上主義　上 196, 下 81, 227, 309
認知革命　上 12, 15, 17, 46-47, 50, 54, 64-66, 69, 72, 74-75, 79, 85, 113-114, 130, 132, 282, 下 76, 248, 282, 329-330
認知的不協和　上 272

【ヌ・ネ・ノ】

ヌアー族　上 166, 322
ヌマンティア　上 309-312, 314, 316, 328, 下 97
ヌルハチ　下 185, 187
ネアンデルタール人　上 11-12, 22, 24-25, 31-32, 34-45, 49, 68, 70-72, 110, 124, 136, 176, 211, 下 320, 327-331, 343, 345, 356, 358, →ホモ・ネアンデルターレンシス
ネアンデルタール人ゲノム計画　下 328
脳　上 25-29, 32, 34, 42, 45, 59, 76, 91, 204-209, 216, 219, 222, 224, 229, 242, 下 80, 95-96, 299, 301, 303-305, 328, 330-338, 348
農業革命　上 12, 75, 80, 83, 86, 88-89, 95, 106, 108, 130, 132, 135, 137-147, 155-156, 161, 167, 169, 172, 176-177, 207-208, 225, 243, 254, 268, 288, 下 14-15, 212, 226, 248, 284, 321

【ハ】

バイオテクノロジー　下 183
バイオニック・アーム　下 333-335
バイロン卿　下 202
パウロ（タルススの）　下 24, 312
パキスタン　下 30, 66, 274
ハクスリー，オルダス　下 305-306
バットゥータ，イブン　上 277
パトロクロス　上 247
ハーバー，フリッツ　下 225-226
バビロニア帝国　上 178-185, 190, 205, 317, 321, 下 155-156, 262
バビロン　上 179, 184, 199, 下 283
ハプスブルク帝国　上 313, 318
ハム（ノアの息子）　上 237
バラモン　上 229-230, 242
ハリー，エドモンド　下 87
バリ族　上 78
ハワイ　上 113, 131, 276
バンクス，ジョゼフ　下 118, 123, 159
パンデミック　下 352-353
ハンムラビ法典　上 179-185, 189-190, 193, 205, 216, 225, 227, 299, 下 356

【ヒ】

ヒエラルキー　上 54, 97, 100, 182-183, 189-190, 195-196, 225-233, 236, 242-243, 259, 下 11, 62

151-152, 155, 157, 170, 177
ディナール　上 303
ディプロトドン　上 117-119, 121-123, 132-133
鄭和《ていわ》　下 141-142, 151
ディンカ族　上 322
テオティワカン　上 275
鉄道　上 335-336, 下 126-127, 159, 215, 220, 239, 244-245
デナリウス銀貨　上 302-303
デニソワ人　上 23, 37-40, 42
デニソワ洞窟　上 23
テノチティトラン　下 147-149
デュシャン，マルセル　下 50
電気　下 100, 111, 221, 299, 332-334, 336
天命　上 323, 325

【ト】

ドイツ　上 49, 68, 245, 317, 下 87, 93-95, 126, 157, 162, 169, 190,225-226, 246, 260-261, 275, 332
道教　下 34, 42, 97-98
道具　上 26-28, 34, 43, 69, 73, 80, 150, 285, 287, 300, 下 99, 164, 250
統計学　下 86-87, 89-90
同性愛　下 46-47
動物
——と産業化された農業　下 227-233, 240, 288
——と生物工学　下 323-327
——に対する残酷な行為　上 162-166, 下 226-233, 350-351
——の家畜化　上 12, 85-86, 137-139, 141-142, 159-163, 166-167
——の絶滅　上 12-13, 117-124, 128-132, 147, 167, 下 239-241
特異点　下 340, 343
独立宣言（アメリカ合衆国）　上 41, 179, 182, 184-185, 188, 190, 226
閉じ込め症候群　下 335
ドナウ川　上 108-109
トラヤヌス（皇帝）　上 330
トルガニニ　下 122-123, 287
トルコ　上 137, 156, 256, 320, 327, 331-332, 下 11, 131, 190, 202, 220, 274
トルテカ族　下 143
奴隷　上 59, 133, 167, 179, 181, 183, 189-190, 205, 225-230, 233, 236-238, 258, 260, 299, 307, 310, 318, 下 10, 124, 144, 166, 207-213, 221, 228, 258, 268, 276, 307, 326
トンガ　上 131

【ナ】

内燃機関　下 183, 221
ナイル川　上 177, 下 202
ナヴァリノの海戦　下 203
ナチス／ナチズム　上 68, 下 81, 116, 210, 246
ナーディル・シャー　下 185, 187
ナトゥーフ文化　上 149-150, 156, 211
ナノテクノロジー　下 95-96, 110
ナポレオン3世　下 224
ナポレオン・ボナパルト　上 111, 191, 260, 下 97-98, 132, 199-200, 304
南北戦争　上 238, 241

【ニ】

二進法の書記体系　上 223
ニーチェ，フリードリヒ　下 307
日本　上 113, 115, 141, 下 10, 40, 94,

79, 89, 112, 130, 133, 162, 312, 320, 323
タカラガイ　上 292-293, 295-297, 302, 304-305, 307
タキトゥス　上 318-319
タージマハル　上 318, 337
タスマニア　上 269, 275-277, 下 121-123, 287
ダニ族　上 145
タヒチ島　下 118
ダリウス1世　下 155
タルムード　上 317

【チ】

知恵の木の突然変異　上 46
地球温暖化　上 118, 126, 128, 148, 339, 下 240, 358
地図　上 35, 90, 139, 277, 321, 下 27, 35, 112, 133, 135-139, 145, 151
地中海　上 13, 43, 68, 131, 176, 178, 303-305, 309, 314, 320, 下 34, 57, 123-124, 224
チャタル・ヒュユク　上 177
チャーチ，ジョージ　下 328
チャック・トック・イチャーク（ティカル王）　上 275
チャトラパティ・シヴァージー・ターミナス駅（ムンバイ）　上 335
中央アメリカ　上 126, 138, 155, 215, 276, 323, 下 143
中国　上 13, 35, 41, 47, 66, 89, 93-94, 102, 138, 145-146, 178, 215, 218, 229, 232, 243-244, 255, 261, 275, 277, 293, 303-304, 323-325, 327, 331-333, 338, 下 10, 31, 34, 58, 67, 97-98, 124-128, 130, 141-142, 150-152, 184, 194, 200-201, 218, 220, 251, 259, 275, 277, 287
中東　上 11, 34, 37, 44, 136, 138, 141, 148-150, 155, 178, 221, 236, 245, 316-317, 下 31, 61, 123, 154-156, 163, 208, 261
超人　下 41, 43, 115, 325, 330, 341-342
超人間的秩序　下 10-12, 14, 34, 41-43, 282
チンパンジー　上 11, 18, 20, 26, 31, 51-54, 63, 65-67, 72-73, 78, 104, 190, 197, 258, 282, 下 53, 240, 295, 320, 338, 348, 356, 358

【テ】

ティエラ・デル・フエゴ島　上 126
ディオゲネス　上 192
ディケンズ，チャールズ　上 271, 下 265
帝国
　悪の——　上 315-319
　科学と——　下 117-165
　共通の文化を広める　上 325, 338
　グローバル——　上 338-340
　最初の——　上 12, 176-178, 320
　資本主義と——　下 184-204
　宗教と——　下 20, 22, 24-26, 31
　——による文化的同化　上 327, 329
　——のサイクル　上 333
　——の子孫としての文化　上 312-314
　——の定義　上 312-314
　——の撤退　下 270-272
　——の有益な遺産　上 318-319, 332, 334, 336
　普遍的秩序としての——　上 281, 283
定住　上 12, 34, 89, 95, 142, 147, 149,

213, 215, 220, 271, 287, 292, 297, 302, 314, 325, 下 61, 75, 114, 174, 181, 185, 193-195, 204-205, 217, 250-252, 255
聖書　上 40, 51, 67, 215, 244, 299, 314, 316, 下 32-33, 77-78, 83, 86, 101, 133, 136, 138-139, 173, 309
生態学的危機　下 352
生態学的大惨事　上 121, 124, 130, 下 58, 344
贅沢の罠　上 147, 153, 155
性的関係　上 78, 81, 241, 246-247
聖杯　上 270
征服の精神構造　下 130-132
生物学
　幸福と——　下 289, 298, 302-304, 306, 308, 313, 316
　社会的・文化的性別と——　上 226, 229, 234, 237, 242-243, 245-248, 250-254, 262, 265
　人種と——　上 227-229, 234, 237, 243, 下 161-164
　——的現象の始まり　上 11, 188
　——的に決まっているもの　上 247
　——と歴史　上 71-72, 74
　生物工学　上 339, 下 95, 110, 323-324, 329, 331, 340
　平等と——　上 186, 188-189
生物（バイオ）燃料　下 73, 326
生命工学　下 323
生命保険　下 86
セウェルス，セプティミウス（皇帝）　上 330
世界的な戦争の消滅　下 273-278, 280-281
石器時代　上 31, 75, 77, 80, 102, 121, 下 284
絶滅　上 12-13, 39, 42-43, 45, 117-121, 123-124, 128-132, 147, 167, 下 166, 239-241, 266, 272, 287, 322, 327, 329
セネカ　上 318
セルバンテス，ミゲル・デ　上 310-311
セレウコス帝国　上 309, 下 97

【ソ】

ゾウ　上 18-19, 23, 46, 264, 下 17, 34, 240, 328
ソヴィエト連邦　上 291, 323, 326, 下 41, 94, 271
想像上の現実　上 63-64, 71, 84
想像上のコミュニティ　下 259-262
想像上の秩序　上 175, 179, 189-194, 196-197, 200, 202, 225-226, 282
相対性理論　上 223, 下 43, 80, 85
宋《そう》帝国　下 98
属　上 31-32
ソランダー，ダニエル　下 118
ソルジェニーツィン，アレクサンドル　上 271
ゾロアスター教　下 30-31, 55, 57
ソロモン諸島　上 131

【タ】

第1次世界大戦　上 49, 下 93, 225, 265, 281
大英帝国　上 238, 313, 316, 335, 下 199, 271
大数の法則　下 87
第2次世界大戦　上 156, 下 93, 202, 246, 265, 272
大躍進政策　下 287
台湾　上 113, 115
ダヴィデ王　上 317
ダーウィン，チャールズ　上 41, 下

177, 186-188, 203, 207, 248-250, 259, 262, 282-283, 322, 339, 下 64-66, 72, 80, 89, 112, 133, 230, 256, 285, 298-300, 308, 320, 323, 337-338
進化心理学　上 76-78, 下 230
シンギュラリティ　→特異点
人権　上 56, 64, 69, 188-190, 192, 202, 278, 326, 332-334, 下 60, 260, 304, 325
人口　上 39, 83, 88, 94-95, 107, 125, 140, 148, 150, 152-153, 155-156, 169, 192, 208, 276, 288, 313-314, 319, 下 71, 89, 121, 124, 149, 160, 167, 196, 201, 212-213, 218, 233, 241, 268-269
人口統計学　下 89
人種　上 35-37, 226-228, 230, 233, 236-243, 245, 306, 323, 下 62, 81, 115, 121, 149, 159, 161-164, 207
清帝国　下 124, 127, 185
秦帝国　上 178-179, 下 251
進歩の理想　下 99
新約聖書　上 67, 下 101
信用　上 53, 223, 下 171-177, 183-189, 192-193, 196, 203-204, 206, 311
人類
アフリカからユーラシアへの拡がり　上 11, 20-42
異なる人類種の関係　上 33-42, 43-44, 50, 54, 65-66, 71-72
食物連鎖の頂点への飛躍　上 30, 116, 123, 258
——の種　上 11-12, 16, 18-24, 31, 33-44, →個々の種名
——の種に共通する特徴　上 19-20, 24
——の登場　上 17-22
——の脳　→脳
超人　→超人
直立二足歩行　上 26-27
道具の利用　→道具
火と料理　上 11, 31-33
類人猿と——　上 20, 46, 48, 124-126, →個々の種名
人類の統一　上 267, 268, 273-274, 277, 281-283, 308, 323, 338, 下 10-13, 55
神話　上 50-51, 55-56, 64-65, 70, 73, 87, 169, 176-177, 179, 186-187, 189-190, 195-200, 202, 229, 234, 237-239, 242, 247, 251-252, 262, 265, 268, 下 15, 81, 84, 100, 103, 128, 160, 260, 344

【ス】

数学　上 156, 211, 221, 下 76-77, 82-90, 117, 158
スエズ運河　下 201
スコットランド　上 318, 下 27, 86-88, 150-151, 176
スコットランドの寡婦　下 88
スーダン　上 109, 166, 322
ストア主義　下 34
スペイン　上 213-214, 277, 280-281, 285-286, 304, 310-311, 319, 326, 332, 下 70, 72, 130, 132, 136, 142-150, 152, 154, 179, 186-193
スミス，アダム　上 193, 下 110, 130, 176-178, 206
ズールー帝国　上 319
スンギル（ロシア）　上 104-106, 125

【セ】

税　上 59, 178-179, 205, 207, 211-

一神教　下 17-18, 20, 23-26, 28-34, 39, 42, 44, 56, 58, 325
科学と――　下 82, 103, 110-116
局地的で排他的な――　下 13
言語と――の誕生　上 50, 56, 下 85
幸福と――　下 310-311, 313, 317
混合主義　下 33
自然の法則　下 33-34, 39
自由意思と――　下 29, 45-46, 53
――の誕生　上 45, 87, 96, 100, 102-103
――の定義　下 12
守護聖人　下 27
狩猟採集民と――　上 49-50, 81, 83, 87, 96, 100, 102-103
多神教　上 12, 下 16-28, 33-34, 56
二元論の――　下 28-33, 56
農業革命と――　上 158, 下 14-15
ヒエラルキーと――　上 233-234,
→神話や個々の宗教
十字軍　上 270, 下 309
自由市場　上 193, 下 48, 52, 204-207, 209-210, 250, 283
自由主義　上 271, 326, 332, 下 41-53, 81, 110, 164, 202, 310-311, 313, 316
自由の概念　上 181-183, 186, 188-189, 191, 202, 205, 225-227, 229-230, 271-272
自由貿易　上 326, 下 201
儒教　下 34, 77, 83
シュターデル洞窟　上 45, 57, 63, 75, 下 325, 357
出産　上 27, 166, 243-245, 250, 263, 下 109, 228
シュードラ　上 229-230, 242
種の分類　上 18-19
シュメール　上 208-209, 211-212, 214, 218-219, 224, 298, 下 103, 156, 172
狩猟採集民　上 76-84, 89-96, 98-104, 106-112, 116, 124, 130,132, 137, 139-141, 144, 148-150, 155, 158-160, 169-170, 172, 176, 204, 206-207, 258, 275, 287-288, 下 13-14, 112, 283-286, 317
ショーヴェ洞窟　上 15, 172, 211, 下 282, 357
消費主義　上 196-198, 下 234-238, 260
女媧《じょか》　上 229
書記体系　上 12, 203, 208-212, 214-215, 217-218, 220-222, 225, 293, 298, 下 154
植物
――と遺伝子工学　下 326
――の機械化　下 227, 233
――の栽培　上 12, 137-142, 144, 146, 150-151, 155, 158-159, 161, 下 233
食物連鎖　上 29-30, 116-117, 123, 258
女性
個人の解放と――　下 255-256
狩猟採集民の――　上 27, 33, 77-78, 87, 94, 96-97, 105, 109, 148
生物学的な性別と社会的・文化的性別　上 244-248, 250-265
農業革命と――　上 150
ヒエラルキーと――　上 226-227, 229, 243-248, 250-265
ジョーンズ，ウィリアム　下 156-158, 161
シリア　上 79, 178, 180, 302, 320, 330-331, 下 10, 261-262, 274, 276
進化　上 11, 18-19, 21, 23-28, 30, 33, 36, 38, 41, 49, 74, 113-114, 121, 127, 130-131, 139, 141-142, 146-147, 161-162, 165, 167-168, 176-

古代ユダヤ　上 317
ゴータマ，シッダールタ　下 34, 36-38
骨格　上 27, 87, 93, 104-105, 107-110, 142, 下 122
子供の死亡率（小児死亡率）　上 94, 96, 151, 下 107, 213, 286
個別化医療　下 340
コペルニクス，ニコラウス　下 117
コミュニティ　上 13, 55, 143, 288, 307-308, 下 22, 31, 81, 123, 133, 248-257, 259-263, 268, 289, 292-293, 300
小麦　上 31, 94, 137-138, 140-144, 146-152, 158-159, 167, 216-217, 289, 295, 302, 下 180, 217, 262
ゴール人　上 329
コルテス，エルナン　上 285-286, 304, 下 143-144, 146-150
ゴルバチョフ，ミハイル　下 272
コロンブス，クリストファー　上 116, 212, 256, 下 70-71, 112, 132, 135-137, 141, 144, 165, 184-186
コンゴ自由国　下 211-213
コンスタンティヌス（皇帝）　下 21, 56-59, 97

【サ】

サイボーグ（工学）　下 323, 331-332, 336, 340, 343
ササン朝ペルシア帝国　下 31, 63, 96, 246
サバンナモンキー　上 47-48, 63
サファヴィー帝国　下 124, 150
サマルカンド　下 10
サモア　上 131, 269
サリヴァン，ジェシー　下 333
サルヴィアーティの世界地図　下 139
サルゴン1世　上 12, 178, 320
産業革命　上 13, 132, 239, 下 99, 215, 218, 222, 226, 233, 239, 241-242, 244, 248-249, 253, 282, →科学革命
聖《サン》バルテルミの大虐殺　下 22

【シ】

幸せ　→幸福
シェケル（重さの単位）　上 181-183, 205, 244, 299-300
ジェファーソン，トマス　上 190, 193
ジェベル・サハバ（スーダン）　上 109-110
ジェンダー　上 253, 下 284
始皇帝　上 324-325
自然選択　上 13, 27, 66, 下 112, 162, 299, 312, 319, 321-323
シベリア　上 23, 112, 120, 124-126, 322, 下 118, 224, 328
資本主義　上 13, 28, 193, 196, 278-279, 326, 332, 下 41, 44, 60, 75, 83, 99, 110, 116, 129, 165, 166, 176, 178-180, 182-187, 200-201, 204-213, 234, 237-238, 278, 283, 309, 347, →貨幣
ジムリ・リム（マリ王）　上 216
ジャイナ教　下 34
社会構造　上 28, 52, 67, 78, 110, 136, 163, 204, 243, 下 128, 263, 318, 327
ジャーティ（インドのカースト）　上 235
ジャワ島（インドネシア）　上 22, 下 210
宗教
　悪の問題　下 28, 30-31
　後知恵の誤謬と――　下 56-62
　アニミズムと――　→アニミズム

64, 67, 77-79, 101, 103, 122, 207, 210, 238, 278, 311-312, 347
ギルガメシュ・プロジェクト 下 103-104, 109-110, 348
金 上 285-286, 300-305, 308, 下 11, 221, 224, 276, 279
キング, クレノン 上 241
キング, マーティン・ルーサー 下 272, 281
近代の時間 下 242, 244-248, 260, 306-307

【ク】

クウェート 下 274, 277
クー・クラックス・クラン 上 241
楔形文字《くさびがた》 上 214-215, 下 154-155
クシム 上 209-211
クシャトリヤ 上 229
クシャーン帝国 上 336
クック, ジェイムズ（船長） 下 118-123, 126, 132, 159, 165
クック諸島 上 131
グプタ帝国（朝） 上 336, 下 154
クラウディウス（皇帝） 上 329
グリーン, チャールズ 下 118
クレオパトラ 上 255, 下 296
軍事・産業・科学複合体 下 93, 125-126
軍備拡張競争 下 65-66

【ケ】

結婚 上 79, 81, 220, 233, 235-236, 239, 241, 251, 313, 下 254-255, 292, 301-303
決定論 下 57-58, 60
月面着陸 上 18, 116, 下 72, 74, 133, 165
ゲーム理論 下 65-66
ケルト 上 309, 311, 328, 下 28, 157, 162
言語 上 12, 42, 45-50, 83-84, 87, 221, 223-224, 279, 304, 306, 311, 319, 322, 325, 328, 330, 339, 下 85, 90, 138, 154-155, 157, 161-162
言語学 下 90, 132, 157-158, 161-162
原材料 上 90, 92, 297, 下 213, 214-215, 223-226, 228
原子爆弾 上 339, 下 69, 73, 94, 96, 220, 276, 355, →核兵器, 原子物理学
原子物理学 上 49, 279, 下 69, 74-75, 91, 113

【コ】

交易 上 45, 68-70, 73, 88, 114-115, 204, 281, 285, 304-306, 308, 338, 下 16, 55, 140, 175, 190, 195, 280, 285, 350
交雑説 上 34-36, 38
交代説 上 35-36, 38
幸福 上 146, 161, 185-186, 188, 223, 下 66, 182, 282-286, 288-294, 298-313, 316-317, 350
黒人差別的な法律 上 230, 238, 240
国防高等研究計画局（DARPA） 下 332
国防総省（アメリカ合衆国） 下 96
国民主義 上 51, 196, 332-335, 337, 下 41, 44, 60, 65, 111, 202, 253, 260, 283, 309
国民戦線 下 163
黒曜石 上 69-70, 287, 下 13
国連 上 64, 73, 下 273
個人主義 上 194-195
子育て 上 28, 67, 78, 117, 148, 150-151, 232, 252, 263-264, 下 307

112-114, 339
化学的現象の始まり　上 11, 16, 下 319
核家族　上 75, 78-79, 84, 104, 下 249, 256, 259
核兵器　上 13, 下 113, 241, 272, 276, 280-281, 287, 355
家族と地域コミュニティの崩壊　上 13, 下 248-258, 263, 292-293
カッツ，エドゥアルド　下 322-323
カトリック　上 56, 61-62, 66-67, 258, 260, 286, 295, 311, 下 21-22, 28, 188
カーネマン，ダニエル　下 306-307
カーバ神殿　上 267, 下 10
家父長制　上 254-256, 259, 262, 265, 下 248
貨幣　上 12, 201, 283-284, 285, 287, 291-299, 301, 303, 305-308, 325, 下 11, 13, 170-171, 260, 283
カラカダ丘陵　上 158
ガラパゴス諸島　上 132, 下 79, 133
カラハリ砂漠　上 82-83, 104, 118
カリグラ（皇帝）　上 167
カリフォルニア　下 118, 167, 277, 279, 291
カリブ海, カリブ諸島　上 128, 下 143-145, 149, 179
カルガクス（カレドニアの族長）　上 318-319
カルタゴ　上 309-310, 313, 330, 333, 下 97, 141
カレドニア　上 318-319
観光産業　上 199
韓国　下 278, 328
ガンジス川　下 13-14
ガンディー，モーハンダース・カラムチャンド　上 329, 下 270, 281
漢帝国　上 13, 319, 331

【キ】

企業　上 55-56, 70, 146-147, 220, 223, 下 112-113, 116, 176, 181-182, 194-195, 204, 207, 209-210, 227, 341
飢饉　上 95, 下 99-100, 160, 210, 287-288
キケロ　上 318
気候変動　上 118-120, 123, 128-129, 148, 339, 下 352-353
ギザの大ピラミッド　上 198
騎士道　上 269-270, 272
北アフリカ　上 21, 286-287, 下 25, 31, 95, 123
北アメリカ　上 107, 120, 127, 138, 141, 184, 276, 279-281, 下 118, 199
キニク学派　上 192　下 34
キープ（結縄《けつじょう》）　上 213-214, 216
キプリング，ラドヤード　下 159
旧約聖書　上 40, 215, 299, 316, 下 32-33
キューバ　上 128, 130, 下 148-149
キュロス大王（ペルシア）　上 320-323, 325, 340
共産主義　上 68, 271, 332, 下 41-43, 64, 81, 110, 116, 212, 272, 283, 347
共同主観　上 200-202, 253, 291, 下 260
漁村　上 89, 115
ギョベクリ・テペ　上 156-159, 211
ギリシア　上 192, 215, 246-247, 256, 309, 311, 314, 327, 333, 下 18, 63, 130, 138, 157-158, 162, 202-203, 275
キリスト教　上 13, 28, 44, 72, 187, 192-193, 248, 269-270, 272-274, 283, 286-287, 305, 307, 330, 下 20-22, 24-28, 31-33, 42, 55, 57, 59, 63-

【エ】

エクアドル　上 144, 213, 下 273
エジプト　上 135, 163, 177-178, 197-199, 211, 215, 218, 255-256, 258, 282, 319, 330-333, 下 20, 23, 61, 103, 127, 132, 201-202, 283, 296-297
エドワード1世　下 107-109
エドワード2世　下 109
エネルギー　上 11, 25, 32, 231, 下 71, 93, 100, 213-217, 220, 222-223, 226, 235, 239-240, 282, 333
エピクロス主義　下 34
エリコ　上 146, 150-151, 177
エリザベス1世　上 255
エリート　上 66, 140, 174-175, 180, 191, 197, 199, 261, 315, 318-319, 325-327, 329-330, 333, 338, 下 20, 130, 148-149, 163, 180, 185, 237, 272, 278, 342
エリナー（イングランド王妃）　下 107, 109
エルサレム　上 216, 317
エンガ族　上 144
エンリケ航海王子　下 132

【オ】

オーウェル，ジョージ　下 306, 310
欧州連合（EU）　下 260, 339
王立協会　下 118, 120
お金　上 56, 64, 191-192, 228, 239, 242, 271, 306-307, 下 66, 71, 74, 92, 101, 111-114, 118, 166-167, 170-179, 182, 184, 186-187, 190-193, 198-199, 205, 237-238, 257, 289-290, 305, 337
オーストラリア　上 12, 37, 44-45, 51, 83, 89, 107, 112-124, 129, 136, 138, 169, 201, 275-278, 281, 下 118, 121, 123, 126, 159, 165, 224, 285
オーストラリア世界　上 276
オスマン帝国（オスマントルコ）　上 233, 256, 下 124, 126-127, 150-152, 185, 202-203, 251, 273
オセアニア　上 276-277, 281, 292, 下 25, 151, 310
オッペンハイマー，ロバート　下 69, 276
男らしさ　上 191, 246, 250, 252-256
オバマ，バラク　上 253, 下 297
オフネット洞窟　上 109-110
オランダ　上 313, 下 130, 163, 188-193, 195-196, 199-200, 210
オランダ西インド会社（WIC）　下 195-196
オランダ東インド会社（VOC）　下 193-195, 199, 210
オリュンピアス（マケドニア王妃）　上 247
オルドリン，バズ　下 133
温暖化　→地球温暖化

【カ】

「外界」　上 113-114, 119, 下 124
貝殻　上 68, 70, 88, 177, 287, 291-293, 295-297, 302, 304-305, 307
壊血病　下 119-120
海面上昇　上 22, 115, 下 240
海洋社会　上 114
カエサル，ユリウス　上 262, 279
カオス系　下 60-61
科学革命　上 13, 17, 下 67, 69, 74-75, 77, 99, 105, 123, 126, 130, 138, 175, 286, 322
科学研究の資金　下 74, 82, 92-93, 96,

生贄　上 96, 106, 下 15-18
イザベラ（エドワード2世の妃）　下 109
イースター島　上 131
イスパニョーラ島　上 128
イスラエル　上 87, 108, 110, 278, 下 24, 235, 276, 280, 301, 354
イスラム教　上 13, 81-82, 102, 256, 273, 283, 286, 303, 323, 326, 330, 333, 336-337, 下 11, 13, 24, 27, 31-33, 41, 49, 59, 63-64, 77, 79, 103, 127-128, 130-131, 151, 163, 184, 259, 274, 283, 347
イスラム教徒　上 243, 272-273, 277, 286-287, 304-305, 330-331, 337, 下 11, 31-32, 55, 63, 126, 130, 153, 163, 184, 259
一夫一婦制　上 75, 78-80, 104, 下 327, 329
遺伝学　上 37, 158, 下 89, 115, 327
遺伝的プログラミング　下 337-338, 354
イベリア半島　上 33, 286, 309, 311, 330
移民　上 239, 下 47, 163-164
イラク　上 180, 303, 320, 下 261-262, 266, 274, 277
イラン　上 102, 137, 180, 278, 320, 330-333, 下 274, 276
『イリアス』　上 215, 247
インカ帝国　上 213-214, 218, 256, 277, 291, 下 143, 145, 150, 246
インキタトゥス（馬）　上 167
インダス川（文明）　上 174, 下 13-14, 154
インターネット　上 154, 下 264, 336, 346
インターフェイス　下 61, 336
インテリジェント・デザイン　下 323
インド　上 12, 198, 221, 229, 233-235, 237, 243, 245, 253, 277, 280-281, 303-305, 318, 323, 328, 332-338, 下 11, 25, 31, 34, 36, 40, 59, 66-67, 124, 126-127, 130, 132, 136, 139, 141-142, 151-154, 156-158, 160-162, 175, 184, 194, 199-200, 225, 266, 271
インド大三角測量　下 153
インドネシア　上 21-22, 33, 89, 114-115, 277, 下 136, 141-142, 194-195, 200, 210, 212, 274

【ウ】

ヴァイシャ　上 229
ヴァスコ・ダ・ガマ　下 132
ヴァルトゼーミュラー，マルティン　下 138
ウァレンス（皇帝）　上 275
ヴィクトリア女王　下 202
ウィツィロポチトリ（アステカ族の主神）　下 20, 26
飢え　上 93-95, 108, 140, 144-146, 153, 173, 176, 257, 310, 下 103, 175, 212, 237, 300
ヴェスプッチ，アメリゴ　下 137-138
ヴェトナム戦争　下 152
ウェブスター，アレクサンダー　下 86-88
ヴェルヌ，ジュール　下 72
ウォール街　上 73, 下 195-196, 338
ヴォルテール　上 189
ウォーレス，ロバート　下 86-88
ウクライナ　下 272, 354
ウランゲリ島　上 120

278, 281, 286, 303, 下 25, 34, 67, 98, 135
アヘン，アヘン戦争　下 200-202, 287
アボリジニ　下 121-123, 126, 285, 287
アポロ11号　上 116, 下 133, 136, 346
アマゾン　上 112, 126, 下 269
アームストロング，ニール　下 133, 165, 282
アメリカ　上 41, 60, 126-127, 136, 141, 155, 179, 185-188, 190, 192, 202, 215, 226-227, 230, 233, 236-243, 265, 271, 278-279, 284, 297, 303, 313, 323, 326-327, 338, 下 44, 58-59, 73-75, 93-96, 113-114, 124, 126-128, 135, 152, 169, 199, 206, 208-209, 231, 236-237, 273-274, 276, 281, 291, 297, 332-334, 356, →アメリカ合衆国
アメリカ合衆国　上 126, 179, 182, 184, 202, 238-239, 241, 271, 297, 323, 327, 下 124, 233
アメリカ大陸　上 12-13, 107, 113, 116, 120, 124, 126 129, 136, 169, 212-213, 236-238, 243, 256, 275-281, 304, 319, 323, 326, 下 25, 118, 124, 132-133, 135, 137-139, 143-144, 149-151, 165, 183, 186, 188, 207
アメリカ先住民　上 107, 226, 253, 279-280, 285, 下 130, 133, 285
アラスカ　上 124, 126-127, 138, 319, 322, 下 151
アラバマ　上 238-239, 258
アラビア人　上 221, 256, 319, 327, 330-333, 下 59, 79, 96, 131
アラビア数字　上 221
アラビア半島　上 34, 下 24-25
アラブ帝国　上 319, 330, 下 63
アラブの春　下 61
アラモゴード　下 69, 73-74, 116
アーリア人　上 233-234, 237, 下 161-163
アリストテレス　上 227, 229
アリュアッテス（リュディア王）　上 300
アル＝アサド，ハーフェズ　下 261
アルゴリズム　上 27, 下 61-62, 355
アルジェリア　上 260, 下 152, 271-272, 274
アルゼンチン　上 103, 126, 213, 278, 280-281, 下 227, 275
アルタミラ（洞窟壁画）　上 172
アルバ（緑色の蛍光性のウサギ）　下 322
アルファオス　上 52-53, 65, 67, 197, 258, 282
アルメニア人　上 317, 下 265
アレクサンドロス大王　上 192, 247, 262, 323, 下 141
アングラ・マイニュ（悪しき神）　下 30
アンデス（世界）　上 212, 276-277

【イ】

イエス（ナザレの）　上 40, 下 24, 57, 90, 99, 101, 173
イギリス　上 83, 157, 184, 256, 260, 277, 292, 302-303, 313, 317, 326-329, 334-338, 下 72, 94, 119-121, 123, 126-128, 130, 153-155, 158, 160, 162, 187, 196, 198-203, 208, 218-220, 224, 244-246, 261, 268, 270-271
イギリス海軍　下 120, 133
イギリス東インド会社　上 336, 下 199-200, 210

索　引

【アルファベット】

AI(人工知能)　上 339, 下 183, 354-357
COVID-19(新型コロナウイルス感染症)　下 352
DNA　上 18, 37-38, 42, 46, 65-66, 68, 72, 77, 106, 146-147, 161, 204-205, 209, 下 241, 312, 322, 328, 340-341
V2 ロケット　下 94-95
VOC　→オランダ東インド会社

【ア】

アイゼンハワー, ドワイト　下 93
アインシュタイン, アルベルト　上 47, 73, 下 83, 220
アウグスティヌス（聖）　上 318, 下 312
アウグストゥス（皇帝）　上 262
アウストラロピテクス　上 21
アウレリウス, マルクス（皇帝）　上 330
アエミリアヌス, スキピオ（将軍）　上 310, 下 97
アクエンアテン（ファラオ）　下 23
アケメネス朝ペルシア帝国　下 31
アーサー王　上 195, 270
アジア　上 21-23, 35-36, 44, 114, 117, 127, 136, 236, 273, 276-277, 280, 292, 304, 319, 下 10-11, 20, 25-26, 30-31, 40, 124, 126-128, 136, 138, 150-151, 157, 161, 184-185, 187-188, 194, 271-272, →アフロ・ユーラシア大陸
アステカ族　上 102, 256, 285, 下 20, 132, 143-147, 149-150
アステカ帝国　上 277, 314, 下 20, 26, 143-145, 147-149, 278
アタワルパ（インカの支配者）　下 150
アチェ族　上 96-98
アッカド帝国　上 12, 178, 219, 320-321
アッシリア帝国（人）　上 178, 256, 316-317, 320, 下 156, 246
アッバース朝　上 327, 下 262
アテネ　上 246, 251, 253, 313-314, 下 141, 275
後知恵の誤謬　下 56, 58
アートマン　下 18-19
アナトリア　上 177, 300
アニミズム　上 99-100, 102-103, 下 13, 15-17, 26, 33
アフガニスタン　上 278, 下 95, 182, 266, 271, 274
アフラ・マズダ（善き神）　下 30
アフリカ　上 11-12, 17, 21, 23, 33-34, 36, 43-44, 82, 89, 113-114, 117, 124, 127, 130, 136, 138, 169, 190, 228, 236-237, 260, 276, 286-287, 292, 319, 329, 332-333, 下 11, 18, 25, 31, 62, 95, 118, 123, 125-127, 132, 136-137, 139, 141-142, 144, 151, 188, 208-212, 228, 274, 283, 285, 350
アフロ・ユーラシア大陸　上 113-114, 116, 121, 129, 161, 256, 276-

サピエンス全史《ぜんし》 下
文明《ぶんめい》の構造《こうぞう》と人類《じんるい》の幸福《こうふく》

二〇二三年一一月一〇日　初版印刷
二〇二三年一一月二〇日　初版発行

著　者　Y・N・ハラリ
訳　者　柴田《しばた》裕之《やすし》
発行者　小野寺優
発行所　株式会社河出書房新社
〒一五一－〇〇五一
東京都渋谷区千駄ヶ谷二－三二－二
電話〇三－三四〇四－八六一一（編集）
〇三－三四〇四－一二〇一（営業）
https://www.kawade.co.jp/

ロゴ・表紙デザイン　粟津潔
本文フォーマット　佐々木暁
印刷・製本　中央精版印刷株式会社

Printed in Japan　ISBN978-4-309-46789-4

ホモ・デウス　上

ユヴァル・ノア・ハラリ　柴田裕之〔訳〕　46758-0

ついに待望の文庫版登場！　世界的ベストセラー『サピエンス全史』に続いて著者が放つ「衝撃の未来」。カズオ・イシグロ、ビル・ゲイツ、ダニエル・カーネマンが絶賛する面白さと深い考察。

ホモ・デウス　下

ユヴァル・ノア・ハラリ　柴田裕之〔訳〕　46759-7

ついに待望の文庫版登場！　世界的ベストセラー『サピエンス全史』に続いて著者が放つ「衝撃の未来」。カズオ・イシグロ、ビル・ゲイツ、ダニエル・カーネマンが絶賛する面白さと深い考察。

21 Lessons

ユヴァル・ノア・ハラリ　柴田裕之〔訳〕　46745-0

私たちはどこにいるのか。そして、どう生きるべきか——。『サピエンス全史』『ホモ・デウス』で全世界に衝撃をあたえた新たなる知の巨人による、人類の「現在」を考えるための21の問い。待望の文庫化。

メガトン級「大失敗」の世界史

トム・フィリップス　禰冝田亜希〔訳〕　46778-8

とてつもない大失敗をやらかした時には、本書を読むといい。人類がどれほどあんぽんたんで、救いようのないヘマを繰り返してきたか。世界27ヶ国で訳されたユーモラスなベストセラー。

この世界を知るための　人類と科学の400万年史

レナード・ムロディナウ　水谷淳〔訳〕　46720-7

人類はなぜ科学を生み出せたのか？　ヒトの誕生から言語の獲得、古代ギリシャの哲学者、ニュートンやアインシュタイン、量子の奇妙な世界の発見まで、世界を見る目を一変させる決定版科学史！

感染地図

スティーヴン・ジョンソン　矢野真千子〔訳〕　46458-9

150年前のロンドンを「見えない敵」が襲った！　大疫病禍の感染源究明に挑む壮大で壮絶な実験は、やがて独創的な「地図」に結実する。スリルあふれる医学＝歴史ノンフィクション。

死について！　上

スタッズ・ターケル　金原瑞人／野沢佳織／築地誠子〔訳〕 46765-8

ピューリッツァー賞作家にしてオーラルヒストリーの名手による伝説的インタビュー集、待望の復刊。看護師・刑事・元死刑冤罪者・原爆被爆者・戦争退役軍人・牧師・物理学者など多様な人々が死について語る

死について！　下

スタッズ・ターケル　金原瑞人／野沢佳織／築地誠子〔訳〕 46766-5

ピューリッツァー賞作家にしてオーラルヒストリーの名手による伝説的インタビュー集、待望の復刊。歌手・HIV感染者・元麻薬常用者・元司書・医師・コメディアン・葬儀屋など多様な人々が死について語る

人類が絶滅する6のシナリオ

フレッド・グテル　夏目大〔訳〕 46454-1

明日、人類はこうして絶滅する！　スーパーウイルス、気候変動、大量絶滅、食糧危機、バイオテロ、コンピュータの暴走……人類はどうすれば絶滅の危機から逃れられるのか？

古代文明と気候大変動

ブライアン・フェイガン　東郷えりか〔訳〕 46774-0

地球は１万5000年前、氷河期を終えて温暖化を迎えた。この「長い夏」に生まれた古代文明は、やがて洪水や旱魃などの自然災害に翻弄され、滅んでいく。気候と歴史のダイナミックな物語。

歴史を変えた気候大変動

ブライアン・フェイガン　東郷えりか／桃井緑美子〔訳〕 46775-7

19世紀中ごろまでの５世紀間、ヨーロッパは夏でも凍えるような寒気に繰り返し襲われた。食糧が尽きた民衆に飢えが忍び寄る。小氷河期と呼ばれた気候変動は人類に何をもたらしたのか。

これが見納め

ダグラス・アダムス／マーク・カーワディン／リチャード・ドーキンス　安原和見〔訳〕 46768-9

カカポ、キタシロサイ、アイアイ、マウンテンゴリラ……。『銀河ヒッチハイク・ガイド』の著者たちが、世界の絶滅危惧種に会いに旅に出た！自然がますます愛おしくなる、紀行文の大傑作！

生物はなぜ誕生したのか

ピーター・ウォード／ジョゼフ・カーシュヴィンク　梶山あゆみ〔訳〕 46717-7

生物は幾度もの大量絶滅を経験し、スノーボールアースや酸素濃度といった地球環境の劇的な変化に適応することで進化しつづけてきた。宇宙生物学と地球生物学が解き明かす、まったく新しい生命の歴史！

イチョウ　奇跡の2億年史

ピーター・クレイン　矢野真千子〔訳〕 46741-2

長崎の出島が「悠久の命」をつないだ！　2億年近く生き延びたあとに絶滅寸前になったイチョウが、息を吹き返し、人に愛されてきたあまりに数奇な運命と壮大な歴史を科学と文化から描く。

スパイスの科学

武政三男 41357-0

スパイスの第一人者が贈る、魅惑の味の世界。ホワイトシチューやケーキに、隠し味で少量のナツメグを……いつもの料理が大変身。プロの技を、実例たっぷりに調理科学の視点でまとめたスパイス本の決定版！

植物はそこまで知っている

ダニエル・チャモヴィッツ　矢野真千子〔訳〕 46438-1

見てもいるし、覚えてもいる！　科学の最前線が解き明かす驚異の能力！視覚、聴覚、嗅覚、位置感覚、そして記憶――多くの感覚を駆使して高度に生きる植物たちの「知られざる世界」。

犬はあなたをこう見ている

ジョン・ブラッドショー　西田美緒子〔訳〕 46426-8

どうすれば人と犬の関係はより良いものとなるのだろうか？　犬の世界には序列があるとする常識を覆し、動物行動学の第一人者が科学的な視点から犬の感情や思考、知能、行動を解き明かす全米ベストセラー！

動物になって生きてみた

チャールズ・フォスター　西田美緒子〔訳〕 46737-5

アナグマとなって森で眠り、アカシカとなって猟犬に追われ、カワウソとなって川にもぐり、キツネとなって都会のゴミを漁り、アマツバメとなって旅をする。動物の目から世界を生きた、感動的ドキュメント。